OLIVER!

Bezoek onze Internet-site www.awbruna.nl
voor informatie over al boeken en softwareproducten.

Charles Dickens

OLIVER!

A.W. Bruna Uitgevers B.V., Utrecht

Oorspronkelijke titel
Oliver Twist
Bewerking en vertaling
© 1979 Uitgeversmaatschappij The Readers Digest N.V.
Deze uitgave:
© 1999 A.W. Bruna Uitgevers B.V.
Omslag:
© 1999 Joop van den Ende Theaterproducties B.V.

ISBN 90 229 8474 5
NUGI 301

Tweede druk, november 1999

1

Onder de openbare instellingen in een zekere stad, waarvan ik de naam om meer dan één reden voorzichtigheidshalve maar niet zal noemen, bevindt zich een armenhuis. En op een dag en datum, die ik hier niet hoef mee te delen, werd in dit armenhuis een stuk sterfelijkheid geboren, waarvan de naam Oliver Twist is.

Nadat de gestichtdokter hem in deze wereld had binnengeleid, bleef het een zeer twijfelachtige kwestie of het kind lang genoeg in leven zou blijven om ooit een naam te dragen. De kwestie is dat het heel wat moeite kostte om Oliver ertoe te bewegen te gaan ademhalen – een gewoonte, die noodzakelijk is voor ons bestaan. Zo lag hij geruime tijd op een klein matras naar adem te snakken, zonder te weten of hij deze wereld zou binnengaan of de volgende, hoewel de neiging naar het laatste ongetwijfeld groter scheen te zijn. Als Oliver gedurende deze korte periode omgeven was geweest door voorzichtige grootmoeders, bezorgde tantes, ervaren verpleegsters en geleerde artsen, dan zou ongetwijfeld een snelle dood onvermijdelijk zijn geweest. Aangezien er echter niemand bij was dan een oude bedelares, die nogal onzeker was ten gevolge van een grote hoeveelheid bier, en een dokter die zulke zaakjes volgens contract opknapte, vocht Oliver het zelf uit met de natuur. Het resultaat was dat Oliver na enkele krachtsinspanningen ademde, niesde en de bewoners van het armenhuis door middel van een oorverdovend geschreeuw ervan in kennis stelde dat de gemeente er een last bij had gekregen.

Terwijl Oliver dit eerste bewijs gaf van het feit dat zijn longen in orde waren, kwam er beweging in de lappendeken die over het ijzeren ledikant was geworpen. Het bleke gezicht van een jonge vrouw verhief zich met veel moeite van het kussen en een zwakke stem stamelde: 'Laat me het kind zien, dan zal ik sterven!'

De dokter had zijn handen bij het vuur zitten warmen. Toen de jonge vrouw begon te spreken draaide hij zich om en zei met meer vriendelijkheid dan men verwacht zou hebben: 'O, je moet nu nog niet over doodgaan praten.'

'De hemel zegene het beste kind, natuurlijk niet,' kwam de oude vrouw tussenbeide. 'Als ze eenmaal zo oud is als ik en dertien kinderen ter wereld heeft gebracht, waarvan er maar twee in leven gebleven zijn en nu net als ik in het werkhuis zitten, dan zal ze wel anders praten. Kom, lieve kind! Bedenk eens wat het zeggen wil om moeder te zijn. Kop op, m'n schaap!'

Klaarblijkelijk had dit troostende vooruitzicht op het lot van een moeder niet het gewenste effect. De patiënte schudde het hoofd en stak haar hand uit naar het kind. De dokter legde het in haar armen. Hartstochtelijk drukte zij haar koude witte lippen op het voorhoofdje. Toen streek ze met haar hand over haar gezicht, keek wild om zich heen, huiverde, viel achterover en stierf. Ze probeerden haar borst, handen en slapen warm te wrijven, maar het bloed had voor altijd zijn loop gestaakt.

'Het is voorbij, vrouw Thingummy!' zei de dokter ten slotte. Hij trok zijn handschoenen aan en zette zijn hoed op. Bij het bed bleef hij even staan. 'Het was een knap meisje,' zei hij. 'Waar kwam ze vandaan?'

'Ze zagen haar gisteravond op straat liggen en hebben haar hierheen gebracht,' antwoordde de oude vrouw. 'Ze moet een heel eind gelopen hebben, want haar schoenen waren totaal versleten. Maar niemand weet waar ze vandaan komt.'

De dokter boog zich over het lichaam en tilde de linkerhand op. 'Het oude liedje,' zei hij, terwijl hij het hoofd schudde. 'Geen trouwring, zoals ik zie. Nu, goedenavond.'

De weledelgeleerde ging naar huis, waar het eten op hem wachtte, en de oude vrouw liet zich in een lage stoel voor het vuur zakken en begon het kind aan te kleden.

Oliver schreeuwde er lustig op los. Als hij geweten had dat hij een wees was, overgeleverd aan de genade van kerkmeester en armenvoogden, bestemd om gestompt en geslagen te worden door de wereld, veracht door iedereen en door niemand met medelijden bejegend, dan was hij misschien nog erger tekeer gegaan.

Vanaf zijn geboorte en gedurende de eerstkomende jaren was Oliver het slachtoffer van een stelselmatig verraad en bedrog. Aangezien zich op dat moment niet één vrouw in 'het huis' bevond die in staat was hem de voeding te verschaffen die hij zo nodig had, namen de gemeentelijke autoriteiten het besluit dat Oliver 'uitbesteed' zou worden, of met andere woorden, dat men hem zou overbrengen naar een ander armenhuis op ongeveer vijf kilometer afstand van het hoofdgebouw, waar twintig of dertig andere jeugdige overtreders van de armen- wetten over de grond rolden, zonder daarbij gehinderd te worden door te veel eten of te veel kleren. Zij stonden onder het moederlijke toezicht van een bejaarde vrouw die de jeug- dige boosdoeners opnam tegen een wekelijkse vergoeding van zeveneneenhalve stuiver per hoofd. Voor zeveneneenhalve stuiver kan men heel wat voedsel kopen – meer dan genoeg om een maagje te overladen en een kind ziek te maken. De bejaarde vrouw wist echter wat goed was voor kinderen en zij bezat tevens een zeer nauwkeurig begrip van wat goed was voor haarzelf. Daarom gebruikte ze het grootste gedeelte van de wekelijkse vergoeding voor zichzelf en verstrekte aan het opgroeiende geslacht nog kleinere porties eten dan men oor- spronkelijk voor hen bestemd had.

Men kon moeilijk verwachten dat een dergelijk opvoedings- systeem uitzonderlijke of overvloedige resultaten zou afwer- pen. Oliver Twist was op z'n negende verjaardag een mager, bleek jongetje, vrij klein voor z'n leeftijd en zeer zeker van te geringe omvang. Maar hij had van de natuur of door overer- ving een taaie geestkracht meegekregen en misschien had hij het daar wel aan te danken, dat hij nog een negende verjaar- dag beleefde. Maar hoe het ook zij, het was zijn negende ver- jaardag, die hij in de kolenkelder vierde in het uitgelezen gezelschap van twee andere jongelieden. Na broederlijk een flink pak slaag gedeeld te hebben, waren ze net alle drie opge- sloten omdat ze zo brutaal waren geweest te beweren dat ze honger hadden, toen juffrouw Mann, de weldoenster van het huis, onverwacht werd opgeschrikt door de verschijning van mijnheer Bumble, de gemeentebode, die alle mogelijke moei- te deed het tuinhek open te krijgen.

'Heremetijd! Bent u het, mijnheer Bumble?' vroeg juffrouw Mann, terwijl ze haar hoofd uit het raam stak en erin slaagde haar stem blij verrukt te doen klinken, '(Susan, haal Oliver en

die twee andere apen naar boven en was ze onmiddellijk.)
Goeie genade! Wat ben ik blij u te zien, mijnheer Bumble. Ik
kan u niet zeggen hoe! Lieve hemel,' zei ze, naar buiten hol-
lend, 'dat is me ook wat! Ik heb helemaal vergeten dat het
tuinhek vastzit. Dat doen we voor die lieve kinderen. Komt u
binnen, komt u alstublieft binnen, mijnheer Bumble.'
Hoewel zij deze uitnodiging vergezeld deed gaan van een buiging die zelfs het hart van een kerkvoogd vertederd zou hebben, liet de bode, een dikke opvliegende man, zich er niet
door vermurwen. 'Vindt u het wel van respect getuigen, juffrouw Mann,' vroeg meneer Bumble, 'om gemeenteambtenaren voor uw tuinhek te laten wachten, wanneer zij hier komen
om zaken te bespreken die de gemeente en de gemeentelijke
weeskinderen betreffen?'
'Ach, mijnheer Bumble. Ik heb alleen maar even aan een paar
van die lieve kinderen verteld dat u eraan kwam. U weet hoe
dol ze op u zijn,' lispelde juffrouw Mann heel onderdanig.
'Goed, goed, juffrouw Mann,' antwoordde hij op kalmere
toon. 'Het zal wel zo zijn als u zegt. Gaat u voor, want ik kom
voor zaken en ik heb u iets te zeggen.'
Juffrouw Mann bracht de bode in een klein spreekkamertje,
bood hem een stoel aan en legde met overdreven vertoon van
gedienstigheid zijn driekante steek en zijn wandelstok vóór
hem op de tafel. Mijnheer Bumble veegde van zijn voorhoofd
het zweet af dat de wandeling daarop tevoorschijn had
gebracht, keek voldaan naar zijn steek, en glimlachte.
'U hebt een lange wandeling achter de rug, anders zou ik er
niet over beginnen,' merkte juffrouw Mann met flemende
vriendelijkheid op. 'Maar wilt u niet iets drinken, mijnheer
Bumble?'
'Geen druppel, geen druppel,' zei mijnheer Bumble, terwijl
hij met zijn rechterhand waardig een wuivend gebaar maakte.
'Toe, een heel klein glaasje, met een beetje water en een
klontje suiker,' zei juffrouw Mann overredend.
'Wat is het?' informeerde de bode.
'Ach, een goedje waar ik altijd een beetje van in huis moet
hebben om in het stroopdrankje van de kinderen te doen als
ze niet goed zijn, mijnheer Bumble,' antwoordde juffrouw
Mann terwijl ze een kast in de hoek openmaakte en er een fles
en een glas uitpakte. 'Het is gin. Ik zal u niet bedriegen, mijnheer Bumble, het is gin.'

'Geeft u de kinderen een stroopdrankje, juffrouw Mann?'
vroeg Bumble, terwijl hij met zijn ogen het belangwekkende
mengingsproces volgde.

'Ach, die lieve kinderen, natuurlijk, al is het nog zo duur,' antwoordde de verzorgster. 'Weet u, mijnheer, ik kan het eenvoudig niet aanzien als ze zich niet goed voelen.'

'Nee,' zei mijnheer Bumble goedkeurend, 'nee, dat zou u niet
kunnen. U bent een menslievende vrouw, juffrouw Mann.'
(Ze zette zijn glas neer.) 'Zodra ik daartoe in de gelegenheid
ben, zal ik het bestuur ervan op de hoogte brengen, juffrouw
Mann.' (Hij roerde gin en water door elkaar.) 'Ik drink op uw
gezondheid met een opgeruimd gemoed, juffrouw Mann,' en
hij dronk het glas half leeg.

'En nu ter zake,' zei hij, een zakboekje tevoorschijn halend.
'Het kind dat we de naam Oliver Twist gegeven hebben, is
vandaag negen jaar.'

'God zegene hem!' wierp juffrouw Mann ertussen, terwijl ze
met de punt van haar schort over haar linkeroog wreef.

'En niettegenstaande het feit dat we een beloning uitgeloofd
hebben van honderd gulden, en niettegenstaande de boven-
menselijke inspanning die de gemeente zich heeft getroost,'
zei Bumble, 'zijn we er nooit in geslaagd te ontdekken wie zijn
vader was, noch hoe zijn moeder heette en hoe haar omstandigheden waren.'

Juffrouw Mann sloeg haar handen in verbazing ten hemel.

'Hoe komt het dan eigenlijk dat het kind nog een naam heeft?'

De bode richtte zich met een trots gezicht op en zei: 'Die heb
ik bedacht.'

'U, mijnheer Bumble?'

'Ik, juffrouw Mann. Wij geven onze vondelingen namen in
alfabetische volgorde. De laatste was een S - Swubble heb ik
hem genoemd. Dit was een T - hem heb ik Twist gedoopt. De
volgende zal Unwin heten, en die dan komt krijgt de naam
Vilkins.'

'Nou, u heeft literaire aanleg, mijnheer!' zei juffrouw Mann.

'Ja, ja,' zei de bode, zichtbaar gevleid door dit compliment,
'misschien heeft u wel gelijk, juffrouw Mann.' Hij dronk
zijn glas leeg en vervolgde: 'Aangezien Oliver nu te oud
geworden is om hier te blijven, heeft het bestuur besloten
hem weer in het huis zelf op te nemen. Ik ben persoonlijk hierheen gekomen om hem ernaar toe te brengen. Haal de jongen

dus onmiddellijk hier.'

'Ik zal hem dadelijk halen,' zei juffrouw Mann.

Oliver, die inmiddels zoveel van de buitenste laag vuil van zijn gezicht en handen was kwijtgeraakt als er in één wasbeurt afgeboend kon worden, werd door zijn beschermvrouwe de kamer binnengeleid.

'Maak een buiging voor die mijnheer, Oliver,' zei juffrouw Mann.

Oliver verdeelde zijn buiging tussen de bode op de stoel en de steek op tafel.

'Wil je met me meegaan, Oliver?' vroeg mijnheer Bumble met indrukwekkende stem.

Oliver stond juist op het punt te antwoorden dat hij niets liever deed dan weggaan, met wie dan ook, toen hij opkeek en juffrouw Mann in het oog kreeg. Zij had zich achter de stoel van de bode opgesteld en schudde met een woedend gezicht haar vuist naar hem. Hij begreep de wenk onmiddellijk, want hij had al zo vaak lichamelijk kennis gemaakt met deze vuist, dat hij er grote eerbied voor koesterde.

'Gaat zij ook mee?' informeerde de arme Oliver.

'Nee, zij kan niet mee,' antwoordde mijnheer Bumble, 'maar ze zal je wel af en toe komen opzoeken.'

Dat was nu niet direct een troostrijk vooruitzicht voor het kind. Jong als hij was, had hij echter genoeg gezond verstand om te doen alsof het hem heel erg speet, dat hij weg moest. Het was in het geheel niet moeilijk voor de jongen om tranen in zijn ogen tevoorschijn te roepen. Als je wil huilen, dan wordt dit zeer vergemakkelijkt als je honger hebt en kort geleden nog mishandeld bent. Oliver huilde dan ook heel natuurlijk. Juffrouw Mann omhelsde hem wel duizendmaal en, wat Oliver oneindig veel meer op prijs stelde, ze gaf hem een boterham, uit angst dat hij anders te hongerig zou lijken wanneer hij in het armenhuis aankwam. Met de boterham in zijn hand en het bruine wezenpetje op zijn hoofd werd Oliver door mijnheer Bumble weggeleid uit het ellendige huis, waar hij in heel zijn somber kinderbestaan nooit één vriendelijk woord of lieve blik had gekregen. Maar desondanks barstte hij uit in een vloed van tranen toen het tuinhek achter hem dichtklapte. Hoe ongelukkig zijn metgezellen met wie hij zoveel ellende gedeeld had ook waren, zij waren de enige vriendjes die hij ooit gekend had, en een gevoel van verlatenheid in de grote, wijde wereld welde voor het eerst in zijn kinderhart op. In het armenhuis werd Oliver toevertrouwd aan de zorgen van een oude vrouw, maar binnen een kwartier kwam mijnheer Bumble terug met de boodschap dat het bestuur gezegd had, dat hij onmiddellijk voor hen moest verschijnen. Omdat Oliver niet precies wist wat een bestuur was, verbijsterde deze mededeling hem enigszins, en hij wist niet zeker of hij nu moest lachen of huilen. Hij had echter geen tijd om over dit probleem na te denken, want mijnheer Bumble gaf hem met zijn wandelstok een opwekkende tik op zijn rug en bracht hem in een groot vertrek met gewitte muren, waar acht à tien dikke heren om een tafel zaten. Aan het hoofd van de tafel, in een leunstoel die een stuk groter was dan de andere, zat een buitengewoon dikke heer met een heel rood gezicht.

'Maak een buiging voor het bestuur,' zei Bumble. Oliver veegde een paar tranen die nog in zijn ogen stonden, weg en omdat hij nog steeds niet wist wat nu eigenlijk het bestuur was, boog hij op goed geluk voor de tafel.

'Hoe heet je, jongen?' vroeg de heer in de grote stoel.

Oliver was bang bij het zien van zoveel heren en hij begon te beven. De bode gaf hem van achteren nog een tik, zodat hij weer begon te huilen, waarop een heer met een wit vest zei dat hij gek was.

'Jongen,' zei de heer in de grote stoel, 'luister naar me. Je weet toch dat je een weeskind bent, veronderstel ik?'

'Wat is dat, mijnheer?' vroeg de arme Oliver.

'Je weet dat je geen vader of moeder hebt, en dat je door de gemeente bent grootgebracht, nietwaar?'

'Ja, mijnheer,' antwoordde Oliver, bittere tranen stortend.

'Waarom huil je nu?' vroeg de heer met het witte vest. 'De jongen is gek – ik dacht het al.'

'Ik hoop dat je iedere avond je gebeden opzegt,' zei een van de andere heren bars, 'en dat je bidt voor de mensen die je te eten geven.'

'Ja, mijnheer,' stamelde de jongen. Maar hij had het nog nooit gedaan, omdat niemand het hem geleerd had.

'Welnu! Je bent hier gekomen om te worden opgevoed en een nuttig ambacht te leren,' zei de heer met het rode hoofd in de grote stoel.

'Daarom begin je morgenochtend om zes uur met touw pluizen,' voegde de norse man met het witte vest eraan toe.

Op aanwijzing van de bode boog Oliver diep voor deze combinatie van zegeningen. Daarna werd hij haastig weggeleid naar een grote zaal, waar hij zich op een ruw, hard bed in slaap huilde.

Arme Oliver! Terwijl hij daar zo lag te slapen, onbewust van alles wat zich rondom hem afspeelde, kon hij niet weten dat de bestuursleden die dag tot een besluit waren gekomen dat van het allergrootste belang zou blijken te zijn voor zijn toekomst. Maar het was zo, en wel dit: ze waren overtuigd geraakt dat het huis bij arme mensen in hoog aanzien stond. Het was een logement waar men niets hoefde te betalen; gratis ontbijt, middagmaal, thee en avondeten het hele jaar door; een paradijs van metselspecie en bakstenen, waar men altijd kon spelen en niet hoefde te werken. Daarom stelden zij de regel in dat de armen de keus zouden hebben (want zij wilden niemand dwingen, o nee, dat niet) tussen een langzame hongerdood in het armenhuis of een snelle hongerdood erbuiten. Met dit doel voor ogen sloten zij een contract af met de waterleidingmaatschappij voor de levering van een onbeperkte hoeveelheid water, terwijl een graanhandelaar op gezette tijden kleine hoeveelheden havermout leverde, en ze verstrekten iedere dag drie porties dunne havermoutpap, met tweemaal per week een ui en 's zondags een half broodje.

De eerste zes maanden nadat Oliver weer in het armenhuis was opgenomen, draaide het systeem op volle toeren. Het bracht in het begin nogal wat kosten mee, omdat de rekening van de doodgraver een belangrijke stijging vertoonde en omdat het nodig bleek de kleren van alle armlastigen in te nemen, omdat die los om hun vermagerde lichamen begonnen te flodderen. Maar het aantal inwoners van het armenhuis werd net zo schriel als de armlastigen zelf, en het bestuur was dol van vreugde.

Het lokaal waar de jongens hun eten kregen was een grote stenen zaal, met aan de ene kant een koperen ketel waaruit de vader van het armenhuis, die bij zulke gelegenheden altijd een schort droeg, tijdens de maaltijden de pap opschepte, daarin bijgestaan door twee vrouwen. Van het feestelijke brouwsel kreeg elke jongen één bordje en meer niet – behalve wanneer er grote openbare feestelijkheden waren, dan kregen ze er ook nog dertig gram brood bij. De borden hoefden nooit te worden afgewassen. De jongens krabden ze met hun lepels zo schoon, dat ze glommen. En als zij deze handeling volbracht hadden, zaten ze met begerige ogen naar de ketel te staren alsof ze die wel hadden willen verslinden. Ondertussen likten ze dan ijverig hun vingers af om elk druppeltje pap dat gemorst was toch nog te achterhalen.

Over het algemeen hebben jongens een uitstekende eetlust. Drie maanden lang ondergingen Oliver Twist en zijn metgezellen de foltering van een langzame uithongering. Toen werden ze zo vraatzuchtig dat één knaap die nogal groot was voor zijn leeftijd, tegenover zijn lotgenoten duistere toespelingen begon te maken dat hij, als hij per dag niet een bord pap meer kreeg, bang was de jongen die 's nachts naast hem sliep, een zwak en nog erg jong kind, nog eens te zullen opeten. Hij zag er wild en hongerig uit, en ze geloofden hem onvoorwaardelijk. De jongens belegden een vergadering; er werd om geloot wie die avond na het eten naar de vader zou gaan om een tweede portie te vragen; en het lot wees Oliver Twist aan.

De avond kwam, de jongens gingen zitten. De vader, in zijn koksuitrusting, posteerde zich bij de ketel; de pap werd uitgedeeld en een lang gebed werd uitgesproken voor het korte maal. De pap verdween; de jongens fluisterden onder elkaar en Olivers buurman stootte hem aan. Kind als hij nog was, was hij vertwijfeld door honger en roekeloos van ellende. Hij stond op van tafel en naar de vader van het armenhuis toelopend, met z'n kommetje en zijn lepel in de hand, zei hij, enigszins verontrust door zijn eigen stoutmoedigheid: 'Alstublieft, mijnheer, ik wou nog wat hebben.'

De vader, een dikke, gezonde man, werd doodsbleek. Hij staarde de jeugdige opstandeling enkele ogenblikken in stomme verbazing aan en greep zich vast aan de ketel om niet te vallen. De helpsters waren verlamd van verwondering, en de jongens van angst.

'Wat?' zei de vader eindelijk met zwakke stem.

'Alstublieft,' herhaalde Oliver. 'Ik wou nog wat hebben.'

De vader mepte met de pollepel in de richting van Olivers hoofd, klemde de jongen vervolgens stevig in zijn armen en riep luidkeels om de bode.

Het bestuur zat juist in plechtige vergadering bijeen, toen mijnheer Bumble opgewonden het vertrek kwam binnenstormen en tegen de heer in de grote stoel zei: 'Mijnheer Limbkins, excuseert u mij, mijnheer! Oliver Twist heeft om meer gevraagd!'

Er schokte een plotselinge schrik door de aanwezigen heen. Op ieders gezicht stond afschuw te lezen. 'Om meer?' vroeg mijnheer Limbkins. 'Kom tot jezelf, Bumble, en geef mij een duidelijk antwoord. Heb ik goed begrepen dat hij om meer vroeg, nadat hij de hem toebedeelde portie opgegeten had?'

'Zo is het, mijnheer,' antwoordde Bumble.

'Die jongen eindigt aan de galg,' zei de heer met het witte vest. 'Ik weet zeker dat die jongen aan de galg zal eindigen.'

Niemand bestreed deze profetische uitspraak. Er volgde een geanimeerde discussie. Oliver werd tot onmiddellijke eenzame opsluiting veroordeeld, en de volgende morgen werd er op de buitenkant van het hek een mededeling geplakt dat een beloning van vijftig gulden werd uitgeloofd aan degene die het armenbestuur van Oliver Twist wilde verlossen.

2

Nadat hij de goddeloze misdaad had begaan om meer te vragen, werd Oliver een week lang streng afgezonderd in een donkere, lege kamer, die de wijze bestuursleden hem genadig als verblijfplaats hadden aangewezen. Hij huilde alle dagen bitter en wanneer de lange, sombere nacht kwam, hield hij zijn handjes voor zijn ogen om de duisternis te weren, dook ineen in een hoek en probeerde te slapen maar schrok steeds wakker, beefde dan van angst en drukte zich tegen de muur, alsof die harde, koude stenen hem konden beschermen tegen de duisternis en de eenzaamheid die hem omringden. Maar laat men nu niet denken dat Oliver, tijdens zijn eenzame opsluiting het plezier van gezelschap of het voorrecht van godsdienstige troost ontzegd waren. Wat het gezelschap betrof; om de dag werd hij naar de zaal gebracht waar de jongens aten, en daar kreeg hij dan een pak slaag als waarschuwing voor de anderen. En in plaats van hem elke godsdienstige troost te onthouden, trapte men hem iedere avond tegen de tijd van het avondgebed dezelfde ruimte binnen, waar hij dan mocht luisteren naar een gemeenschappelijke smeekbede van de jongens, waarin op bevel van het bestuur een speciale passage was ingelast waarin zij smeekten braaf te mogen worden en te worden gevrijwaard tegen de zonden en ondeugden van Oliver Twist.

Op een morgen, toen Oliver in deze voorspoedige staat verkeerde, gebeurde het dat mijnheer Bumble bij het hek niemand anders dan mijnheer Sowerberry, de gemeentedoodgraver, ontmoette. Mijnheer Sowerberry was een lange, magere, hoekige man, gekleed in een versleten zwart pak en gestopte katoenen kousen van dezelfde kleur. Zijn stap was veerkrachtig en zijn gezicht duidde op inwendige vrolijkheid, toen hij mijnheer Bumble vriendschappelijk de hand schudde. 'Ik heb de maat genomen van de twee vrouwen die vannacht overleden zijn, mijnheer Bumble,' zei hij.

'U wordt nog eens rijk, mijnheer Sowerberry,' zei de bode, terwijl hij zijn duim en wijsvinger liet zakken in de snuifdoos die de doodgraver hem voorhield, een vernuftig klein model in de vorm van een doodkist.

'Denkt u?' vroeg de doodgraver. 'De prijzen die het bestuur heeft vastgesteld zijn erg bescheiden, mijnheer Bumble.'

'De doodkisten ook,' antwoordde de bode, met precies zo'n zweem van een glimlach als een belangrijk ambtenaar zich kon veroorloven.

Mijnheer Sowerberry vond dit bijzonder grappig en hij lachte een hele tijd zonder onderbreking. 'Ja, ja, mijnheer Bumble,' zei hij ten slotte, 'het valt niet te ontkennen dat sinds het invoeren van de nieuwe voedselregeling, de doodkisten iets nauwer en lager zijn geworden dan voorheen. Maar we moeten toch winst maken, mijnheer Bumble. Goed uitgewerkt hout is duur, mijnheer.'

Mijnheer Bumble achtte het raadzaam op een ander onderwerp over te gaan. En aangezien zijn gedachten zich voortdurend bezighielden met Oliver Twist, koos hij hem als thema. 'Tussen twee haakjes,' zei hij, 'u weet zeker niet iemand, die een jongen nodig heeft, wel? Een weeskind, dat op het ogenblik een blok aan het been, ja, ik mag wel zeggen een molensteen aan de hals van de gemeente is. Gunstige voorwaarden, mijnheer Sowerberry, gunstige voorwaarden!' Terwijl mijnheer Bumble aldus sprak, wees hij met zijn wandelstok naar de mededeling boven zijn hoofd en gaf drie duidelijke tikken op de woorden VIJFTIG GULDEN.

'Daar wilde ik het nu juist met u over hebben,' zei de doodgraver, mijnheer Bumble bij de met goudgalon omzoomde revers van zijn ambtsjas grijpend. 'Weet u – lieve hemel, wat is dat een elegante knoop, mijnheer. Die heb ik nooit eerder opgemerkt.'

'Ja, ze zijn zeker aardig,' zei de bode, terwijl hij trots neerkeek op de grote knopen die zijn jas sierden. 'De voorstelling is dezelfde als die van het gemeentezegel – de barmhartige Samaritaan, die de zieke en gewonde man helpt. Ik heb ze van het bestuur gekregen, mijnheer Sowerberry. Maar goed, wat doen we met de jongen?'

'Wel,' antwoordde de doodgraver, 'ik dacht zo dat ik, die zoveel armenbelasting aan ze moet betalen, ook het recht heb zoveel uit ze te halen als ik kan, en daarom denk ik... dat ik de jongen maar neem.'

Mijnheer Bumble greep de doodgraver bij de arm en leidde hem het gebouw binnen. Mijnheer Sowerberry werd vijf minuten met het bestuur alleen gelaten en toen was overeengekomen dat Oliver die avond met hem mee zou gaan 'op proef' – een uitdrukking, die in het geval van een leerjongen van de gemeente betekende dat wanneer zijn baas na een korte proeftijd tot de overtuiging was gekomen voldoende werk uit hem te kunnen krijgen, zonder er te veel voedsel in te hoeven stoppen, hij de jongen voor een bepaald aantal jaren kon krijgen en dan met hem mocht doen wat hij wilde.

Toen de kleine Oliver die avond voor 'de heren' werd geleid en ervan in kennis werd gesteld dat hij in dienst zou treden als manusje van alles bij een doodkistenmaker, toonde hij zo weinig emotie, dat iedereen het erover eens was dat hij een doortrapte jonge schurk moest zijn, waarop Bumble opdracht kreeg hem onmiddellijk te verwijderen. Het simpele feit was echter dat Oliver, in plaats van te weinig, eerder te veel gevoel bezat, en al aardig op weg was voor zijn verdere leven tot een soort dierlijke afstomping te vervallen door de slechte behandeling die hij had moeten ondergaan. Hij hoorde het nieuws zwijgend aan, en nadat men hem zijn bagage – die niet moeilijk te dragen was omdat alles verpakt zat in een pakje van bruin papier – in de hand gegeven had, werd hij door de bode naar een nieuw lijdensoord gebracht.

Een tijdlang trok mijnheer Bumble Oliver met zich mee zonder naar hem te kijken of iets te zeggen, en omdat het een winderige dag was werd de kleine Oliver volkomen door de openwaaiende panden van mijnheer Bumbles jas omhuld, zodat het vest met de slippen en de geelbruine fluwelen kniebroek van de bode op hun voordeligst uitkwamen. Toen ze echter hun doel naderden, achtte mijnheer Bumble het raadzaam om toch eens naar beneden te kijken om te zien of Olivers toestand dusdanig was dat hij een inspectie van zijn nieuwe meester kon doorstaan.

'Oliver!' zei mijnheer Bumble.

'Ja, mijnheer,' antwoordde Oliver met zachte, bevende stem.

'Trek die pet uit je ogen en hef je hoofd eens wat op, jongen.'

Hoewel Oliver onmiddellijk deed wat van hem verlangd werd en met de rug van zijn vrije hand stevig in zijn ogen wreef, rolde er toch een traan langs zijn wang. Er kwam er nog een, en nog een. Hij deed wat in zijn vermogen lag, maar zonder succes. Hij trok zijn andere hand uit die van mijnheer Bumble, bedekte zijn gezicht met beide handen en huilde tot de tranen tussen zijn magere vingers door liepen.

'Wel!' riep mijnheer Bumble uit. Hij stond abrupt stil en wierp een uiterst kwaadaardige blik op zijn kleine metgezel. 'Wel! Van alle ondankbare jongens die ik ooit gekend heb, ben jij de...'

'Nee, nee, mijnheer,' snikte Oliver, zich vastgrijpend aan de hand die de welbekende wandelstok omklemde. 'Nee, nee, mijnheer. Ik zal echt stil zijn. Heus, mijnheer! Ik ben nog maar een klein jongetje en ik ben zo eenzaam, mijnheer! Zo ontzettend eenzaam! Iedereen haat me. O, mijnheer, wees toch alsjeblieft niet boos op me!'

Het kind sloeg met de hand op zijn borst en keek naar het gezicht van zijn begeleider met tranen van oprechte smart. Mijnheer Bumble sloeg de beklagenswaardige Oliver enkele ogenblikken verbaasd gade, kuchte een keer of vier schor, en verzocht hem zijn ogen af te drogen en een zoete jongen te zijn. Daarna nam hij hem weer bij de hand en liep zwijgend met hem verder.

De doodgraver die juist de luiken voor zijn winkelraam gesloten had, zat bij het licht van een uiterst troosteloos kaarsje enige posten in zijn kasboek te noteren, toen mijnheer Bumble binnentrad.

'Ik heb de jongen gebracht, mijnheer Sowerberry,' zei de bode. Oliver maakte een buiging.

'O, is dat de jongen?' zei de doodgraver, de kaars boven zijn hoofd heffend om Oliver beter te kunnen bekijken. 'Mevrouw Sowerberry, lieve, zou je zo goed willen zijn even hier te komen?'

Mevrouw Sowerberry kwam tevoorschijn uit een kamertje achter de winkel. Zij was een kleine, magere, verschrompelde vrouw met een vinnig gezicht.

'Mijn lieve,' zei mijnheer Sowerberry eerbiedig, 'dit is de jongen uit het armenhuis.' Oliver maakte wederom een buiging.

'Mijn hemel!' zei ze. 'Wat is hij klein.'

'Tja,' reageerde mijnheer Bumble en hij keek naar Oliver alsof die er iets aan kon doen dat hij niet groter was. 'Dat valt niet te ontkennen. Maar hij zal nog wel groeien, mevrouw Sowerberry, hij zal nog wel groeien.'

'O, daar twijfel ik geen ogenblik aan,' antwoordde de vrouw kijvend, 'van ons eten en drinken. Weeskinderen kosten altijd meer dan ze waard zijn. Maar ja, mannen denken altijd dat zij het 't beste weten. Schiet op! Naar beneden, zak met benen!'

Met deze woorden opende de vrouw van de doodgraver een zijdeur en duwde Oliver van een steile trap die uitkwam in een klein stenen hok, donker en vochtig, dat met de naam 'keuken' bestempeld werd. Daar zat een slons van een meid met afgetrapte schoenen en blauwe kousen die nodig gestopt moesten worden. 'Hier, Charlotte,' zei mevrouw Sowerberry, die achter Oliver aan kwam, 'geef die jongen eens wat van 't koude vlees dat we voor Trip apart gehouden hadden. De jongen is daar heus niet te kieskeurig voor, hè, jongen?'

Oliver, wiens ogen begonnen te glinsteren bij het woord eten en trilde van verlangen om het naar binnen te werken, antwoordde ontkennend. Even later werd hem een bord resten voorgezet die de hond had laten staan, maar Oliver rukte de brokken van elkaar met de felheid van iemand die volkomen uitgehongerd is.

'Nou, nou,' zei de vrouw van de doodgraver, toen Oliver zijn eten op had. Zij had staan toekijken met stil afgrijzen en angstige voorgevoelens aangaande zijn toekomstige eetlust. 'Ben je klaar?'

Daar er niets eetbaars meer binnen zijn bereik stond, antwoordde Oliver bevestigend.

'Kom dan maar mee,' zei mevrouw Sowerberry. Ze pakte een lamp en ging hem voor, de trap op. 'Je bed is onder de toonbank. Het kan je toch niet schelen om tussen de doodkisten te slapen, hè? Maar dat doet ook eigenlijk niets ter zake, want je kunt nergens anders slapen. Vooruit, laat me hier niet de hele nacht wachten.'

Gedwee volgde Oliver zijn nieuwe meesteres de trap op.

Toen Oliver alleen achterbleef in de winkel van de doodgraver, zette hij de lamp op de werkbank en keek schuchter om zich heen met een gevoel van eerbied en vrees dat de meeste mensen, al waren ze nog zoveel ouder dan hij, ook bekropen zou hebben. Een onvoltooide doodkist stond midden in de werkplaats op zwarte schragen. Het ding zag er zo somber en akelig uit dat het koude zweet hem uitbrak, telkens wanneer zijn blik die richting uitdwaalde. Hij verwachtte bijna dat ieder ogenblik de een of andere spookachtige verschijning zijn hoofd uit de kist kon optillen om hem gek te maken van ontzetting. Langs de muur stond een hele rij iepenhouten planken die alle in dezelfde vorm gezaagd waren. In het schemerige licht zagen ze eruit als spoken, hoog in de schouders en met de handen in hun zakken. Het was in de winkel heet en benauwd. De atmosfeer scheen doordrongen met de lucht van doodkisten. De nis onder de toonbank, waarin men een matras gelegd had, zag eruit als een graf.

En dit was niet het enige dat Oliver in een troosteloze stemming bracht en terneer drukte. Hij was alleen in een vreemd huis en we weten allemaal hoe ellendig en verlaten zelfs de moedigsten van ons zich soms in zo'n geval voelen. De jongen had geen vrienden om wie hij gaf, of die iets om hem gaven. En toen hij in zijn nauwe bedje kroop, wenste hij dat het zijn doodkist wás, en dat men hem voor een kalme en eeuwig durende slaap in de grond van het kerkhof zou leggen waar het zware geluid van de oude kerkklok hem in zijn slaap troost zou brengen.

De volgende morgen werd Oliver gewekt door een luide schop tegen de buitenkant van de winkeldeur die, nog voor hij in zijn kleren had kunnen schieten, minstens vijfentwintig keer herhaald werd op een kwaadaardige, heftige manier. Toen hij de ketting begon los te maken, hielden de benen op en een stem riep: 'Maak die deur open, wil je?'

'Ja, mijnheer, een ogenblikje,' antwoordde Oliver, die de sleutel omdraaide.

'Jij bent zeker de nieuwe jongen, hè?' zei de stem.

'Ja, mijnheer,' antwoordde Oliver.

'Hoe oud ben je?' informeerde de stem.

'Tien, mijnheer,' antwoordde Oliver.

'Dan zal ik je een pak slaag geven, als ik binnen ben,' zei de stem. 'Let maar eens op!' En na deze vriendelijke belofte te hebben gedaan, begon de stem te fluiten.

Oliver schoof met bevende hand de grendel opzij en opende de deur. Een grote jongen van de liefdadigheidsschool zat op een paal voor het huis een boterham te eten. Hij sneed die met een knipmes in stukken die hij handig verorberde.

'Pardon, mijnheer,' zei Oliver argeloos. 'Heeft u een doodkist nodig?'

Hierop keek de jongen ontzettend kwaad en zei dat Oliver wel gauw een pak slaag zou krijgen als hij zijn meerderen op zo'n manier voor de gek hield. 'Je weet zeker niet wie ik ben, hè, Armenhuis?' vervolgde de jongen van de liefdadigheidsschool.

'Nee, mijnheer,' antwoordde Oliver.

'Ik ben mijnheer Noah Claypole en jij staat onder mij. Haal die luiken voor het venster weg, luie jonge schurk!' Hij deed die woorden vergezeld gaan van een trap, en stapte daarna de winkel binnen met een waardig air, wat hem lang niet slecht af ging. Het is, onverschillig de omstandigheden, altijd al moeilijk voor een jongeman met een groot hoofd, kleine ogen en een dom gezicht om er waardig uit te zien, maar het wordt nog moeilijker als je, buiten deze persoonlijke charmes, ook nog een rode neus hebt en een gele korte broek draagt.

Oliver maakte de luiken los en brak een van de ruiten bij zijn pogingen om het eerste, dat veel te zwaar voor hem was, weg te klappen, daarbij genadig geholpen door Noah, die hem verzekerde dat hij ervan zou 'lusten'. Even later verschenen mijnheer en mevrouw Sowerberry. Nadat Oliver er inderdaad van had 'gelust' zoals Noah voorspeld had, volgde hij die jongeheer naar beneden om te gaan ontbijten.

'Kom bij het vuur, Noah,' zei Charlotte. 'Ik heb een lekker stukje ham voor je bewaard van meneers ontbijt. Oliver, neem de restjes die ik op het deksel van de braadpan gelegd heb. Hier is je thee. Ga ermee op die kist in de hoek zitten en drink hem daar op. Maak wat voort, want ze hebben je nodig om op de winkel te passen.'

'Heb je het verstaan, Armenhuis?' zei Noah Claypole.

'Mijn hemel, Noah,' zei Charlotte. 'Wat ben je toch een rare snuiter! Waarom laat je die jongen niet met rust?'

'Met rust laten!' zei Noah. 'Hij wordt al genoeg met rust gelaten als het erop aankomt. Van zijn vader en moeder heeft hij geen last en evenmin van de rest van zijn familie. Wel? Charlotte? Hè, hè!'

'O, mallerd!' zei Charlotte, die hartelijk begon te lachen, een voorbeeld dat Noah onmiddellijk volgde. Daarna keken ze allebei minachtend naar de arme Oliver Twist die op zijn kist de oudbakken resten at, die men speciaal voor hem had bewaard.

Noah was weliswaar van de liefdadigheidsschool, maar geen

wees uit het armenhuis. Hij was geen onecht kind, want hij kende zijn afstamming; zijn ouders woonden vlak bij. Zijn moeder was wasvrouw en zijn vader een drankzuchtige soldaat, uit de dienst ontslagen met een houten been en een pensioen van zeveneneenhalve cent per dag. De jongens uit de winkels en werkplaatsen in de buurt hadden Noah gebrandmerkt met het smadelijke bijvoegsel 'liefdadigheid', en nu het lot een naamloos weeskind op zijn pad gevoerd had, wreekte hij zich op hem, met interest. Dit nu toont ons hoe mooi de menselijke natuur zich kan ontwikkelen en hoe dezelfde beminnelijke eigenschappen zowel bij de deftigste edelman als bij de smerigste liefdadigheidsjongen kunnen voorkomen.

Oliver was nu al zo'n week of drie, vier bij de doodgraver. Nadat de winkel gesloten was, gebruikten mijnheer en mevrouw Sowerberry eens het avondmaal in het achterkamertje, toen mijnheer Sowerberry, na verscheidene eerbiedige blikken op zijn vrouw, zei: 'Wat de jonge Twist betreft, mijn lieve, hij ziet er goed uit.'

'Dat mag ook wel, want hij eet genoeg,' merkte de dame op.

'Hij heeft op zijn gezicht een droefgeestige trek,' hernam mijnheer Sowerberry, 'die erg interessant is. Hij zou een goede doodbidder zijn, mijn lieve.'

Mevrouw Sowerberry keek op met een uitdrukking van verbazing.

'Ik bedoel niet een gewone doodbidder voor volwassenen, mijn lieve, maar alleen als er kinderen gestorven zijn. Het zou iets geheel nieuws zijn om een doodbidder in de juiste proportie te hebben. Het zou een geweldig effect sorteren.'

Mevrouw Sowerberry, die een heel goede smaak had op het gebied van begrafenissen, werd dadelijk getroffen door het nieuwe van het idee. Maar aangezien het afbreuk zou doen aan haar waardigheid als ze dit bekende, vroeg ze alleen maar scherp waarom zoiets voor de hand liggends niet eerder bij hem was opgekomen. En spoedig waren ze het erover eens dat Oliver onmiddellijk in de geheimen van het vak moest worden ingewijd en bij de eerste de beste gelegenheid dat zijn diensten benodigd waren, zijn meester moest vergezellen.

Het was toen net een heerlijk ongezond jaargetijde. Doodkisten stonden hoog genoteerd en in enkele weken tijd deed Oliver heel wat ervaring op. Het succes van mijnheer Sowerberry's vernuftige idee overtrof zelfs zijn stoutste verwachtingen.

De oudste inwoners konden zich de tijd niet heugen dat de mazelen zo geheerst hadden en zoveel slachtoffers hadden geëist onder de jonge kinderen. Het aantal droevige processies waarin Oliver, met om zijn hoed een rouwlint dat tot aan zijn knieën afhing, voorop liep tot de onbeschrijfelijke bewondering en opwinding van alle moeders in de stad, was groot.

Oliver vergezelde zijn meester tevens bij de meeste volwassen begrafenissen, teneinde die gelijkmoedigheid van houding en beheersing van de zenuwen te verwerven die voor een volleerd doodbidder nu eenmaal onmisbaar zijn. Ondertussen onderwierp hij zich deemoedig aan de overheersing en mishandelingen van Noah Claypole, die hem nu nog veel meer sarde dan vroeger. Noah was jaloers omdat die nieuwe jongen bevorderd was tot de zwarte staf en het rouwlint, terwijl hij, die er langer was, nog niet verder was gekomen dan de bontmuts en de leren broek. Charlotte behandelde hem slecht omdat Noah dat deed, en mevrouw Sowerberry was zijn openlijke vijandin omdat mijnheer Sowerberry ertoe neigde zijn vriend te zijn. Zo kwam het dat Oliver, met die drie aan de ene kant en een reeks begrafenissen aan de andere, zich bepaald niet op zijn gemak voelde.

En nu kom ik tot een zeer belangrijk gedeelte in Olivers geschiedenis; ogenschijnlijk misschien onbelangrijk en weinig betekenend, maar van ingrijpende invloed op zijn verdere vooruitzichten en handelwijzen.

Op zekere dag waren Oliver en Noah op het gebruikelijke etensuur in de keuken afgedaald om te smullen van een schapenboutje – anderhalf pond van het slechtste eind van het halsstuk – toen Charlotte weggeroepen werd en er een kleine pauze ontstond die Noah, hongerig en gemeen als hij was, tot geen verhevener doel meende te kunnen aanwenden dan Oliver te ergeren en te kwellen.

Zich overgevend aan dit onschuldige vermaak legde Noah zijn voeten op het tafellaken, trok Oliver aan de haren en oren en gaf te kennen dat hij van plan was te komen kijken als Oliver werd opgehangen, wanneer die vurig verlangde gebeurtenis zou plaatsvinden. Maar geen enkele van deze kwellingen sorteerde het gewenste effect, namelijk dat Oliver ging huilen. Daarom probeerde Noah nog grappiger te worden, en deed wat vele stommelingen van groter reputatie heden ten dage nog vaak doen als ze grappig willen zijn: hij werd persoonlijk.

'Armenhuis,' zei Noah, 'hoe gaat het met je moeder?'

'Ze is dood,' antwoordde Oliver. 'En zeg niets over haar.' Oliver kreeg een kleur terwijl hij dit zei; zijn ademhaling ging gejaagd en zijn lippen en neusvleugels trilden op een eigenaardige manier.

'Waaraan is ze doodgegaan, Armenhuis?' hield Noah aan.

'Aan een gebroken hart, hebben een paar van onze oude verpleegsters mij verteld,' zei Oliver, meer alsof hij tegen zichzelf sprak dan tegen Noah. 'Ik geloof dat ik weet wat het moet zijn om daaraan te sterven.'

'Wel, wel, Armenhuis,' zei Noah, toen een traan langs Olivers wang rolde, 'wat maakt je nou aan 't grienen?'

'Jij niet,' antwoordde Oliver, terwijl hij vlug de traan wegveegde. 'En hou nou verder je mond over m'n moeder; ik waarschuw je.'

'Ik waarschuw je!' riep Noah uit. 'Armenhuis, niet brutaal worden. Maar je moet het toch eens weten, Armenhuis: die moeder van jou was door en door slecht.'

'Wat zeg je daar?' vroeg Oliver, die snel opkeek.

'Een door en door slecht mens, Armenhuis,' herhaalde Noah koel. 'En het is maar goed dat ze toen gestorven is, Armenhuis, anders zou ze toch maar in de nor gegooid zijn of gedeporteerd of opgehangen. En dat laatste is misschien nog wel het waarschijnlijkst, niet?'

Paars van woede sprong Oliver op, greep Noah bij zijn keel, schudde hem als razend door elkaar zodat zijn tanden klapperden en legde toen al zijn kracht in één geweldige slag, waarmee hij zijn tegenstander velde. Nu was de maat vol; de wrede belediging aan het adres van zijn overleden moeder had zijn bloed aan het koken gebracht. Zijn borst ging snel op en neer en zijn blik was levendig en helder zoals hij neerkeek op zijn laffe kwelgeest die nu aan zijn voeten op de grond lag te kronkelen.

'Hij vermoordt me!' snotterde Noah. 'Charlotte! Mevrouw! Oliver is gek geworden! Charlotte!'

Noahs kreten werden beantwoord door luid gegil van Charlotte en mevrouw Sowerberry. Eerstgenoemde rende de keuken binnen, terwijl laatstgenoemde net zolang boven aan het trapje bleef treuzelen, totdat ze er zeker van was dat een verdere afdaling geen levensgevaar meer meebracht.

'O, jij klein stuk ellendeling!' gilde Charlotte, terwijl ze Oliver vastgreep met al haar kracht, die ongeveer overeenkwam met de kracht van een fitte, behoorlijk sterke kerel. 'O, jij kleine on-dankba-re, moord-lus-ti-ge schurk!' En tussen alle letter-grepen in, gaf Charlotte Oliver een geweldige klap. Haar vuist was absoluut niet zacht, maar omdat mevrouw Sowerberry meende dat die niet voldoende zou blijken om Olivers woede te bedaren, rende zij het trapje af en hielp Charlotte door Oliver met de ene hand vast te houden en met de andere zijn gezicht open te krabben. Nadat de zaak deze gunstige wending had genomen, stond Noah van de grond op en begon hem van achteren te stompen.

Toen ze allemaal doodmoe waren en niet langer konden rukken en slaan, sleepten ze Oliver, die zich bleef verweren en in het minst niet ontmoedigd was, naar de kolenkelder waar ze hem opsloten. Nadat dit gebeurd was, zonk mevrouw Sowerberry in een stoel en barstte in tranen uit.

'O, Charlotte,' zei ze, zo goed als dat ging bij gebrek aan adem. 'Wat een geluk dat we niet allemaal in ons bed vermoord zijn!'

'Nou, dat is zeker een geluk, mevrouw,' luidde het antwoord. 'Arme Noah! Hij was haast dood toen ik binnenkwam, mevrouw.'

'Arme jongen!' zei mevrouw Sowerberry, de liefdadigheidsbeschermeling medelijdend aankijkend. Noah, wiens bovenste vestknoop ongeveer even hoog zat als Olivers kruin, wreef in zijn ogen en perste enige hartroerende tranen en snikken tevoorschijn.

'Wat moeten we nu beginnen?' riep mevrouw Sowerberry uit. 'Je meester is er niet; er is geen man in huis en binnen tien minuten heeft hij die deur ingetrapt.' Olivers heftige aanvallen op het juist genoemde stuk hout maakten deze veronderstelling meer dan waarschijnlijk. 'Loop gauw naar mijnheer Bumble, Noah, en zeg dat hij onmiddellijk hier moet komen. Schiet op!'

Noah rende zo snel hij kon door de straten en stond niet eerder stil om adem te halen dan toen hij de poort van het armenhuis had bereikt. Na enkele ogenblikken gerust te hebben om een goed ontdaan gezicht te zetten en zich voor te bereiden op een indrukwekkend vertoon van afgrijzen, klopte hij luid, waarop door een oude armlastige werd opengedaan.

'Mijnheer Bumble, mijnheer Bumble!' riep Noah, zo luid en

opgewonden, dat mijnheer Bumble die toevallig in de buurt was, het niet alleen hoorde maar tevens het binnenplein oprende zonder zijn driekante steek – een opmerkelijke omstandigheid, die ons laat zien dat zelfs een bode tijdelijk zijn zelfbeheersing kan verliezen.

'O, mijnheer Bumble. Mijnheer!' zei Noah, 'Oliver heeft...'

'Wat? Wat?' viel mijnheer Bumble hem in de rede, terwijl er een glimp van plezier in zijn harde ogen kwam. 'Hij is toch niet weggelopen, hè, Noah?'

'Nee, mijnheer, maar hij is gek geworden,' antwoordde Noah. 'Hij heeft geprobeerd me te vermoorden, mijnheer, en Charlotte en mevrouw! O! Wat doet dat zeer. Wat een pijn, mijnheer!' Bij deze woorden kronkelde Noah zijn lichaam in verschillende aalgelijke houdingen, waarmee hij mijnheer Bumble te kennen wilde geven dat hij door een bloeddorstige aanval van Oliver Twist ernstige inwendige kneuzingen en kwetsuren had opgelopen waardoor hij folterende pijnen leed. Toen Noah merkte dat deze berichten mijnheer Bumble volkomen verlamden, en hij een heer met een wit vest de binnenplaats zag oversteken, werden zijn jammerklachten tragischer dan ooit, aangezien hij het uiterst nuttig achtte de aandacht van voornoemde heer te trekken. De aandacht van de heer wás gauw getrokken, want hij had nog geen drie passen gedaan, toen hij zich kwaad omdraaide en vroeg waarom die jonge rekel daar zo stond te krijsen.

'Het is een arme jongen van de liefdadigheidsschool, mijnheer,' antwoordde mijnheer Bumble, 'die bijna vermoord is, mijnheer, door die jonge Twist.'

'Mijn hemel!' riep de heer met het witte vest uit, abrupt stilstaand. 'Ik wist het! Ik heb van het allereerste begin een vreemd voorgevoel gehad dat die onbeschaamde jonge woesteling nog eens opgehangen zou worden!'

'Hij heeft verder geprobeerd, mijnheer, om de dienstmeid te vermoorden,' zei mijnheer Bumble met een asgrauw gezicht.

'En zijn meesteres,' vulde mijnheer Claypole aan.

'En zijn meester ook, zei je dat niet?' voegde mijnheer Bumble eraan toe.

'Nee! Die is uit, maar hij zei dat hij het van plan was,' antwoordde Noah.

'O! Zei hij dat, mijn jongen?' informeerde de heer met het witte vest.

'Ja, mijnheer,' antwoordde Noah. 'En alsjeblieft, mijnheer, mevrouw laat vragen of mijnheer Bumble onmiddellijk mee zou kunnen gaan om hem een pak slaag te geven – want de baas is uit.'

'Zeker jongen, zeker,' zei de heer met het witte vest. Hij glimlachte welwillend en klopte Noah op het hoofd, dat bijna tien centimeter boven het zijne uitstak. 'Je bent een goede jongen. Hier heb je een stuiver. Bumble, ga eens even bij Sowerberry kijken en neem je wandelstok mee. Spaar hem niet, Bumble.'

'Nee, dat zal ik zeker niet, mijnheer,' antwoordde de bode, terwijl hij het pikdraad dat rond het ondereinde van zijn wandelstok gewonden was voor gemeentelijke afstraffingdoeleinden, op zijn juiste plaats schoof.

'En zeg tegen Sowerberry, dat die hem ook niet spaart. Ze zullen nooit iets bij hem bereiken zonder slaag en blauwe plekken.'

'Ik zal ervoor zorgen, mijnheer,' antwoordde de bode. En hij en Noah Claypole haastten zich zo vlug ze konden naar de werkplaats van de doodgraver.

Hier was de situatie er niet beter op geworden. Sowerberry was nog niet thuisgekomen en Oliver trapte nog steeds met onverminderde kracht tegen de kelderdeur. Mijnheer Bumble oordeelde het wijs om eerst te onderhandelen alvorens hij de deur opende. Daarvoor bracht hij zijn mond voor het sleutelgat en zei met zware, indrukwekkende stem: 'Oliver!'

'Schiet op, laat me eruit!' riep Oliver.

'Ken je deze stem?' zei mijnheer Bumble.

'Ja,' antwoordde Oliver.

'Ben je daar niet bang voor jongeman? Beef je niet?'

'Nee!' antwoordde Oliver dapper.

Een antwoord dat zozeer verschilde van hetgeen hij gewoon was te ontvangen, dat mijnheer Bumble niet weinig versteld stond. Hij verwijderde zich van het sleutelgat, richtte zich in zijn volle lengte op en keek de drie omstanders één voor één in stomme verbazing aan.

'O, mijnheer Bumble, hij móét gek zijn,' zei mevrouw Sowerberry. 'Geen jongen die bij zijn verstand is, zou zo tegen u durven spreken.'

'Hij is niet gek, mevrouw,' sprak mijnheer Bumble, na enkele ogenblikken diep te hebben nagedacht. 'Het is 't vlees. U hebt hem overvoerd, mevrouw. U hebt hem een kunstmatige ziel en geest ingeblazen die niet bij zo iemand passen. De leden van het bestuur, mevrouw Sowerberry, die praktische filosofen zijn, zullen dat onmiddellijk bevestigen. Als u de jongen alleen pap gegeven had, mevrouw, dan zou dit nooit gebeurd zijn.'

'Och, och!' riep mevrouw Sowerberry, terwijl ze vroom haar blik op het plafond richtte, 'dat komt ervan als je zo royaal bent!'

'Ah!' zei mijnheer Bumble, nadat de dame haar blik weer naar de aarde had laten terugkeren, 'het enige wat we kunnen doen is hem een dag in die kelder laten zitten tot hij honger heeft gekregen, en hem dan gedurende de rest van zijn leertijd alleen maar pap geven. Hij komt uit een slecht nest. Prikkelbare naturen, mevrouw Sowerberry! Zowel de dokter als de baker zeiden, dat die moeder van hem naar ons toe was gekomen in weerwil van moeilijkheden en pijnen, waaraan een gezondere vrouw al weken tevoren gestorven zou zijn.'

Op dit ogenblik begon Oliver, die genoeg had verstaan om te weten dat er weer over zijn moeder gesproken werd, opnieuw zo krachtig tegen de deur te schoppen dat elk ander geluid erdoor werd overstemd. Juist toen kwam Sowerberry thuis. Nadat hem was uitgelegd wat Oliver op zijn geweten had, natuurlijk met de overdrijvingen die de dames noodzakelijk oordeelden om zijn boosheid op te rakelen, maakte hij de deur open en sleepte zijn opstandige leerjongen aan diens kraag naar buiten.

Olivers kleren waren door het pak slaag dat hij had gekregen gescheurd; zijn gezicht zat vol blauwe plekken en krabben; zijn haar hing over zijn voorhoofd. Maar de kleur van boosheid was niet verdwenen, en hij keek Noah met een dreigende blik aan.

'Nou, jij bent ook een fraai heer, hè?' zei Sowerberry, terwijl hij Oliver door elkaar schudde en een oorvijg gaf.

'Hij heeft mijn moeder uitgescholden,' reageerde Oliver.

'Nou, en wat zou dat, ondankbare schelm?' zei mevrouw Sowerberry. 'Ze verdiende wat hij zei, en nog erger ook.'

'Nietes,' zei Oliver.

'Wel waar,' zei mevrouw Sowerberry.

'Het is een leugen,' zei Oliver.

Mevrouw Sowerberry barstte in tranen uit.

Die tranenstroom liet mijnheer Sowerberry geen keus. Indien

hij ook maar een ogenblik geaarzeld had Oliver een flinke aframmeling te geven, dan zou hij, dat zal iedere ervaren lezer duidelijk zijn, naar alle in het huwelijksleven gegroeide regels een onnatuurlijke echtgenoot zijn geweest. Nu gebiedt de eerlijkheid ons te zeggen, dat hij voor zover dat in zijn vermogen lag, vriendelijk gezind was jegens de jongen. Die tranen lieten hem echter geen uitweg, en dus gaf hij Oliver dadelijk zo'n pak rammel, dat het zelfs mevrouw Sowerberry's goedkeuring kon wegdragen en de gemeentelijke wandelstok van mijnheer Bumble in wezen overbodig maakte.

Voor de rest van de dag werd de boosdoener opgesloten in de bijkeuken en 's avonds stuurde mevrouw Sowerberry hem, na allerlei nu niet bepaald complimenteuze opmerkingen aan het adres van zijn overleden moeder, naar boven naar zijn troosteloos bed.

Pas toen hij alleen in de stilte van de doodgraverwerkplaats was achtergebleven, gaf Oliver lucht aan de gevoelens die de behandeling welke hij die dag had ondergaan had gewekt. Hij was nog maar een kind. Hij had hun gesar met verachtelijke blik aangehoord, hij had de slagen verduurd zonder te huilen; want hij voelde in zijn hart een trots opwellen die elke kreet verhinderde. Maar nu er niemand meer was die hem kon zien of horen, viel hij op zijn knieën op de grond, verborg zijn gezicht in de handen en huilde.

Lange tijd bleef Oliver onbeweeglijk in die houding zitten. De kaars in de kandelaar was al bijna opgebrand toen hij opstond. Na voorzichtig om zich heen gekeken en aandachtig geluisterd te hebben, schoof hij zacht de grendels van de deur en keek naar buiten.

Het was een donkere, koude nacht. Het scheen de jongen toe dat de sterren verder van de aarde verwijderd waren dan hij ooit tevoren had gezien. Er stond geen wind, en de sombere schaduwen van de bomen leken doods en griezelig. Voorzichtig maakte hij de deur weer dicht. Nadat hij in het licht van de dovende kaars zijn weinige bezittingen in een zakdoek had geknoopt, ging hij op een bank zitten en wachtte op de morgen.

Toen de eerste lichtstraal zich door een kier in een van de luiken wrong, stond Oliver op en ontgrendelde opnieuw de deur. Eén beschroomde blik om zich heen – één ogenblik van aarzeling – en hij sloot de deur achter zich en stond in de lege straat. Hij keek naar rechts en naar links, onzeker waarheen hij zou vluchten. Hij herinnerde zich dat als wagens de stad uitgingen, ze tegen de heuvel op moesten. Hij sloeg dezelfde richting in en toen hij bij een pad door de velden kwam, volgde hij dat, vlug voortstappend.

Oliver herinnerde zich heel goed dat dit hetzelfde pad was waarover hij had gelopen met mijnheer Bumble, toen deze hem voor het eerst van de boerderij naar het armenhuis bracht. Zijn weg voerde vlak langs het jongenshuis. Zijn hart klopte sneller toen hij daaraan dacht, maar het was nog zo vroeg dat er weinig gevaar voor ontdekking bestond, en dus liep hij door.

Hij bereikte het huis. Op dit uur was er nog geen spoor van de bewoners te zien. Oliver stond stil en gluurde de tuin in. Een kind was bezig een van de perkjes te wieden. Toen het even ophield en zijn bleke gezichtje hief, herkende Oliver de trekken van een van zijn vroegere kameraadjes. Oliver was blij dat hij juist hem zag voor hij verderging, want hoewel jonger dan hij, was het kind zijn vriendje en speelmakkertje geweest. Ontelbare keren waren ze samen geslagen en hadden ze samen honger geleden en opgesloten gezeten.

'Sst, Dick!' zei Oliver, toen de jongen naar het hek rende en zijn magere arm door de spijlen stak om hem te begroeten. 'Is er al iemand op?'

'Alleen ik nog maar,' antwoordde het kind.

'Je moet niet vertellen dat je me gezien hebt, Dick,' zei Oliver. 'Ik ben weggelopen. Ze slaan en mishandelen me en ik ga heel ver weg mijn fortuin zoeken. Ik weet nog niet waar. Wat zie je bleek!' 'Ik heb de dokter tegen ze horen zeggen dat ik dood ga,' zei het kind met een flauwe glimlach. 'Ik ben erg blij je te zien, joh, maar blijf hier niet te lang staan, blijf niet staan!'

'Jawel, nog even, om afscheid van je te nemen. Ik zal je terugzien, Dick, en dan ben je gezond en gelukkig.'

'Als ik dood ben, eerder niet,' antwoordde het kind. 'Ik weet dat de dokter gelijk heeft, Oliver, want ik droom zo vaak van de hemel en van engelen en vriendelijke gezichten. Geef me een kus,' zei het kind, op het lage hekje klimmend en zijn armpjes om Olivers hals slaand. 'Dag, Oliver! God zegene je.'

De zegen kwam van de lippen van een kind, maar het was de eerste die Oliver ooit over zich hoorde uitspreken. En gedurende de strijd en het lijden en al de moeilijkheden van zijn latere leven, vergat hij het nooit.

3

Toen Oliver het eind van het pad bereikte en weer op een hoofdweg kwam, was het acht uur. Hoewel hij al bijna acht kilometer buiten de stad was, liep hij hard en verborg hij zich achter heggen tot het middag was, bang dat hij gesnapt en teruggebracht zou worden. Toen pas ging hij naast een mijlpaal zitten rusten en dacht er voor het eerst eens over na waar hij het best heen kon gaan om een beter leven te vinden.

Het paaltje vermeldde in grote cijfers dat het van die plaats nog honderdtien kilometer was naar Londen. Die naam bracht de jongen op geheel nieuwe gedachten. Londen – die grote stad! Niemand, zelfs mijnheer Bumble niet, zou hem daar ooit kunnen vinden! Ook had hij de oude mannen in het armenhuis horen zeggen dat een jongen met fut in z'n lijf in Londen geen gebrek behoefde te lijden, en dat er in die grote stad manieren bestonden om de kost te verdienen waarvan zij, die op het platteland waren grootgebracht, geen idee hadden. Al die dingen overdenkend sprong hij op en liep verder.

Oliver legde die dag meer dan dertig kilometer af, en al die tijd at hij niets anders dan de droge korst brood die hij in zijn zak had, en het enige wat hij dronk waren een paar slokken water, bij huizen gebedeld. Toen de avond viel, liep hij een weiland in en kroop in een hooiberg. In het begin was hij bang, want de wind kreunde naargeestig en hij had honger en was koud en eenzamer dan ooit tevoren. Omdat hij echter erg moe was van het lopen, viel hij spoedig in slaap en vergat zijn moeilijkheden.

Toen hij de volgende ochtend opstond was hij koud en stijf en hij had zo'n honger dat hij wel verplicht was om in het eerste dorpje waar hij doorkwam z'n enige geld – een stuiver – in te ruilen voor een broodje. Hij had slechts twintig kilometer gelopen toen de avond opnieuw inviel. Zijn voeten deden zeer en zijn benen waren zo zwak dat zij trilden. Na die tweede nacht in de gure, vochtige lucht was het nog veel erger met hem, en toen hij de volgende ochtend zijn tocht voortzette, kon hij zich amper voortslepen.

Hij was hongeriger dan ooit, maar wanneer hij zijn neus in een winkel liet zien, spraken ze over de gemeentebode, wat hem het hart in de keel deed schieten – vaak het enige, dat hij daar uren achtereen had. Als een goedhartige tolbaas en een welwillende oude dame zich niet over hem hadden ontfermd, dan zou hij vast en zeker op de openbare weg doodgevallen zijn. Maar de tolbaas gaf hem een maal van brood en kaas en de oude dame had medelijden met het arme weesjongetje en gaf hem het weinige dat ze kon missen, en meer, met vriendelijke woorden en tranen van medeleven.

Vroeg op de zevende morgen strompelde Oliver het stadje Barnet binnen. De luiken voor de ramen waren nog dicht, de straat was verlaten; nog niemand was met zijn dagtaak begonnen. De zon kwam op in al haar indrukwekkende schoonheid, maar het licht toonde de jongen alleen maar zijn eigen eenzaamheid en troosteloosheid, terwijl hij met bloedende voeten en overdekt met stof op een stoep ging zitten.

Een voor een gingen de luiken open en er begonnen mensen voorbij te komen. Een enkeling keek onder het haastige lopen even naar hem om, maar niemand troostte hem of nam de moeite te vragen hoe hij hier kwam. Hij durfde niet te bedelen, maar bleef zitten.

Hij zat daar al een tijd in elkaar gedoken, lusteloos kijkend naar de postkoetsen die voorbijreden en bedenkend hoe vreemd het toch was dat die in enkele uren konden, waar hij een week voor nodig had gehad, toen zijn aandacht werd getrokken door een jongen die hem van de overkant van de straat aandachtig stond op te nemen. Oliver hief zijn hoofd en beantwoordde de strakke blik. Hierop stak de jongen over, kwam naar Oliver toe en zei: 'Hallo, gabber! Wat is er aan 't handje?'

De jongen was ongeveer van zijn leeftijd, maar Oliver had nog nooit een jongen gezien die er zo vreemd uitzag. Hij had een stompe neus, een plat voorhoofd en een alledaags gezicht en was zo vuil als men zich zo'n jeugdig persoon maar kon indenken; maar zijn houding en manieren waren die van een volwassen man. Hij was klein voor zijn leeftijd, had o-benen en lelijke, doordringende oogjes. Zijn hoed stond zo losjes boven op zijn hoofd dat die er ieder ogenblik dreigde af te vallen. Hij droeg een mannenjas die hem bijna tot op de hielen reikte. De mouwen had hij tot halverwege zijn armen teruggeslagen, klaarblijkelijk met het doel om zijn handen in de zakken van zijn manchesterbroek te steken, want daar had hij ze.

'Wat is er aan 't handje?' vroeg deze vreemde jongen aan Oliver.

'Ik heb zo'n honger en ik ben zo moe,' antwoordde Oliver met tranen in zijn ogen. 'Ik heb zeven dagen achterelkaar gelopen.'

'Zeven dagen gelopen!' zei het jongmens. 'Op last van de snavel zeker, hè? Maar,' voegde hij eraan toe, toen hij Olivers verbaasde gezicht zag, 'ik geloof dat je niet eens weet wat een snavel is, makker!'

Oliver antwoordde bedeesd, dat hij de bek van een vogel wel eens met die term had horen aanduiden.

'Goeie genade, wat 'n groentje!' riep de jongeman uit. 'Nou, een snavel da's een plisierechter. Maar vooruit, jij wil wat te bikke, en dat zal je hebbe. Ik zit zelf wel op zwart zaad – nog vijfenvijftig spie, maar ik zal dokke tot ik helemaal rut ben. Ga maar op je stelten staan.'

Het jongmens hielp Oliver opstaan en leidde hem naar een vlakbij gelegen winkel, waar hij een hoeveelheid ham en een half broodje kocht. Daarna ging hij een herberg binnen en stapte naar de tap. Er werd een pot bier gebracht, en op uitnodiging van zijn nieuwe vriend viel Oliver op het eten aan en at lang en smakelijk, terwijl de vreemde jongen hem aandachtig opnam. 'Op weg naar Londen?' informeerde hij toen Oliver eindelijk ophield.

'Ja.'

'Heb je ergens onderdak?'

'Nee.'

'Geld?'

'Nee.'

De vreemde jongen floot en stak zijn handen zo ver in zijn zakken als zijn wijde mouwen het hem veroorloofden.

'Woon jij in Londen?' vroeg Oliver.

'Ja. Als ik thuis ben,' antwoordde de jongen. 'Ik veronderstel dat je vanavond wel ergens wil slapen, hè?'

'Ja, graag,' antwoordde Oliver. 'Sinds ik op weg ben gegaan, heb ik niet meer onder een dak geslapen.'

'Maak je maar niet te sappel,' zei de jongeheer. 'Ik ken een keurige ouwe man die in Londen woont en die je voor niks onderdak geeft – tenminste, als je geïntroduceerd wordt door iemand die hij kent. En kent-ie mij niet? O, nee! Absoluut niet.'

Dit onverwachte aanbod voor onderdak was te verleidelijk om af te slaan, temeer omdat er onmiddellijk de verzekering op volgde dat de bedoelde oude man Oliver ongetwijfeld aan een goede betrekking zou helpen. Dit was de inleiding tot een vriendelijk en vertrouwelijk gesprek. Oliver kwam erachter dat zijn vriend Jack Dawkins heette en een lieveling en protégé was van de oude man. Jongeheer Dawkins' uiterlijk gaf nu niet direct een gunstige indruk van de diensten die zijn patroon verlangde van hen die hij onder zijn bescherming nam. Maar omdat hij een nogal vrolijke en openhartige manier van converseren had en verder bekende dat hij bij zijn intieme vrienden beter bekend was onder de bijnaam 'Goocheme Gladde', meende Oliver dat alle morele lessen die hij tot nu toe van zijn weldoener had gekregen aan hem verspild moesten zijn. Dit zo overdenkend, besloot hij heimelijk zo snel mogelijk te trachten de gunst van de oude man te verwerven en, als hij tot de ontdekking mocht komen dat de Gladde onverbeterlijk was, verder voor de eer van zijn vriendschap te bedanken.

Aangezien Jack Dawkins er bezwaren tegen had om voor de avond Londen in te gaan, was het bijna elf uur toen ze de tol bij Islington bereikten. Ze staken over naar St. John's Road; daarna gingen ze verschillende smalle straatjes door naar Saffron Hill, waar de Gladde snel overheen rende, Oliver bevelend vlak achter hem te blijven. Deze laatste had nog nooit zo'n smerige en armoedige buurt gezien. De straatjes waren smal en modderig en de lucht werd verpest door een smerige stank. Zelfs op dit late uur kropen troepen kinderen in en uit de deuren van kleine winkeltjes of gilden binnenshuis. De enige plaatsen die hier schenen te gedijen, waren de kroegen waar lieden van het laagste allooi krakeelden. Overdekte steegjes en binnenplaatsjes onthulden groepjes huizen waar dronken mannen en vrouwen zich letterlijk in het vuil wentelden, en uit verschillende deuren kwamen grote, onguur uitziende kerels tevoorschijn die, naar het zich liet aanzien, weinig goeds of onschuldigs in de zin hadden.

Oliver overwoog juist of hij niet beter weg kon lopen, toen ze de voet van een heuvel in Clerkenwell bereikten. Zijn begeleider greep hem bij de arm en duwde een deur van een huis vlak bij Field Lane open. Nadat hij hem in een gang getrokken had, sloot hij die weer achter zich.

'Wie daar?' riep een stem van boven, in antwoord op een fluitje van de Gladde.

'Pruimpie en pats!' was het antwoord.

Dit scheen een soort wachtwoord te zijn, een teken dat alles in orde was, want achter in de gang werd het schijnsel van een zwak kaarsje zichtbaar en daar waar de balustrade van een oude keukentrap was weggebroken, kwam het gezicht van een man tevoorschijn.

'Jullie zijn met z'n tweeën,' zei de man. 'Wie is die andere?'

'Een nieuwe,' antwoordde Jack Dawkins. 'Is Fagin thuis?'

'Ja, hij is de zakdoeken aan 't uitzoeken. Kom boven jullie!'

De kaars werd teruggetrokken en het gezicht verdween.

Oliver, die tastend zijn weg zocht met één hand, terwijl zijn andere stevig werd vastgehouden door zijn metgezel, beklom met veel moeite de kapotte, donkere trap. Zijn begeleider gooide de deur van een achterkamer open en trok Oliver mee naar binnen.

De muren en zoldering van de kamer waren zwart van vuil en de ouderdom. Voor de open haard stond een tafel waarop een kaars die in de hals van een gemberbierfles was gestoken, een stuk of drie tinnen kroezen, een brood en boter stonden. In een koekenpan boven het vuur pruttelden een paar worstjes. Een heel oude, verschrompelde jood, wiens schurkachtige en weerzinwekkende gezicht gedeeltelijk schuilging achter een verwarde bos rood haar, stond er overheen gebogen met een vork in zijn hand. Hij was gekleed in een smerige flanellen kamerjas en verdeelde zijn aandacht tussen de koekenpan en een droogrek, waarover een aantal zijden zakdoeken hingen. Verscheidene slaapplaatsen van oude zakken lagen naast elkaar op de grond. Om de tafel zaten een stuk of vijf jongens, niet ouder dan de Gladde, uit lange stenen pijpen te roken en sterke drank te drinken met het air van mannen op leeftijd. Zij dromden allemaal om hun kameraad heen toen deze een paar woorden tegen de jood fluisterde, en daarop draaiden ze zich om en grinnikten Oliver toe. De jood, met de vork in zijn hand, eveneens.

'Dit is hem, Fagin,' zei Dawkins. 'Mijn vriend Oliver Twist.'
De jood grijnsde. Hij maakte een diepe buiging voor Oliver,
nam zijn hand en hoopte, zei hij, het genoegen te zullen hebben Oliver beter te leren kennen. Daarop kwamen de jongens
met de pijpen om hem heen staan en schudden hem stevig
beide handen, vooral die, waarin hij zijn bundeltje droeg. Een
van de jongens stond erop zijn pet voor hem op te hangen, en
een ander was zo vriendelijk om zijn handen in Olivers zakken
te steken, opdat deze, als hij naar bed ging, ze zelf niet leeg
behoefde te maken. Deze beleefdheden zouden waarschijnlijk
nog veel verder zijn gegaan als de jood niet kwistig slagen met
zijn vork had uitgedeeld op de hoofden en schouders van de
attente jongelieden.
'We zijn erg blij je te zien, Oliver,' zei Fagin. 'Gladde, haal die
worstjes van het vuur en schuif voor Oliver een stoel bij de
haard. Ah, je kijkt naar die zakdoeken, hè, m'n jongen? We
hebben ze net uitgezocht voor de was; dat is alles, Oliver, dat
is alles. Ha! Ha! Ha!'
Die laatste woorden van de olijkerd werden met luidruchtig
geschreeuw beantwoord. Te midden van dit lawaai ging men
aan tafel. Oliver at zijn deel en vervolgens mengde de oude
hem een glas heet water met gin en zei dat hij het direct moest
opdrinken. Oliver deed wat van hem verlangd werd. Onmiddellijk daarna werd hij zachtjes opgetild en op een van de zakken gelegd. Hij viel in een diepe slaap.

Toen Oliver de volgende ochtend wakker werd was het al laat.
Er was niemand anders in de kamer dan de oude jood die koffie kookte in een pannetje en zachtjes voor zich heen floot, terwijl hij roerde met een ijzeren lepel. Hij hield af en toe even op
om te luisteren of hij ook gerucht hoorde beneden, maar ging
daarna weer door met fluiten en roeren.
Hoewel Oliver niet langer sliep, was hij toch nog niet klaar-
wakker en hij sloeg Fagin gade van onder halfgesloten oogle-
den. Toen de koffie klaar was, zette Fagin de pan op de plaat.
Daarna bleef hij even staan in een besluiteloze houding, keek
naar Oliver, en riep deze bij zijn naam. De jongen antwoordde
niet en het had er alle schijn van, dat hij sliep. Na zich hiervan
aldus vergewist te hebben, sloot Fagin zachtjes de deur af.
Vervolgens haalde hij uit een luik in de grond een kistje
tevoorschijn dat hij voorzichtig op tafel zette. Zijn ogen glin-

sterden toen hij het deksel optilde en erin keek. Vervolgens ging hij zitten en haalde er een prachtig horloge uit, dat vonken schoot van de juwelen.

'Aha!' zei de oude man, terwijl hij zijn schouders optrok en zijn gezicht in een afschuwelijke grijns verwrong.

Er kwamen minstens nog zes andere horloges uit hetzelfde kistje tevoorschijn en die werden met evenveel genoegen bekeken. Verder bleken er nog ringen, armbanden en andere sieraden in te zitten; alles van zulk prachtig materiaal en van zo'n kostbaarheid, dat Oliver er zelfs geen idee van had hoe het allemaal heette.

Na al deze sieraden te hebben teruggelegd, haalde Fagin een ander kleinood tevoorschijn, zo klein dat het in de palm van zijn hand lag, en bestudeerde het lang en aandachtig. Eindelijk legde hij het weer neer, leunde achterover en mompelde: 'Wat is de doodstraf toch een prachtige uitvinding! Doden brengen nooit vervelende geschiedenissen aan het licht. Vijf opgehangen op een rij, en er is er geeneen meer over die zijn mond voorbijpraat of bang wordt!'

Terwijl Fagin deze woorden mompelde, richtten zijn scherpe donkere ogen zich toevallig op Olivers gezicht. De jongen keek hem in stomme verwondering aan, genoeg voor de oude man om te begrijpen dat hij bespied was. Hij sloeg de deksel van het kistje met een slag dicht, greep een broodmes dat op tafel lag, en schoot woedend overeind.

'Wat is dat?' schreeuwde hij. 'Waarom bespied je me? Waarom ben je wakker? Wat heb je gezien? Spreek op jongen! Vlug!'

'Ik kon niet langer slapen, mijnheer,' antwoordde Oliver bedeesd. 'Het spijt me erg als ik u gestoord heb, mijnheer.'

'Was je een uur geleden nog niet wakker?' vroeg Fagin fel.

'Nee! Echt niet!'

'Weet je het zeker?' riep Fagin, nog woester kijkend dan tevoren en een dreigende houding aannemend.

'Op mijn erewoord niet, mijnheer,' antwoordde Oliver ernstig. 'Heus niet, mijnheer.'

'Goed, goed, beste jongen!' zei de oude man, die opeens weer zijn oude houding aannam en even met het mes speelde, alvorens het neer te leggen, als had hij het zo maar voor de aardigheid opgepakt. 'Dat wist ik natuurlijk wel, beste jongen! Ik heb je alleen maar een beetje bang willen maken. Ha! Ha! Je bent een dappere jongen, Oliver!' Fagin grinnikte en wreef zich in de handen, maar gluurde niettemin zorgelijk naar het kistje. 'Heb je die mooie dingen ook gezien, beste jongen?' vroeg hij.

'Ja, mijnheer,' antwoordde Oliver.

'Ah!' zei Fagin die bleek werd. 'Die... die zijn van mij, Oliver. Het enige wat ik bezit. Alles wat ik heb om op mijn oude dag van te leven. De mensen noemen me een vrek, beste jongen.'

Oliver meende dat die oude heer zeer zeker vrek moest zijn, om in zo'n smerig krot te wonen terwijl hij zoveel horloges had; maar hij wierp de oude man slechts een eerbiedige blik toe en vroeg of hij mocht opstaan.

'Zeker, beste jongen, zeker,' antwoordde de oude heer. 'Daar in de hoek bij de deur staat een kruik water. Breng die maar hier, dan zal ik je een kom geven waarin je je kunt wassen, beste jongen.'

Oliver stond op, liep het vertrek door en bukte zich om de kruik op te tillen. Toen hij zich weer omdraaide, was het kistje verdwenen.

Hij had zich nog maar net gewassen en alles opgeruimd door op aanwijzing van Fagin de kom uit het raam te legen, toen de Gladde terugkwam in gezelschap van een bijzonder levendig jongmens dat Oliver de vorige avond had zien roken, en dat nu formeel aan hem werd voorgesteld als Charley Bates. Ze gingen met z'n vieren aan tafel zitten om te ontbijten. Bij de koffie kregen ze een paar warme broodjes met ham, die de Gladde in de bol van zijn hoed had meegebracht.

'Wel,' zei Fagin, terwijl hij sluw in Olivers richting keek en tegen de Gladde praatte, 'ik hoop dat jullie vanmorgen gewerkt hebben, beste jongens?'

'Hard,' antwoordde de Gladde.

'Brave jongens!' zei Fagin. 'Wat heb jij, Gladde?'

'Een paar portefeuilles,' antwoordde de jongeman.

'Goed gevuld?' informeerde Fagin gretig.

'Behoorlijk,' antwoordde de Gladde, en haalde ze tevoorschijn.

'Had meer in kunnen zitten,' zei Fagin, na de inhoud nauwkeurig onderzocht te hebben. 'Maar 't is keurig werk! Hij is een echte vakman, hè, Oliver?'

'Nou, mijnheer, dat zeker,' vond Oliver, waarop jongeheer Charley Bates schallend begon te lachen, zeer tot verbazing van Oliver.

'En wat heb jij, beste jongen?' vroeg Fagin aan Charley Bates. 'Zakdoeken,' antwoordde jongeheer Bates, terwijl hij op hetzelfde ogenblik vier zakdoeken tevoorschijn haalde.

'Nou,' zei de jood, nadat hij ze nauwkeurig onderzocht had, 'dat zijn heel goeie. Maar je hebt ze niet goed gemerkt, Charley, daarom moeten de merken er met een naald weer uitgehaald worden, en we zullen Oliver leren hoe dat moet. Wat denk je daarvan, Oliver, hè! Ha! Ha! Ha! Zou je ook graag zakdoeken willen maken, net zo gemakkelijk als Charley?'

'Ja, graag, mijnheer, als u het me wil leren,' antwoordde Oliver.

Jongeheer Bates vond dit antwoord zo uiterst koddig dat hij opnieuw in lachen uitbarstte. Maar dit gelach, dat de koffie die hij bezig was te drinken in het verkeerde keelgat deed schieten, eindigde bijna met een vroegtijdige verstikkingsdood.

'Hij is nog zo heerlijk groen,' zei Charley, toen hij weer tot zichzelf kwam.

Nadat het ontbijt weggeruimd was, speelden de vrolijke oude baas en de twee jongens een heel eigenaardig en ongewoon spel, dat aldus ging. De vrolijke oude baas stak een snuifdoos in zijn ene broekzak en een portefeuille in de andere, in z'n vestzak een horloge met een veiligheidsketting om zijn hals en een speld met een namaakdiamant in zijn overhemd. Vervolgens knoopte hij zijn jas stevig dicht en stak nog een brillendoos en een zakdoek bij zich. Daarna liep hij met een wandelstok het vertrek op en neer op dezelfde manier waarop men oude heertjes op straat kan zien lopen. Soms stond hij even stil bij de haard, dan weer bij de deur, net of hij heel aandachtig een etalage stond te bekijken. Hij keek dan voortdurend om zich heen, als was hij bang voor dieven en om beurten greep hij naar al zijn zakken om na te gaan of hij niets had verloren. Hij deed dit op zo'n grappige en natuurlijke manier, dat Oliver lachte tot de tranen hem langs de wangen rolden.

De jongens volgden hem de hele tijd vlak op de hielen en steeds wanneer de oude man omkeek, verdwenen ze zo kwiek uit zijn gezicht, dat het onmogelijk was hun bewegingen te volgen. Op het laatst trapte de Gladde hem op de tenen of schopte hem per ongeluk tegen zijn schoen, terwijl Charley van achteren tegen hem aan viel en in dat ene ogenblik ontdeden ze hem met buitengewone handigheid van zijn snuifdoos, portefeuille, horloge, ketting, overhemdspeld, zakdoek en zelfs van zijn brillenkoker. Als de oude in een van zijn zakken een hand voelde, riep hij waar, en dan begon het spel opnieuw.

Toen dit spel een groot aantal malen was gespeeld, kwamen er twee jongedames op bezoek. De ene heette Bet, de andere Nancy.

Ze hadden een enorme haardos die van achteren nogal warrig zat en droegen bepaald slordige kousen en schoenen. Ze waren nou niet erg knap, maar ze zagen er goedmoedig en gezond blozend uit. Omdat ze bovendien opmerkelijk aangename manieren hadden, vond Oliver het echt aardige meisjes. Deze bezoeksters bleven een hele tijd. Er kwam sterke drank op tafel, waarna het gesprek een vrolijke en gezellige wending nam. Eindelijk gaf Charley Bates te kennen dat het naar zijn mening tijd werd voor de apostelpaarden. Oliver begreep dat dit een vrome term voor uitgaan moest zijn, want onmiddellijk daarna gingen de Gladde, Charley en de beide jongedames gezamenlijk weg, nadat de oude heer hun heel vriendelijk wat geld had gegeven om te verteren.

'Nou, beste jongen,' zei Fagin, 'dat is nog eens een prettig leventje, hè? Ze gaan de hele verdere dag uit.'

'Zijn ze klaar met hun werk, mijnheer?' vroeg Oliver.

'Ja,' antwoordde Fagin. 'Dat wil zeggen, tenzij ze onderweg werk tegenkomen, want dan zullen ze dat zeker niet verwaarlozen, beste jongen, reken daar maar op. Neem een voorbeeld aan hen, beste jongen. Neem in alle zaken hun raad aan – vooral van de Gladde, beste jongen. Hij wordt nog eens een groot man, en hij zal jou ook vooruit helpen. Hangt mijn zakdoek uit mijn zak, beste jongen?' vroeg Fagin plotseling.

'Ja, mijnheer,' zei Oliver.

'Probeer dan eens, of je hem eruit kunt trekken zonder dat ik het merk. Zoals je het hun zag doen, toen we vanmorgen samen speelden.'

Oliver hield de onderkant van de zak met de ene hand op, zoals de Gladde dat had gedaan, en trok met zijn andere hand de zakdoek er lichtjes uit.

'Is hij weg?' riep Fagin.

'Hier is hij, mijnheer,' antwoordde Oliver en liet hem zien.

'Je bent een handige knaap,' zei de speelse oude heer, terwijl hij Oliver goedkeurend op het hoofd tikte. 'Ik heb nog nooit

zo'n gewiekste jongen gezien. Hier heb je een shilling. Als je
zo doorgaat, word je de grootste van deze eeuw. En kom nu
eens mee, dan zal ik je laten zien hoe je de merken uit de zakdoeken moet halen.'
Oliver vroeg zich af wat het speels leeghalen van de zakken
van de oude man te maken had met zijn kansen om een groot
man te worden. Maar aangezien hij meende dat Fagin, die
toch zoveel ouder was dan hij, het wel 't beste zou weten,
volgde hij hem naar de tafel en was spoedig verdiept in zijn
nieuwe studie.

4

Oliver bleef enige dagen in de kamer van Fagin. Hij peuterde de merken uit een groot aantal zakdoeken en soms nam hij deel aan het spel dat we reeds hebben beschreven. Op 't laatst begon hij te verlangen naar frisse lucht en hij verzocht de oude heer dringend hem aan het werk te laten gaan met zijn twee kameraden.

Oliver was des te verlangender om iets te doen door datgene wat hij gezien had van de strenge zedelijke beginselen van de oude heer. Steeds wanneer de Gladde of Charley Bates 's avonds met lege handen thuis kwamen, liet hij de noodzakelijkheid van een werkzaam leven en zijn afschuw van ledigheid goed tot hen doordringen door hen zonder eten naar bed te sturen. Ja, een keer ging hij zelfs zo ver, dat hij hen beiden de trap afsloeg.

Eindelijk op een morgen, verkreeg Oliver de toestemming waar hij reeds zo lang om gevraagd had, en de oude man plaatste hem onder het toezicht van Charley Bates en de Gladde. De drie jongens gingen op weg; de Gladde met zijn mouwen omgeslagen en zijn hoed scheef op het hoofd zoals gewoonlijk. Jongeheer Bates slenterde voort met zijn handen in de zakken en Oliver, die tussen hen in liep, vroeg zich af waar ze heen gingen en welke soort van nijverheid ze hem nu het eerst zouden leren.

Ze liepen zo lui te slenteren, dat Oliver al spoedig dacht, dat zijn metgezellen de oude man wilden bedotten door helemaal niet naar hun werk te gaan. De Gladde had de akelige gewoonte om kleine jongetjes de pet van het hoofd te trekken en die dan weg te gooien, terwijl Charley Bates blijk gaf van zeer vrije opvattingen aangaande het begrip 'eigendom' en verschillende appels en uien gapte van marktstalletjes. Hij stak ze in zijn zakken die verbazend veel bleken te kunnen bevatten. Dit alles maakte zo'n slechte indruk op Oliver dat hij op het punt stond te verklaren alleen terug te willen gaan, toen zijn aandacht plotseling werd getrokken door een zeer geheimzinnige verandering in het gedrag van de Gladde.

Ze kwamen juist uit een nauwe steeg in Clerkenwell toen de Gladde plotseling stil stond, een vinger op de lippen legde en zijn makkers uiterst behoedzaam terugtrok.

'Zien jullie die ouwe knar, daar bij dat boekenstalletje?' vroeg de Gladde.

'Die oude heer aan de overkant?' zei Oliver. 'Ja, die zie ik.'

'Die is wel geschikt,' zei de Gladde.

'Een prachtexemplaar,' merkte jongeheer Charley Bates op.

Oliver keek in opperste verbazing van de een naar de ander; maar hij kon niets meer vragen, want de twee jongens liepen omzichtig de straat over en slopen tot vlak bij de oude heer. Oliver liep op een paar passen achter hen aan en omdat hij niet wist of hij verder moest gaan dan wel achteruit, bleef hij in stomme verbluffing stilstaan.

De oude heer was een heel respectabel uitziend persoon met gepoederd hoofd en een gouden bril. Hij was gekleed in een donkergroene jas met een zwartfluwelen kraag, droeg een witte broek en had een bamboe wandelstok onder de arm. Hij had een boek opgepakt van het stalletje en stond daar zo aandachtig in te lezen dat het wel leek alsof hij thuis in zijn leunstoel zat, in zijn studeerkamer. Hij was zo in de lectuur verdiept dat hij geen boekenstalletje, geen straat, geen jongens, ja, dat hij niets zag dan het boek.

Hoe groot waren Olivers afschuw en schrik terwijl hij op een paar passen afstand stond toe te kijken met zulke grote ogen dat ze werkelijk niet verder open konden, en zag hoe de Gladde zijn hand in de zak van de oude heer liet verdwijnen, er een zakdoek uit haalde en deze aan Charley Bates gaf, waarna beiden in volle vaart de hoek omrenden!

In een oogwenk ontrolde het mysterie van de zakdoeken, de horloges en de juwelen zich weer voor zijn geest. Even stond hij daar, terwijl het bloed zo in zijn aderen prikkelde van afgrijzen dat het was of hij in brand stond. Toen, in zijn schrik en verwarring, zette hij het op een lopen en zonder te weten wat hij deed, ging hij er vandoor zo snel zijn benen hem dragen konden.

Op hetzelfde moment dat Oliver begon te hollen, draaide de oude heer, die zijn hand in zijn zak had gestoken en zijn zakdoek miste, zich snel om. Toen hij de jongen er zo snel vandoor zag gaan, dacht hij natuurlijk dat deze de dief was, en zo hard hij kon 'houd de dief!' roepend, rende hij de jongen na, het boek nog in zijn hand.

Maar de oude heer was niet de enige, die begon te roepen. De Gladde en jongeheer Bates, die er niets voor voelden om door hard rennen de aandacht te trekken, waren eenvoudig het eerste het beste portiek om de hoek binnengeschoten. Nauwelijks hadden ze het geschreeuw gehoord en Oliver voorbij zien snellen, of zij schoten weer tevoorschijn, en onder het geroep van 'houd de dief!' begonnen zij als brave burgers deel te nemen aan de achtervolging.

'Houd de dief! Houd de dief!' Er schuilt toverkracht in deze woorden. De winkelier verlaat zijn toonbank en de koetsier zijn wagen; de slager laat zijn hakmes in de steek, de bakker zijn mand, de melkboer zijn emmer, de loopjongen zijn pakjes, de schoolkinderen hun knikkers. Ze hollen pardoes weg, holderdebolder door elkaar; ze rennen, gillen en schreeuwen en lopen voorbijgangers ondersteboven als ze de straathoeken omvliegen; ze jagen honden op en doen kippen verbaasd staan en de straten, pleinen en steegjes galmen van het lawaai.

'Houd de dief! Houd de dief!' De kreet wordt door honderden stemmen overgenomen en bij iedere hoek wordt de menigte groter. Weg schieten ze, door de modder spattend en klossend over de straatstenen. Ramen vliegen open, mensen springen naar buiten en het volk draaft door.

'Houd de dief! Houd de dief!' Diep in het menselijk wezen woont de hartstochtelijke neiging om op iets te jagen. Een ongelukkig, ademloos kind – hijgend van uitputting, doodsangst in zijn ogen, terwijl grote zweetdruppels langs zijn gezicht stromen – spant iedere vezel in om aan zijn vervolgers te ontkomen; en terwijl deze dichterbij komen, begroeten zij het afnemen van zijn krachten met nog luidere kreten en zij gillen van vreugde. 'Houd de dief!' Ja, houd hem in godsnaam, al was het alleen uit erbarmen.

Eindelijk gegrepen! Een goed gemikte slag. Hij ligt op het plaveisel en de menigte dromt gretig om hem heen; een ieder duwt en dringt om ook iets te zien. 'Opzij!' 'Geef hem een beetje lucht!' 'Onzin! Dat verdient hij niet! 'Waar is die meneer?' 'Daar komt hij aan.' 'Maak ruimte voor die meneer.' 'Is dit die jongen, mijnheer?' 'Ja.'

Oliver lag met modder en vuil overdekt op de grond. Hij bloedde uit zijn mond en keek wild om zich heen naar al die gezichten die hem omringden, terwijl de oude heer gedienstig door de voorste van de achtervolgers binnen de kring werd getrokken.

'Ja,' zei de heer, 'ik ben bang dat het die jongen is.'

'Bang!' mompelde de menigte. 'Die is ook goed!'

'Arme jongen!' zei de heer. 'Hij heeft zich bezeerd.'

'Dat heb ik gedaan, mijnheer,' zei een grote, slungelige knaap, die een pas naar voren deed. 'Ik heb hem tot staan gebracht.'

De jongen tikte met een grijns aan zijn pet en verwachtte blijkbaar iets voor de moeite, maar de oude heer nam hem met een blik van afkeer op en keek of hij erover dacht zelf weg te rennen, wat hij waarschijnlijk ook gedaan zou hebben, ware het niet dat een politieagent (die zich meestal als laatste bij dergelijke gelegenheden laat zien) zich een weg door de menigte baande en Oliver in zijn kraag greep.

'Vooruit, sta op,' zei hij ruw.

'Ik heb het niet gedaan, mijnheer. Heus niet. 't Waren twee andere jongens,' zei Oliver, zijn handen hartstochtelijk wringend. 'Ze zijn hier ook ergens.'

'O, nee, dat zijn ze niet,' zei de agent. Hij bedoelde dit ironisch, maar het was bovendien nog waar, want de Gladde en Charley Bates waren het eerste het beste geschikte steegje ingeschoten. 'Wil je wel eens op je benen gaan staan, jij duivelse jongen!'

Oliver stond zo goed en zo kwaad als het ging op en werd door de politieagent aan z'n jaskraag snel over de straten voortgesleept. De heer liep mee naast de agent en dat gedeelte van de menigte, dat daartoe in staat was, rende een stuk vooruit en keek af en toe naar Oliver om.

De overtreding was begaan in de onmiddellijke omgeving van een zeer berucht Londens politiebureau. Vandaar dat de menigte slechts het genoegen beleefde Oliver een stuk of drie straten te kunnen begeleiden, voor hij onder een lage poort door werd geleid, naar een smerige binnenplaats waar de apotheker van het snelle recht gevestigd was. Daar troffen ze een grote, stevige man, met een bos bakkebaarden op zijn gezicht en een bos sleutels in zijn hand.

'Wat is er aan de hand?' vroeg deze onverschillig.

'Een jonge zakkenroller,' antwoordde de agent, die Oliver had gearresteerd.

'Bent u degene die bestolen is, mijnheer?' vroeg de man met de sleutels.

'Ja,' antwoordde de oude heer, 'maar ik ben er niet zeker van dat deze jongen mijn zakdoek werkelijk heeft gestolen. Ik... ik wil liever geen aanklacht indienen.'

''t Moet nu meteen voor de politierechter, mijnheer,' antwoordde de man. 'Zijne edelachtbare is over een halve minuut vrij. Vooruit, galgenbrok!'

Dit was een uitnodiging aan Oliver om een deur door te gaan die toegang gaf tot een stenen cel. De cel had de vorm en de afmeting van een kolenkelder en was ongelooflijk smerig. Hier werd Oliver gefouilleerd en toen er niets op hem werd gevonden, werd hij opgesloten.

De oude heer keek bijna even bedroefd als Oliver toen de sleutel in het slot knerste. 'Die jongen heeft iets in zijn gezicht,' zei hij bij zichzelf, terwijl hij langzaam wegliep en met het boek peinzend tegen zijn kin tikte, 'iets dat me treft en me belangstelling inboezemt. Kan hij onschuldig zijn? Hij ziet er wel zo uit – lieve hemel, waar heb ik die oogopslag eerder gezien?'

Nadat hij enkele minuten had nagedacht, ging de oude heer de wachtkamer van het politiebureau binnen, waar hij in een hoek plaatsnam en zijn geestesoog liet dwalen over een amfitheater vol gezichten waarover jarenlang een stoffig gordijn had gehangen. 'Nee,' zei hij, zijn hoofd schuddend, 'het moet verbeelding zijn.' Want hij kon zich geen enkel gezicht herinneren dat een spoor vertoonde van Olivers gelaatstrekken. Dus zuchtte hij eens om de herinneringen die hij had opgeroepen en omdat hij, gelukkig voor hem, een verstrooide oude man was, begroef hij ze weer in de bladzijden van het muffe boek.

Hij werd tot de werkelijkheid teruggeroepen door een tikje op de schouder van de man met de sleutels. Haastig sloeg hij het boek dicht en werd daarop in het indrukwekkende gezelschap van de beroemde mijnheer Fang gebracht. Mijnheer Fang zat achter een balie aan het einde van een kamer en aan de ene zijde bevond zich een soort houten box waarin men de arme Oliver gestopt had. Deze laatste beefde zeer bij het aanschouwen van het vreselijke toneel.

Mijnheer Fang was een magere man van middelmatige lengte, met een stijve rug en een stijve nek, en niet al te veel haar. Zijn gezicht was streng, en rood aangelopen.

De oude heer boog eerbiedig, liep naar de lessenaar van de politierechter en legde zijn visitekaartje voor hem neer. 'Dit zijn mijn naam en adres, mijnheer,' zei hij. Daarop deed hij een paar passen achteruit en wachtte tot hij zou worden ondervraagd.

Nu wilde het toeval dat mijnheer Fang juist een artikel doorlas in het ochtendblad waarin onvriendelijk werd geschreven over een van zijn recente uitspraken en waarin hij voor de driehonderdvijftigste keer in de speciale aandacht van de minister van binnenlandse zaken werd aanbevolen. Hij was uit zijn humeur en keek op met een kwaad gezicht.

'Wie bent u?' vroeg mijnheer Fang.

De oude heer wees enigszins verbaasd op zijn kaartje.

'Agent,' zei mijnheer Fang, terwijl hij het kaartje mét de krant verachtelijk opzij schoof, 'wie is die kerel?'

'Mijn naam, mijnheer,' zei de oude heer, met de stembuiging van een heer, 'mijn naam, mijnheer, is Brownlow. En mag ik nu misschien vragen naar de naam van de politierechter die zonder een enkele reden een fatsoenlijk mens beledigt die onder bescherming van de rechtbank staat?' Mijnheer Brownlow keek het vertrek rond, alsof hij iemand zocht die hem de gewenste inlichting kon verschaffen.

'Agent,' vroeg mijnheer Fang, 'waar wordt die kerel van beschuldigd?'

'Hij wordt helemaal niet beschuldigd, edelachtbare,' antwoordde de agent. 'Hij treedt op als partij tegen die jongen, edelachtbare.'

'Treedt op tegen de jongen, hè?' zei mijnheer Fang, mijnheer Brownlow minachtend van top tot teen opnemend. 'Neem hem de eed af!'

'Voor ik de eed afleg, vraag ik verlof nog iets te zeggen,' zei mijnheer Brownlow, 'en dat is, dat ik nooit, zonder het zelf te hebben ondervonden, had kunnen geloven, dat...'

'Houd uw mond, mijnheer!' zei mijnheer Fang gebiedend.

'Dat doe ik niet, mijnheer!' antwoordde de oude heer.

'Houd ogenblikkelijk uw mond, anders laat ik u eruit zetten!' zei mijnheer Fang. 'Neem die man de eed af! Ik wil geen woord meer horen. Neem hem de eed af!'

Mijnheer Brownlow was uiterst verontwaardigd, maar overdenkend dat hij de jongen er wellicht alleen kwaad mee deed, onderdrukte hij zijn gevoelens en onderwierp zich aan de beëdiging.

'Nou,' zei Fang, 'waar wordt die jongen van beschuldigd? Wat hebt u te zeggen, mijnheer?'

'Ik stond bij een boekenstalletje...' begon mijnheer Brownlow.

'Houd uw mond, mijnheer,' zei mijnheer Fang. 'Agent! Hier, neem die agent de eed af. Nou, wat is er aan de hand?'

De politieagent vertelde met flatterende onderdanigheid hoe hij zijn arrestant vastgenomen had, hoe hij Oliver had gefouilleerd en niets had gevonden, en dat dat alles was wat hij ervan wist.

'Zijn er geen getuigen?' vroeg mijnheer Fang.

'Geen enkele, edelachtbare,' antwoordde de agent.

Mijnheer Fang wendde zich tot mijnheer Brownlow en vroeg in torenende woede: 'Bent u nu van plan te vertellen wat uw klacht tegen die jongen is, of niet? U bent beëdigd en als u daar zo maar blijft staan en weigert getuigenis af te leggen dan zal ik u straffen wegens gebrek aan eerbied voor de rechtbank!'

Met vele onderbrekingen en herhaalde beledigingen slaagde mijnheer Brownlow erin te vertellen wat er gebeurd was. Dat hij in de verrassing van het ogenblik de jongen had nagerend, omdat hij hem weg zag lopen. En hij sprak de hoop uit dat de rechter hem mild zou behandelen.

'Hij heeft zich al bezeerd,' zei de oude heer ten slotte, terwijl hij in de richting van de balie keek. 'En ik ben bang dat hij ziek is.'

'O, ja! Natuurlijk!' zei mijnheer Fang snerend. 'Vooruit geen streken hier, jonge vagebond. Hoe heet je?'

Oliver probeerde te antwoorden, maar zijn tong liet hem in de steek. Hij was doodsbleek, en het hele vertrek scheen om hem heen te draaien.

'Hoe heet je, doortrapte schurk?' wilde mijnheer Fang weten. 'Agent, hoe heet hij?'

Deze woorden werden gericht tot een rondborstige oude kerel met een gestreept vest, die bij de balie stond. Deze boog zich over Oliver en herhaalde de vraag, maar omdat hij merkte dat de jongen werkelijk niet in staat was de vraag te begrijpen, en in de wetenschap dat het uitblijven van een antwoord de politierechter nog bozer zou maken en het vonnis zou verzwaren, waagde hij maar een gooi. 'Hij zegt dat hij Tom White heet, edelachtbare,' zei de goedhartige dievenvanger.

'O, hij wil niet hardop praten, hè? Heel goed,' zei Fang. 'Heel goed. Waar woont hij?'

'Waar hij kan, edelachtbare,' antwoordde de agent, die weer net deed alsof hij Olivers antwoord doorgaf.

'Heeft hij nog ouders?' informeerde mijnheer Fang.

'Hij zegt dat ze gestorven zijn toen hij nog klein was,' antwoordde de agent, het gebruikelijke antwoord gevend.

Op dit punt van het verhoor hief Oliver zijn hoofd, keek smekend om zich heen en vroeg om een slok water.

'Onzin en lariekoek!' zei mijnheer Fang.

'Ik geloof, dat hij werkelijk ziek is, edelachtbare,' wierp de agent tegen.

'Pas op, agent,' zei de oude heer, terwijl hij zijn handen instinctmatig hief, 'hij valt.'

'Ga opzij, agent,' schreeuwde Fang, 'laat hem vallen als hij dat wil.'

Oliver maakte van deze vriendelijke toestemming gebruik, en viel flauw op de grond.

'Ik wist wel, dat hij simuleerde,' zei Fang, alsof dit een onweerlegbaar bewijs van het feit was. 'Laat hem maar liggen; hij zal er gauw genoeg van krijgen.'

'Hoe wilt u dit geval afhandelen, mijnheer?' informeerde de griffier zachtjes.

'We maken er korte metten mee,' antwoordde mijnheer Fang. 'Hij wordt veroordeeld tot drie maanden – dwangarbeid, natuurlijk. Ontruim het bureau.'

Een paar lieden maakten zich gereed de bewusteloze jongen naar zijn cel te dragen, toen een al wat oudere man, die er fatsoenlijk doch arm uitzag, haastig het vertrek binnensnelde.

'Stop, stop! Breng hem niet weg. Wacht in 's hemelsnaam nog even!' riep de pas aangekomene buiten adem van het rennen.

Mijnheer Fang was niet weinig verontwaardigd een ongenode gast te zien binnenstormen op zulk een oneerbiedige en wanordelijke wijze. 'Wat is dat? Wie is dat? Gooi die man op straat. Ontruim het bureau!' schreeuwde hij.

'Ik zal spreken,' riep de man. 'Ik laat me er niet uitgooien. Ik heb het allemaal gezien. Ik ben de eigenaar van het boeken-

stalletje. Ik eis dat men mij de eed afneemt, mijnheer Fang.'
De man had gelijk. Zijn optreden was vastberaden en de zaak
werd te ernstig om in de doofpot te stoppen.
'Beëdig die man,' grauwde mijnheer Fang, met duidelijke
tegenzin. 'Nou man, wat heb je te zeggen?'
'Dit,' zei de man. 'Ik zag drie jongens, twee anderen en de
gevangene hier, aan de overkant van de straat slenteren toen
deze heer stond te lezen. De diefstal werd gepleegd door een
andere jongen. Ik heb het gezien en ik zag ook dat deze jongen
er volkomen verbluft van stond.'
'Waarom bent u niet eerder gekomen?' vroeg Fang.
'Ik had niemand om op de winkel te passen, tot vijf minuten
geleden. Iedereen deed mee aan de achtervolging. Ik heb de
hele weg hard gelopen.'
'De klager stond dus te lezen, hè?' informeerde Fang.
'Ja,' antwoordde de man. 'Het boek dat hij in zijn hand heeft.'
'O, dat boek, hè?' zei Fang. 'Is het betaald?'
'Nee,' antwoordde de man glimlachend. 'Het is niet betaald.'
'Lieve hemel, dat heb ik helemaal vergeten!' riep de verstrooide oude man in zijn onschuld uit.
'Een mooie om een aanklacht in te dienen tegen een arme
jongen!' zei Fang, in een komisch aandoende poging menselijk te lijken. 'Ik stel vast, mijnheer, dat u dit boek onder zeer
verdachte omstandigheden in uw bezit hebt gekregen en u
mag uzelf gelukkig prijzen dat de eigenaar blijkbaar van een
vervolging afziet. Laat dit een les voor u zijn, beste man, of u
zult alsnog met de wet kennismaken. De jongen is vrij. Ontruim het bureau!'
'Wel verdomme!' riep de oude heer, die zijn woede, welke hij
zo lang bedwongen had, nu de vrije loop liet. 'Wel, verdomme! Ik zal...'
'Ontruim het bureau!' zei de politierechter.
Het bevel werd opgevolgd en mijnheer Brownlow werd
razend en tierend van woede op straat gezet met het boek in
zijn ene en zijn bamboe wandelstok in de andere hand. Hij
bereikte de binnenplaats en daar was zijn woede in een ogenblik bekoeld. De kleine Oliver Twist lag op zijn rug op de stenen; men had zijn hemd losgeknoopt en zijn slapen met water
gebet. Zijn gezicht was doodsbleek en krampachtige trekkin-
gen schokten door zijn lichaam.
'Arme jongen!' zei mijnheer Brownlow, terwijl hij zich over

hem heen boog. 'Laat iemand alsjeblieft een rijtuig roepen. Vlug!'

Er reed een rijtuig voor en nadat Oliver Twist voorzichtig op de bank gelegd was, stapte de oude heer in en weg reden ze.

Het rijtuig stond uiteindelijk stil voor een keurig huis in een rustige, schaduwrijke straat in de buurt van Pentonville. Hier werd zonder een ogenblik te verliezen een bed gereed gemaakt, waar mijnheer Brownlow zijn jonge protégé voorzichtig in liet neerleggen; en Oliver werd verpleegd met een vriendelijkheid en een zorg, die geen grenzen kenden.

Maar dagen achtereen was Oliver zich onbewust van de goedheid van zijn nieuwe vrienden. De zon kwam vele malen op en ging weer onder, en nog steeds lag de jongen onrustig op bed uitgestrekt, wegterend onder de droge en afmattende hitte van de koorts. Zwak en mager ontwaakte hij ten slotte uit wat hemzelf een lange en angstige droom toescheen. Onvast richtte hij zich in bed op en keek nieuwsgierig om zich heen.

'Wat is dit voor kamer? Waar hebben ze me heengebracht?' zei Oliver heel zachtjes. 'Dit is niet waar ik in slaap ben gevallen.' Het gordijn dat om het hoofdeinde van het bed hing, werd haastig opzijgeschoven en een keurig geklede, moederlijke oude dame stond op uit een leunstoel die vlakbij stond.

'Sst, lieveling,' zei de oude dame zachtjes. 'Je bent erg ziek geweest. Ga weer liggen, dan ben je een brave jongen!' Met die woorden drukte ze Olivers hoofd heel voorzichtig terug op het kussen, en terwijl ze het haar van zijn voorhoofd streek, keek ze hem met zo'n vriendelijke en liefdevolle blik aan, dat hij zijn kleine, magere hand onwillekeurig in de hare legde.

'Mijn hemel!' zei de oude dame, met tranen in haar ogen. 'Wat een dankbare, lieve jongen. Aardig kereltje! Wat zou zijn moeder voelen als ze, zoals ik, nu bij hem zat en hem zo kon zien!'

'Misschien ziet ze me,' fluisterde Oliver. 'Misschien heeft ze naast me gezeten. Ik heb haast het gevoel dat ze dat gedaan heeft.'

'Dat was de koorts, mijn jongen,' zei de oude dame vriendelijk.

'Dat veronderstel ik ook,' antwoordde Oliver, 'want de hemel is zo ver weg. Maar als ze wist dat ik ziek was, dan moet ze wel medelijden met me gehad hebben, zelfs daar, want voor ze stierf was ze zelf erg ziek. Maar eigenlijk kan ze niets van mij weten,' voegde Oliver er na enkele ogenblikken zwijgen aan toe. 'Als ze geweten had dat ik leed, dan zou haar dat verdriet gedaan hebben, en telkens wanneer ik van haar droomde, had haar gezicht een gelukkige uitdrukking.'

De oude dame gaf hier geen antwoord op, maar veegde haar ogen af en haalde voor Oliver iets koels te drinken. Daarna tikte ze hem op de wang en zei dat hij rustig moest blijven liggen, omdat hij anders weer ziek zou worden. En Oliver bleef stil liggen, deels omdat hij de vriendelijke oude dame graag wilde gehoorzamen en deels omdat hij uitgeput was door de woorden die hij had gesproken. Spoedig viel hij in een rustige sluimer waaruit hij ontwaakte door het licht van een kaars. Daarin ontwaarde hij een heer die een heel groot en luid tikkend gouden horloge in zijn hand had, zijn pols voelde en zei dat hij alweer een stuk beter was.

'Je bent toch alweer een stuk beter, hè, jongen?' vroeg de heer.

'Ja, mijnheer, dank u wel,' antwoordde Oliver.

'Ja, dat wist ik wel,' zei de heer. 'Je hebt ook honger, hè?'

'Nee, mijnheer,' antwoordde Oliver.

'Hm!' zei de heer. 'Ja, dat wist ik wel. Hij heeft geen honger, mevrouw Bedwin,' zei de heer en hij keek erg geleerd.

De oude dame neeg eerbiedig het hoofd waarmee zij scheen te willen zeggen dat zij de dokter een heel knappe man vond. De dokter scheen diezelfde mening te zijn toegedaan.

'Je hebt ook geen dorst, hè?' zei de dokter.

'Ja, mijnheer, juist wel,' antwoordde Oliver.

'Net wat ik verwachtte, mevrouw Bedwin,' zei de dokter. 'Het is heel natuurlijk dat hij dorst heeft. U kunt hem wel een beetje thee geven, mevrouw, en wat droge toost zonder boter. Houd hem vooral niet al te warm, mevrouw, maar pas vooral op dat hij niet te koud wordt.'

De oude dame maakte een kniebuiging. De dokter haastte zich weg; zijn schoenen kraakten zeer gewichtig en deftig terwijl hij de trap afdaalde. Oliver viel allengs in de diepe, rustige slaap die verlichting brengt na een pas doorstane ziekte. De nacht ging voorbij en de heldere dag was reeds enkele uren oud, toen Oliver zijn ogen opende; hij voelde zich opgewekt en gelukkig. De crisis van de ziekte was voorbij. Hij behoorde opnieuw tot de wereld.

Binnen drie dagen was hij alweer in staat in een leunstoel te zitten met een stapel kussens in de rug. Mevrouw Bedwin had hem naar beneden gedragen, naar het kleine huishoudsterkamertje dat het hare was. Nadat ze hem naast het vuur had neergezet, ging de oude dame zelf ook zitten en omdat ze heel verrukt was hem zoveel beter te zien, begon ze onmiddellijk hevig te huilen.

'Trek je er maar niets van aan, lieve jongen,' zei de oude dame. 'Ik huil alleen maar eens goed uit. Ziezo, 't is alweer over.'

'U bent heel, heel goed voor me, mevrouw,' zei Oliver.

'Praat daar nu maar niet over, beste jongen,' zei de oude dame. 'Het is hoog tijd voor je bouillon, want de dokter heeft gezegd, dat mijnheer Brownlow je vanmorgen mag komen bezoeken en dan moeten we er zo goed mogelijk uitzien.' Na deze woorden begon zij in een klein pannetje wat bouillon op te warmen.

'Hou je van schilderijen, lieve jongen?' vroeg de oude dame, toen ze zag dat Oliver heel aandachtig keek naar een portret dat aan de muur tegenover zijn stoel hing.

'Ik weet het eigenlijk niet, mevrouw,' zei Oliver, zonder zijn ogen van het doek af te wenden, 'ik heb er zo weinig gezien, dat ik het niet goed weet. Wat een mooi, lief gezicht heeft die dame! Is... is dat een portret, mevrouw?'

'Ja,' zei de oude dame, 'dat is een portret.'

'Van wie, mevrouw?' vroeg Oliver.

'Wel, beste jongen, dat weet ik werkelijk niet,' antwoordde de oude dame. 'Ik veronderstel niet dat het het portret is van iemand die jij of ik kennen. Je bent er toch zeker niet bang voor?' vroeg ze bij het zien van de blik van ontzag, waarmee Oliver het portret bekeek.

'O, nee, nee,' antwoordde Oliver snel, 'maar de ogen kijken zo droevig en zoals ik hier zit, lijkt het net of ze me aanstaren. Mijn hart gaat ervan bonzen, alsof het levend is en met me zou willen praten.'

'De Heer beware ons!' riep de oude dame verschrikt. 'Zo moet je niet praten, kind. Je bent zwak en nerveus na je ziekte. Laat ik je stoel naar de andere kant rijden, dan kun je het niet langer zien. Daar!' zei de oude dame, de daad bij het woord voegend.

Oliver zag het in gedachten nog even duidelijk, alsof hij in het geheel niet van plaats was veranderd. Hij vond het echter

beter de oude dame niet langer ongerust te maken, dus glimlachte hij vriendelijk toen ze naar hem keek. Mevrouw Bedwin, gerustgesteld, deed wat zout op een snee geroosterd
brood die ze daarna in stukken brak en in de bouillon deed.
Oliver at het hem aangebodene met buitengewone gretigheid.
Nauwelijks had hij de laatste lepel op, of er werd zachtjes op
de deur geklopt. 'Binnen,' zei de oude dame, en mijnheer
Brownlow verscheen in de deuropening.
De oude heer trad zo opgewekt als voegzaam binnen, maar
nauwelijks had hij zijn bril op zijn voorhoofd geschoven om
Oliver eens goed op te nemen, of zijn gelaat vertoonde een
verscheidenheid van uitdrukkingen. Oliver, die er bleek en
mager uitzag ten gevolge van zijn ziekte, deed een vergeefse
poging om uit eerbied voor zijn weldoener op te staan. Maar
hij zonk machteloos terug in zijn stoel, en mijnheer Brownlows hart, dat groot genoeg was voor zes gewone oude heren
met een menslievend karakter, plengde hete tranen.
'Arme jongen!' zei mijnheer Brownlow, zijn keel schrapend.
'Ik ben nogal hees vanmorgen, mevrouw Bedwin. Ik ben
bang, dat ik kou gevat heb.'
'Dat hoop ik niet, mijnheer!' zei mevrouw Bedwin.
'Ik weet het niet, Bedwin. Ik weet het niet,' zei mijnheer
Brownlow. 'Ik geloof eigenlijk, dat ik gisteren bij het diner een
vochtig servet had; maar het geeft niet. Hoe voel je je, beste
jongen?'
'Heel gelukkig, mijnheer,' antwoordde Oliver. 'En ook heel
dankbaar, mijnheer, omdat u zo goed voor me bent.'
'Je bent een brave jongen,' sprak mijnheer Brownlow krach-
tig. 'Heb je hem wat te eten gegeven, Bedwin?'
'Hij heeft net een kom heerlijke bouillon gehad, mijnheer,'
antwoordde mevrouw Bedwin.
'Jakkes,' zei mijnheer Brownlow, met een lichte rilling, 'een
paar glazen port zouden hem heel wat meer goed gedaan hebben. Denk je ook niet, Tom White, hè?'
'Ik heet Oliver, mijnheer,' antwoordde de kleine zieke met een
blik van verwondering.
'Oliver,' zei mijnheer Brownlow. 'Oliver wat? Oliver White,
hè?'
'Nee, mijnheer, Twist. Oliver Twist.'
'Vreemde naam!' vond de oude heer. 'Waarom zei je dan
tegen de politierechter dat je naam White was?'

'Dat heb ik nooit tegen hem gezegd, mijnheer,' antwoordde Oliver verbaasd.

Dit leek zozeer op een leugen, dat de oude heer Oliver streng aankeek. Maar het was onmogelijk aan zijn woorden te twijfelen; de waarheid sprak uit elk van zijn scherpe gelaatstrekken.

'Zeker een vergissing,' zei mijnheer Brownlow. Maar hoewel hij nu geen reden meer had om Oliver strak aan te kijken, kwam het oude idee van een gelijkenis tussen de trekken van de jongen en een gezicht dat hij kende weer zo sterk bij hem op, dat hij zijn blik niet kon afwenden.

'Ik hoop, dat u niet boos op me bent, mijnheer,' zei Oliver, terwijl hij zijn blik smekend opsloeg.

'Nee, nee,' antwoordde de oude heer. 'Hé! Wat is dat? Bedwin, kijk eens!'

Terwijl hij dit zei, wees hij haastig naar het portret boven Olivers hoofd, en vervolgens naar het gezicht van de jongen. Daar zat het levende evenbeeld. De ogen, het hoofd, de mond; elke gelaatstrek was dezelfde. Gedurende een ogenblik was de uitdrukking zo precies gelijk dat het leek of zelfs het kleinste lijntje met treffende nauwkeurigheid was nagetekend! Oliver wist niet wat de reden was van de plotselinge uitroep, want niet sterk genoeg om de schok die deze hem gaf te verdragen, viel hij flauw.

5

Toen de Gladde en zijn talentvolle vriend jongeheer Bates zich voegden bij de menigte die Oliver op de hielen zat, zoals reeds eerder beschreven, handelden ze onder de invloed van een lofwaardige zorg voor zichzelf, aangezien de vrijheid van het individu een van de dingen is waarop een ware Engelsman zich het meest laat voorstaan. En als ik nog een bewijsgrond nodig had voor het zuiver filosofische karakter van de handelwijze van de beide jongeheren, dan zou ik dat vinden in het feit dat zij de achtervolging staakten toen de algemene aandacht op Oliver gevestigd was, waarna zij langs de kortst mogelijke weg naar huis gingen.

Het geluid van hun voetstappen op de krakende trap trok de aandacht van de vrolijke oude heer die over het vuur gebogen zat. Er lag een gemene glimlach op zijn vale gezicht, toen hij zijn oor tegen de deur legde en luisterde. 'Hé, wat is dat nou?' mompelde Fagin, terwijl zijn gezichtsuitdrukking veranderde. 'Maar met z'n tweeën? Waar is de derde? Ze zullen toch niet in moeilijkheden zijn geraakt?'

De deur ging langzaam open; de Gladde en Charley Bates kwamen binnen en sloten haar achter zich.

'Waar is Oliver?' vroeg Fagin, die met een dreigende blik opstond.

De jonge dieven keken hun leermeester bevreesd aan, maar ze gaven geen antwoord.

'Wat is er met de jongen gebeurd?' vroeg Fagin, de Gladde stevig in zijn kraag pakkend. 'Spreek op of ik wurg je!'

Mijnheer Fagin zag er zo kwaadaardig uit dat Charley Bates, die het niet onmogelijk achtte dat hij als tweede zou worden gewurgd, zich op de knieën liet vallen en een luid, lang aangehouden gejammer uitstiet.

'Geef je nou nog antwoord?' donderde de jood, en hij schudde de Gladde zo heftig heen en weer dat het wel een wonder mocht heten, dat de jongen in zijn jas bleef zitten.

'Nou, de smerissen hebben 'm te pakken,' zei de Gladde stuurs. 'En laat me nou los, hè?' Hij schoot met één ruk uit de wijde jas, die in Fagins handen achterbleef, griste de lange vork bij het vuur weg en deed er een uitval mee naar het vest van de speelse oude heer. Fagin week terug en greep een bierpul die hij in de richting van zijn aanvaller wilde gooien. Maar omdat Charley Bates op dat ogenblik door een verschrikkelijk gebrul zijn aandacht trok, deed hij het projectiel van richting veranderen en slingerde het uit alle macht in de richting van die jongeman.

'Wat, voor den donder, is er aan de hand!' grauwde een zware stem. 'Wie doet dat? Het is maar goed, dat ik alleen door het bier en niet door de pul geraakt ben, want anders zou ik iemand in elkaar moeten slaan. Wat is er aan de hand, Fagin?' De man die deze woorden grauwde, was een stevig gebouwde kerel van een jaar of vijfendertig, gekleed in een zwarte katoenfluwelen jas, een smerige kniebroek, lage rijglaarzen en grijze katoenen kousen, waarin een paar omvangrijke benen, met dikke, bolle kuiten. Hij had een bruine hoed op het hoofd en een vuile zakdoek om zijn nek met rafelige uiteinden waarmee hij onder het praten het bier van zijn gezicht veegde. Toen hij daarmee klaar was, onthulde hij een breed, zwaar gezicht, met een baard van drie dagen en twee dreigende ogen, waarvan er één de veelkleurige symptomen vertoonde van een onlangs opgelopen vuistslag.

'Kom erin, hoor je me, jij gluiperig onderkruipsel,' bromde deze innemende schurk.

Een witte, ruigharige hond, met een kop die wel op twintig verschillende plaatsen opengekrabd en gewond was, sloop het vertrek in.

'Waarom kwam je niet eerder binnen?' zei de man. 'Je begint te trots te worden om me gezelschap te houden als er anderen bij zijn, hè? Liggen!'

Dit bevel ging vergezeld van een trap, waardoor het dier naar het andere einde van de kamer zeilde. Het scheen echter aan zulke dingen gewend te zijn, want het rolde zich in een hoek heel rustig op.

'Wat voer jij in je schild? Mishandel je de jongens weer eens, jij hebzuchtige, gierige, onverzadelijke ouwe heler?' vroeg de man, terwijl hij bedaard ging zitten. 'Ik vraag me af waarom ze je niet vermoorden! Als ik ze was, zou ik dat doen. Als ik jouw leerling was geweest, dan had ik het al lang gedaan.'

'Sst! Sst! Mijnheer Sikes,' zei de jood bevend. 'Praat niet zo hard.'

'Niks geen gemeneer,' reageerde de schurk. 'Jij hebt altijd wat in de zin als je daarmee begint. Je weet hoe ik heet. Noem me dus bij m'n naam.'

'Wel, wel, nou, nou – Bill Sikes,' zei Fagin met kruiperige onderdanigheid. 'Je schijnt niet erg in je humeur te zijn, Bill.'

'Misschien,' antwoordde Sikes. 'Maar ik dacht eerder dat jij uit je humeur was, of bedoel je er niets mee wanneer je met tinnen pullen gooit en raaskalt en...'

'Ben je gek?' zei Fagin. Hij greep de man bij de mouw en wees op de twee jongens.

Mijnheer Sikes stelde zich ermee tevreden een denkbeeldige knoop vast te trekken onder zijn linkeroor en zijn hoofd met een ruk naar rechts te laten vallen; een stukje pantomime dat Fagin heel best bleek te begrijpen. Vervolgens verzocht hij om een borrel. 'En pas op, dat je er geen vergif in doet,' zei hij.

Nadat hij een stuk of drie glaasjes naar binnen had geslagen, verwaardigde mijnheer Sikes zich om enige notitie te nemen van de jongeheren. Deze minzame daad leidde tot een conversatie aangaande Olivers arrestatie en de aanleiding daartoe; dat alles met die bijvoegingen en aanpassingen van de waarheid, die de Gladde gewenst achtte.

'Ik ben bang,' zei de jood, 'dat de jongen iets zegt wat ons in moeilijkheden kan brengen. En ik ben bang,' vervolgde hij, terwijl hij Sikes strak aankeek, 'dat als ons spelletje uit is, een heleboel anderen ook een lelijke pijp zullen roken, en dat het uiteindelijk voor jou veel beroerder wordt dan voor mij, beste kerel.'

De man schrok en draaide zich met een ruk naar Fagin om. Maar de oude heer staarde met lege blik naar de muur tegenover hem.

'We moeten zien uit te vissen wat er op het politiebureau is gebeurd,' zei mijnheer Sikes, op zachtere toon.

Fagin knikte instemmend.

'Als hij niet geklikt heeft en veroordeeld is, dan hoeven we niet bang te zijn voor hij weer vrij komt,' zei mijnheer Sikes, 'en dan moeten we de zaak regelen. Je moet hem in ieder geval te pakken zien te krijgen.'

Fagin knikte wederom. Het was duidelijk dat deze handelwijze de meest verkieslijke was, maar er bestond één onoverkomelijke hinderpaal die de uitvoering in de weg stond, en wel de hevige, diepgewortelde afkeer van de Gladde, Charley Bates, Fagin en mijnheer Sikes, om zich om welke reden of voorwendsel ook in de buurt van een politiebureau te begeven. Het is moeilijk te zeggen hoelang ze elkaar zwijgend in die onaangename, onzekere toestand zouden hebben zitten aan te staren. Maar de plotselinge binnenkomst van de beide jongedames, die Oliver bij een vroegere gelegenheid had gezien, bracht het gesprek weer op gang.

'Natuurlijk!' zei de jood. 'Bet zal gaan, hè, lieve meid?'

'Waarheen?' informeerde de jongedame.

'O, alleen maar even naar het politiebureau,' fleemde Fagin.

Tot eer van de jongedame moet gezegd worden dat ze niet ronduit zei, dat ze niet wilde, doch dat ze slechts uiting gaf aan de wens de 'zenuwen' te krijgen als ze het deed. Het gezicht van de jood betrok. Hij wendde zich van deze jongedame die vrolijk, om niet te zeggen schitterend, was uitgedost in een rode jurk, groene schoenen en gele papillotten, tot het andere meisje.

'Nancy, lief kind,' zei hij sussend, 'wat zeg jij ervan?'

'Dat het niet zal gaan; dus 't heeft ook geen zin om het te proberen, Fagin.'

'Maar jij bent er nou net geknipt voor,' redeneerde mijnheer Sikes. 'Niemand hier weet iets van jou af.'

'En aangezien ik wil dat dat zo blijft,' antwoordde Nancy op dezelfde beheerste manier, 'is het eerder nee dan ja, wat mij betreft, Bill.'

'Zij gaat, Fagin,' zei Sikes.

'Nee, ze gaat niet, Fagin,' zei Nancy.

'Ja, ze gaat wel, Fagin,' zei Sikes.

En mijnheer Sikes had gelijk. Door beurtelings dreigen en paaien werd de dame in kwestie er uiteindelijk toe overgehaald, zich met de missie te belasten.

Ze bond dientengevolge een schoon wit schort voor, propte haar papillotten onder een strooien hoedje – beide kledingstukken die afkomstig waren uit de onuitputtelijke voorraad van Fagin – en maakte zich op om haar boodschap te gaan verrichten.

'Wacht nog even, mijn beste kind,' zei Fagin en hij haalde een mandje met een deksel tevoorschijn, alsmede een grote huis-sleutel. 'Neem die in je hand; dat staat achtenswaardiger, lie-ve kind. Zo, heel goed!'

'O, mijn broertje! Mijn arm, lief, onschuldig broertje!' kreet Nancy, in tranen uitbarstend. 'Wat is er met hem gebeurd? Waar hebben ze hem heengebracht? O, heb toch medelijden en vertel het me; alsjeblieft, heren!'

Nadat ze deze woorden op een uiterst klaaglijke en hartver-scheurende wijze had gesproken, tot het onmetelijke plezier van haar toehoorders, zweeg ze, knipoogde tegen de anderen, knikte en verdween.

'Ah, dat is nog eens een handig meisje, beste vrienden,' zei Fagin, terwijl hij zich omdraaide naar zijn jonge makkers en ernstig het hoofd schudde, alsof hij hen hiermee stilzwijgend wilde aansporen om het schitterende voorbeeld te volgen.

'Ze is een eer voor haar sekse,' vond mijnheer Sikes, die zijn glas vulde en met zijn enorme vuist op tafel beukte. 'Ik drink op haar gezondheid en spreek de wens uit dat ze allemaal zo waren als zij!'

Terwijl al deze lofliederen gezongen werden op de talentvolle Nancy, was deze jongedame op weg naar het politiebureau, waar zij regelrecht op de rondborstige agent met het gestreep-te vest toe liep. Met zielig geweeklaag en gejammer vroeg ze naar haar lieve broertje.

'*Ik* heb hem niet, beste kind,' zei de agent. 'Die mijnheer heeft 'm.'

'Welke mijnheer? O, genadige hemel! Wat voor mijnheer?'

In antwoord op dit onsamenhangend gevraag vertelde de agent de diepbewogen zuster dat Oliver op het bureau ziek was geworden en van rechtsvervolging was ontslagen, gezien het feit, dat door een ooggetuige was bewezen, dat de diefstal door een andere jongen was gepleegd; en dat de klager hem in beseffeloze toestand naar zijn eigen huis had laten brengen, ergens in de buurt van Pentonville, want die naam had hij horen noemen toen de koetsier zijn aanwijzingen kreeg.

In een verschrikkelijke toestand van twijfel en onzekerheid strompelde de gekwelde vrouw naar het hek, waarna ze haar wankelende gang verwisselde voor een snel rennen en langs de ingewikkeldst denkbare weg naar het huis van de jood terugkeerde.

Nauwelijks had mijnheer Bill Sikes het verslag van de onderneming gehoord, of hij riep haastig zijn witte hond, zette zijn hoed op en vertrok gezwind.

'We moeten weten waar hij is, we moeten hem vinden,' zei Fagin, zeer opgewonden. 'Charley, jij blijft op straat rond-slenteren tot je iets over hem te weten bent gekomen. Nancy, lieve kind, hij moet worden gevonden. Ik verlaat me geheel en al op jou en de Gladde! Wacht! Wacht!' voegde hij eraan toe, met bevende vingers een lade opentrekkend, 'hier is wat geld, kinderen. Ik sluit de boel hier vanavond. Je weet waar je me kunt vinden. Blijf hier geen minuut langer!'

Met deze woorden duwde hij hen alle drie de kamer uit en nadat hij de deur zorgvuldig achter hen had vergrendeld, haalde hij het kistje dat hij per ongeluk aan Oliver had laten zien, uit zijn schuilplaats tevoorschijn. Vervolgens begon hij de horloges en de sieraden haastig onder zijn kleren weg te stoppen.

Een klop op de deur deed hem opschrikken. 'Wie daar?' riep hij met schrille stem.

'Ik!' antwoordde de stem van de Gladde door het sleutelgat.

'Wat nou weer?' riep Fagin ongeduldig.

'Nancy vraagt of we hem moeten ontvoeren en naar het ande-re hol brengen.'

'Ja,' antwoordde Fagin. 'Waar ze hem maar te pakken krijgt. Vind hem, daar gaat 't om! Ik zal wel weten wat er dan met hem moet gebeuren, wees maar niet bang.'

De Gladde mompelde iets ten antwoord en haastte zich tra-pafwaarts, zijn metgezellen achterna.

'Tot dusver is hij nog niet doorgeslagen,' mompelde Fagin, terwijl hij zijn werk voortzette. 'Als hij van plan is ons te verra-den aan zijn nieuwe vrienden, dan kunnen we hem misschien nog de mond snoeren.'

6

Oliver kwam spoedig weer bij uit de flauwte die hem had overvallen ten gevolge van de plotselinge uitroep van mijnheer Brownlow; en in het daarop volgende gesprek werd het onderwerp van het schilderij zorgvuldig door de oude heer en mevrouw Bedwin vermeden. Ze roerden slechts zaken aan die hem amuseerden zonder dat ze hem opwonden. Hij was nog te zwak om op te staan voor het ontbijt, maar toen hij de volgende dag beneden kwam, in de kamer van de huishoudster, wierp hij allereerst een verlangende blik op de muur, in de hoop weer het gezicht van die mooie dame te zien. Maar hij werd in zijn verwachtingen teleurgesteld, want het schilderij was weggehaald.

'Ah!' zei de huishoudster, toen ze zag welke kant Olivers blik uitdwaalde. 'Het is weg, zie je wel?'

'Dat zie ik, mevrouw. Waarom hebben ze het weggenomen?'

'Mijnheer Brownlow zei dat het, aangezien het je opwond, misschien je genezing in de weg zou staan,' antwoordde de oude dame.

'O, nee, helemaal niet. Het wond me helemaal niet op, mevrouw,' zei Oliver. 'Ik vond het fijn om ernaar te kijken. Ik hield ervan.'

'Wel, wel,' zei de oude dame goedgehumeurd, 'word jij maar beter zo vlug als je kunt, lieve jongen, dan zullen we het weer ophangen.'

Dat was alles wat Oliver die dag over het schilderij te weten wist te komen. Omdat de oude dame zo vriendelijk voor hem was geweest tijdens zijn ziekte, luisterde hij oplettend naar de vele verhalen die ze hem vertelde. Nadat de oude dame lange tijd had uitgeweid over de voortreffelijkheden van haar kinderen en de verdiensten van haar man, die nu al zesentwintig jaar dood was, werd het tijd om thee te drinken. Na de thee leerde ze Oliver een kaartspelletje en ze speelden met overgave en ernst, tot het tijd voor de zieke werd om wat warme wijn en water te gebruiken met een droog sneetje toost, waarna hij weer heerlijk naar bed ging.

Die dagen van Olivers herstel vormden een gelukkige tijd. Alles was zo rustig en ordelijk, iedereen was zo vriendelijk, dat het na alle lawaai en drukte waarin hij tot nu toe altijd had geleefd, een hemel op aarde leek. Nauwelijks was hij sterk genoeg om zich weer te kunnen kleden, of mijnheer Brownlow liet een heel nieuw pak, een nieuwe pet en nieuwe schoenen voor hem maken. Aangezien tegen Oliver was gezegd dat hij met de oude kleren kon doen wat hij wilde, gaf hij ze aan een dienstmeisje dat erg aardig voor hem was geweest, en zei dat ze ze maar moest verkopen en het geld mocht houden. Dit deed ze gaarne, en Oliver was verrukt bij de gedachte dat er nu geen gevaar meer bestond dat hij ze ooit nog zou hoeven dragen. Hij had nog nooit een nieuw pak gehad.

Op een avond, ongeveer een week na de geschiedenis met het schilderij, toen hij met mevrouw Bedwin zat te praten, kwam er een boodschap van mijnheer Brownlow dat, indien hij zich goed genoeg voelde, de oude heer graag wilde dat Oliver naar zijn studeerkamer boven kwam om daar wat met hem te praten.

'Lieve hemel en grote genade! Was je handen, kind, en laat me even een keurige scheiding in je haar maken,' zei mevrouw Bedwin. 'Heremetijd! Al we geweten hadden dat hij je bij zich zou roepen, dan hadden we je een schoon boordje om gedaan.'

Oliver deed wat de oude dame van hem verlangde, en hij zag er zo keurig en knap uit dat ze, na hem van hoofd tot voeten te hebben opgenomen, zover ging te zeggen dat hij, naar ze geloofde, onmogelijk beter voor de dag had kunnen komen, zelfs niet als ze uren ter voorbereiding gehad zouden hebben.

Aldus aangemoedigd, klopte Oliver op de deur van de studeerkamer. Nadat mijnheer Brownlow geroepen had dat hij binnen kon komen, bevond Oliver zich in een kleine achterkamer boordevol boeken, met een raam dat uitzag op een aantal mooie tuintjes. Mijnheer Brownlow zat voor het raam te lezen. Toen hij Oliver zag verzocht hij de jongen bij hem te komen zitten. Oliver gehoorzaamde en vroeg zich af hoe ooit een mens al de boeken, die geschreven schenen te zijn om de wereld wijzer te maken, zou kunnen lezen.

'Dat zijn heel wat boeken, hè, mijn jongen?' zei mijnheer Brownlow, die opmerkte met hoeveel nieuwsgierigheid Oliver de planken, die van de vloer tot de zolder reikten, opnam.

'Een heleboel, mijnheer,' antwoordde Oliver. 'Ik heb er nog nooit zoveel gezien.'

'Als je goed oppast, dan mag je ze ook lezen. Hoe zou je het vinden om een knap mens te worden en boeken te schrijven, hè?'

'Ik geloof dat ik ze liever zou lezen, mijnheer,' antwoordde Oliver.

'Wat! Zou je niet graag schrijver willen worden?'

Oliver dacht hier een tijdje over na en zei ten slotte dat je, naar hij geloofde, beter boekhandelaar kon worden, waarop de oude heer hartelijk begon te lachen en verklaarde, dat hij een waar woord had gesproken. 'Wees maar niet bang! We zullen geen schrijver van je maken zolang je ook nog een eerlijk vak kunt leren.'

'Dank u wel, mijnheer,' zei Oliver, en de oude heer moest opnieuw lachen om de ernstige manier waarop hij dit zei.

'En nu,' zei mijnheer Brownlow, zo mogelijk nog vriendelijker maar tegelijkertijd op een veel ernstiger manier, 'wil ik dat je goed luistert, mijn jongen, naar wat ik je ga zeggen. Ik zal zonder terughoudendheid met je praten, omdat ik er zeker van ben, dat jij even goed in staat bent me te begrijpen als vele oudere mensen.'

'O, alstublieft, mijnheer, zeg me niet dat u me wil wegsturen!' riep Oliver uit, bang geworden door de ernstige toon, waarop de oude heer sprak. 'Stuur me niet terug naar die ellendige plaats waar ik vandaan kom, laat me hier blijven als bediende. Heb medelijden met een arme jongen, mijnheer!'

'Mijn lieve kind,' zei de oude heer, bewogen door de gloed van Olivers plotselinge smeekbede, 'wees niet bang dat ik je in de steek zal laten, tenzij je me daar aanleiding toe geeft.'

'Dat zal nooit, nooit gebeuren, mijnheer,' verzekerde Oliver.

'Ik hoop het niet,' hernam de oude heer. 'Ik ben al eerder teleurgesteld in mensen voor wie ik goed probeerde te zijn, maar ik heb toch heel sterk het gevoel, dat ik jou kan vertrouwen; en ik stel meer belang in je dan ik mezelf kan verklaren. Je zegt dat je een wees bent, zonder vrienden. Laat me je geschiedenis eens horen – waar je vandaan komt, wie je grootgebracht heeft en hoe je bent verzeild in het gezelschap waarin ik je heb aangetroffen. Spreek de waarheid, dan zul je zolang ik leef niet meer zonder vriend zijn.'

Net stond Oliver op het punt te gaan vertellen hoe hij in het jongenshuis was grootgebracht en daarna door mijnheer Bumble naar het armenhuis was gebracht, of er werd tweemaal op een eigenaardige, ongeduldige manier op de voordeur geklopt. Even later kwam een bediende de trap oprennen en kondigde mijnheer Grimwig aan.

'Komt hij boven?' vroeg mijnheer Brownlow.

'Ja, mijnheer,' antwoordde de bediende. 'Hij vroeg of er gebak in huis was en toen ik bevestigend antwoordde, zei hij, dat hij kwam theedrinken.'

Mijnheer Brownlow glimlachte en zei tegen Oliver, dat mijnheer Grimwig een oude vriend van hem was en dat hij er maar niet op moest letten, als hij wat ruw was in zijn manieren, want in de grond van zijn hart was het een beste man.

Op dat ogenblik kwam een gezette oude heer het vertrek binnen, leunend op een dikke stok en trekkend met z'n ene been. Hij was gekleed in een blauwe jas, een gestreept vest, een geelkatoenen kniebroek en een witte hoed met een brede rand, waarvan de zijkanten met groen waren afgezet. Over zijn vest hing een fijn geplisseerd jabot en daaronder bengelde een lange stalen horlogeketting, waaraan niets anders hing dan een sleutel. Hij bleek de gewoonte te hebben om onder het praten zijn hoofd naar een kant te draaien en dan uit de hoeken van zijn ogen te kijken, hetgeen de toeschouwer onweerstaanbaar deed denken aan een papegaai. Zodra hij verscheen, nam hij deze houding aan, hield een stukje sinaasappelschil met gestrekte arm voor zich uit en riep grauwend en ontevreden: 'Kijk eens hier! Zie je dit? Het is toch wel hoogst eigenaardig, dat ik nooit iemand een bezoek kan brengen zonder dit op de trap te vinden. Eenmaal heeft een stuk sinaasappelschil me al kreupel gemaakt en ik weet zeker, dat sinaasappelschillen nog eens mijn dood zullen zijn. Jawel, mijnheer, en als het niet zo is, ben ik bereid mijn eigen hoofd op te eten, mijnheer!'

Dit laatste was het aantrekkelijke aanbod waarmee mijnheer Grimwig bijna al zijn beweringen bevestigde en kracht bijzette, en in zijn geval was het nog des te opmerkelijker, want zelfs aangenomen dat de wetenschap het nog eens zover zou brengen dat een man in staat was zijn eigen hoofd op te eten wanneer hij daar zin in had, dan nog was mijnheer Grimwigs hoofd zo buitenissig groot, dat niemand ter wereld, al had hij de beste bedoelingen, er in één maaltijd doorheen zou kunnen komen.

'Ik eet mijn hoofd op, mijnheer,' herhaalde mijnheer Grimwig, met zijn stok op de grond tikkend. 'Hallo! Wat is dat?' Hij keek Oliver aan en deed een paar passen achteruit.

'Dit is de jonge Oliver Twist, over wie we gesproken hebben,' zei mijnheer Brownlow. Oliver maakte een buiging.

'Je wil toch niet zeggen dat dat de jongen is die de koorts gehad heeft?' zei mijnheer Grimwig en hij week nog verder achteruit. 'Wacht eens even! Zwijg! Stop!' vervolgde mijnheer Grimwig abrupt. 'Als dat dan ook niet de jongen is, mijnheer, die die sinaasappel heeft opgegeten en dit stuk schil op de trap gegooid heeft, dan eet ik mijn hoofd op en het zijne erbij.'

'Nee, hij heeft geen sinaasappel gehad,' zei mijnheer Brownlow. 'Kom! Leg je hoed neer en praat met mijn jonge vriend.'

'Dit gaat mij zeer ter harte,' zei de prikkelbare oude heer, terwijl hij zijn handschoenen uittrok. 'Er liggen altijd wel stukjes sinaasappelschil op het plaveisel van onze straat en ik weet dat die daar neergegooid worden door de jongen van de apotheker op de hoek. Dat is een moordenaar, mijnheer, en dat is hij. Zo niet...' Op dit punt bonkte de opvliegende oude heer zeer hevig op de grond met zijn stok, welk gebaar door zijn vrienden altijd werd begrepen als het gebruikelijke aanbod, indien dat niet in woorden werd uitgedrukt. Vervolgens ging hij zitten, hief een monocle die hij aan een breed, zwart lint bij zich droeg, en bestudeerde Oliver die, toen hij voelde dat hij bekeken werd, een kleur kreeg en opnieuw boog.

'Dat is dus die jongen, hè?' zei mijnheer Grimwig ten slotte.

'Dat is de jongen,' antwoordde mijnheer Brownlow.

'Hoe gaat het met je, jongen?' vroeg mijnheer Grimwig.

'Een heel stuk beter, dank u, mijnheer,' antwoordde Oliver.

Mijnheer Brownlow, die bang scheen te zijn dat zijn eigenaardige vriend iets onaangenaams wilde zeggen, vroeg Oliver mevrouw Bedwin te gaan zeggen dat ze klaar waren voor de thee. Oliver, die de manieren van de bezoeker niet prettig vond, was maar al te blij dit te kunnen doen.

'Die jongen ziet er aardig uit, vind je niet?' informeerde mijnheer Brownlow.

'Ik weet het niet,' antwoordde mijnheer Grimwig nukkig. 'Waar komt hij vandaan? Wie is hij? Wat is hij? Hij heeft de koorts gehad. Nou en? Het zijn niet alleen goede mensen die de koorts hebben, wel? Slechte mensen krijgen ook wel eens de koorts, nietwaar? Poeh! Onzin!'

Toen mijnheer Brownlow toegaf dat hij zijn pogingen om inlichtingen over Olivers verleden te krijgen had uitgesteld totdat de jongen sterk genoeg zou zijn voor een ondervraging, gnuifde mijnheer Grimwig boosaardig. Snerend vroeg hij of de huishoudster de gewoonte had 's avonds het tafelzilver te tellen, want als ze op een zonnige morgen niet eens een paar lepels zou missen, nou dan was hij bereid – enzovoort.

Mijnheer Brownlow liet dit alles goedgehumeurd over zich heengaan, omdat hij de eigenaardigheden van zijn vriend kende. Mijnheer Grimwig drukte tijdens de thee zijn welgemeende goedkeurig uit voor het gebak, en Oliver die ook deel uitmaakte van het gezelschap, begon zich in de tegenwoordigheid van de onstuimige heer meer op zijn gemak te voelen dan voorheen.

'En wanneer zul je nu een volledig, waarheidsgetrouw en nauwkeurig verslag horen van het leven van Oliver Twist?' vroeg mijnheer Grimwig aan het einde van de theemaaltijd, terwijl hij zijdelings naar Oliver keek.

'Morgenochtend,' antwoordde mijnheer Brownlow, 'ik heb liever dat hij dan alleen met mij is. Kom morgenochtend om tien uur bij me, beste jongen.'

'Ja, mijnheer,' zei Oliver met enige aarzeling, omdat hij verlegen werd door de strakke blik van mijnheer Grimwig.

'Zal ik je eens wat zeggen?' fluisterde deze heer tot mijnheer Brownlow. 'Hij komt morgenochtend niet bij je. Ik zag hem aarzelen. Hij bedriegt je, vriend.'

'Ik zweer je dat dat niet zo is,' antwoordde mijnheer Brownlow gloedvol.

'Als hij je niet bedriegt,' zei mijnheer Grimwig, 'zal ik...' en de stok bonkte op de grond.

'Ik sta met mijn leven voor de eerlijkheid van die jongen in,' zei mijnheer Brownlow, op de tafel slaand.

'En ik met mijn hoofd voor zijn leugenachtigheid,' wierp mijnheer Grimwig uitdagend tegen, terwijl ook hij op de tafel sloeg.

Nu wilde het toeval dat mevrouw Bedwin op dit ogenblik een pakje boeken binnenbracht die mijnheer Brownlow 's ochtends gekocht had bij dezelfde boekhandelaar die reeds in dit verhaal heeft gefigureerd. Na ze op tafel te hebben gelegd, wilde zij het vertrek weer verlaten.

'Roep de loopjongen nog even terug, mevrouw Bedwin,' zei mijnheer Brownlow. 'Het is belangrijk. De boekhandelaar is een arme man en die boeken zijn nog niet betaald. Bovendien moeten er ook nog een paar boeken worden teruggebracht.'

De voordeur werd opengemaakt. Oliver rende de ene kant op, het dienstmeisje de andere, terwijl mevrouw Bedwin op de stoep bleef staan. Oliver en het meisje keerden buiten adem terug om te vertellen dat ze de jongen niet gezien hadden.

'Mijn hemel, dat spijt me nu toch,' riep mijnheer Brownlow uit. 'Ik had zo graag gewild, dat die boeken vanavond nog teruggebracht werden.'

'Stuur Oliver,' zei mijnheer Grimwig met een ironische glimlach, 'die zal ze zeker zonder mankeren afleveren, weet je.'

'Ja, alstublieft, mijnheer, laat mij ze brengen,' zei Oliver.

De oude heer stond op het punt te zeggen dat Oliver onder geen beding de deur uit mocht toen een uiterst boosaardig kuchje van mijnheer Grimwig hem deed besluiten hem wel te laten gaan, en op die manier mijnheer Grimwig te bewijzen dat diens verdenkingen alle grond misten.

'Je zúlt gaan, beste jongen,' zei de oude heer. 'De boeken liggen op een stoel bij mijn tafel. Haal ze maar naar beneden.'

Oliver, verrukt dat hij iets nuttigs kon doen, haalde de boeken en wachtte met z'n pet in de hand om te horen welke boodschap hij erbij moest overbrengen.

'Je moet zeggen,' zei mijnheer Brownlow, terwijl hij mijnheer Grimwig strak aankeek, 'dat je die boeken terug komt brengen, en dat je die vier pond tien komt betalen die ik hem schuldig ben. Hier heb je een biljet van vijf pond, je moet me dus tien shilling terugbrengen.'

'Ik ben binnen twintig minuten terug, mijnheer,' zei Oliver geestdriftig. Nadat hij het bankbiljet in zijn jaszak had gestopt en de boeken voorzichtig onder de arm had genomen, maakte hij een eerbiedige buiging en verliet het vertrek. Mevrouw Bedwin volgde hem naar de deur en gaf hem vele aanwijzingen aangaande de kortste weg, de naam van de boekhandelaar en de straat, hetgeen Oliver allemaal heel duidelijk begreep. Na hem bovendien vele malen op het hart te hebben gedrukt toch vooral geen kou te vatten, liet de oude dame hem eindelijk gaan. 'De hemel bescherme hem!' zei ze, toen ze hem nakeek. 'Ik vind het niet prettig om hem uit mijn ogen te laten gaan.'

Op dat moment keek Oliver vrolijk om en wuifde. De oude dame beantwoordde glimlachend zijn groet.

'Laat eens zien; in twintig minuten kan hij gemakkelijk terug zijn,' zei mijnheer Brownlow, terwijl hij zijn horloge tevoorschijn haalde en het op tafel legde. 'Tegen die tijd zal het donker zijn.'

'Jij verwacht heus dat hij terugkomt, hè?' zei mijnheer Grimwig.

'Jij dan niet?' informeerde mijnheer Brownlow glimlachend.

'Nee,' zei Grimwig, met zijn vuist op tafel slaand, 'dat verwacht ik niet. Die jongen heeft een nieuw stel kleren aan z'n lijf, een stel waardevolle boeken onder z'n arm en een bankbiljet van vijf pond in z'n zak. Hij gaat regelrecht terug naar zijn oude vrienden, de dieven, en lacht je uit. Als die jongen ooit in dit huis terugkeert, mijnheer, eet ik mijn hoofd op.'

Met deze woorden trok hij zijn stoel dichter bij de tafel, en daar zaten de twee vrienden, in stille afwachting, met het horloge tussen hen in.

7

In de donkere achterkamer van een smerig kroegje, een duister en somber hol, zat een man, gekleed in een jas van katoenfluweel, een vuile kniebroek en halfhoge laarzen, boven een glaasje te peinzen. Zelfs in dat flauwe licht zou geen enkele ervaren agent hebben hoeven aarzelen om hem te herkennen als mijnheer William Sikes. Aan zijn voeten zat een witte hond met rode ogen om beurten te knipogen en zichzelf te likken.

'Hou je rustig, stuk vergif! Hou je kalm!' zei mijnheer Sikes, de hond gelijktijdig een vloek en een schop toedienend. Het dier zette onmiddellijk zijn tanden in een van de laarzen. Nadat hij deze eens flink heen en weer had geschud, liet hij los en kroop grommend onder een bank.

'O, wilde je dat?' zei Sikes, terwijl hij met zijn ene hand de kachelpook greep en met zijn andere gedecideerd een groot zakmes openknipte. 'Kom hier, jij addergebroed! Kom hier! Hoor je?' Hij liet zich op z'n knieën vallen en haalde dolzinnig naar het dier uit, tot de deur plotseling openging en de hond naar buiten vloog, zodat Bill Sikes met de pook en het knipmes in de handen achterbleef. Terstond richtte hij zijn woede op de zojuist aangekomene.

'Waarom kom jij, voor den duivel, tussen mij en mijn hond?' vroeg hij met een woest gebaar.

'Ik wist het niet, beste kerel, ik wist het niet,' antwoordde Fagin onderdanig – want hij was het. Hij werd gevolgd door Nancy, nog steeds uitgedost met het schort, het hoedje, het mandje en de sleutel.

'Ben je op het goede spoor, Nancy?' vroeg Bill, terwijl hij haar een glas aanbood.

'Ja, Bill,' antwoordde de jongedame, de inhoud opdrinkend, 'en ik heb er meer dan genoeg van. Die jonge aap is ziek geweest en heeft in z'n nest moeten liggen; en...'

'Ah, Nancy, beste kind!' zei Fagin, opkijkend.

Nu is het niet zo belangrijk of de eigenaardige manier waarop Fagin zijn rode wenkbrauwen samentrok en zijn diepliggende ogen half dichtkneep juffrouw Nancy waarschuwde, dat ze te mededeelzaam was. Feit is echter dat ze plotseling zweeg, haar sjaal om haar schouders sloeg en verklaarde dat het tijd was om te gaan. Mijnheer Sikes vergezelde haar en zo vertrokken ze samen, op enige afstand gevolgd door de hond die uit een binnenplaats tevoorschijn was geslopen.

Zodra Sikes het vertrek had verlaten, stak de jood zijn hoofd buiten de kamerdeur, mompelde een hevige vervloeking, schudde z'n gebalde vuist en ging toen met een afschuwelijke grijns aan tafel zitten.

Ondertussen was Oliver Twist, die er niet het minste idee van had dat hij zich nabij de vrolijke oude heer bevond, op weg naar het boekenstalletje. Toen hij in Clerkenwell kwam, sloeg hij per ongeluk een zijstraat in, die nu niet precies op zijn route lag; maar hij liep voort, bedenkend hoe gelukkig en tevreden hij zich toch wel voelde. Hij schrok op, doordat een jonge vrouw heel hard riep: 'O, mijn lief broertje!' En nauwelijks had hij opgekeken om te zien wat er aan de hand was, of een paar armen werden stevig om zijn nek geslagen.

'Hou op,' riep Oliver, die zich probeerde los te worstelen. 'Laat me los. Wie bent u?'

Het enige antwoord hierop was een groot aantal luide jammerklachten van de jonge vrouw, die hem omhelsd hield en die een mandje en een huissleutel in de handen had. 'Ik heb hem gevonden,' riep ze. 'O, Oliver! Oliver, jij stoute jongen, om me zo te doen schrikken! Kom mee naar huis, lieve jongen, kom.' De jonge vrouw raakte daarop zo ontzettend overstuur, dat een paar vrouwen bleven staan en vroegen wat er aan de hand was.

'O, mevrouw,' antwoordde het meisje, 'bijna een maand geleden is hij weggelopen van zijn ouders, die hardwerkende en fatsoenlijke mensen zijn. Hij heeft zich bij een bende dieven en andere ongure elementen aangesloten en het hart van zijn moeder bijna gebroken.'

'Jonge schavuit,' zei een van de vrouwen.

'Ga naar huis, hardvochtig kreng!' zei de ander.

'Het is niet waar,' antwoordde Oliver, hevig geschrokken. 'Ik ken haar niet. Ik heb geen zuster, en ook geen vader en moeder. Ik ben een wees; ik woon in Pentonville.'

'O, hoor hem nou toch eens, hoe hij dat brutaalweg vol- houdt!' huilde de jonge vrouw.

'Hé, het is Nancy!' riep Oliver, die nu haar gezicht pas voor het eerst zag en in verbazing een pas achteruit deed.

'Zien jullie wel, hij kent me!' riep Nancy, de omstanders als getuigen aanroepend. 'Hij kan er niets aan doen.'

'Wat, voor den duivel, is hier aan de hand?' vroeg een man, die haastig uit een kroeg tevoorschijn kwam met een witte hond op zijn hielen. 'De jonge Oliver! Ga mee naar je arme moeder. Kom onmiddellijk mee naar huis.'

'Ik hoor niet bij hen. Ik ken hen niet. Help! Help!' riep Oliver, die worstelde in de krachtige greep van de man.

'Help?' herhaalde de man. 'Ja, ik zál je helpen, schavuit! Wat zijn dat voor boeken? Die heb je zeker weer gestolen, hè? Geef hier.' Met deze woorden rukte de man hem de boeken uit de handen en gaf hem een slag op het hoofd. 'Kom mee, jij jonge schurk. Hier, Stieroog! Pas op hem, jongen! Pas op hem!'

Het volgende ogenblik werd Oliver een doolhof van donkere, smalle straatjes ingesleept en wel met zo'n vaart, dat zijn kre- ten onverstaanbaar werden.

De gaslampen waren ondertussen aangestoken; mevrouw Bedwin wachtte bezorgd in de open deur; het dienstmeisje was al wel twintig keer de straat opgerend om te zien of er een spoor van Oliver viel te ontdekken; en in de donkere zitkamer zaten de twee oude heren nog steeds bij elkaar, met het horlo- ge tussen hen in.

Sikes en Nancy vervolgden met Oliver hun weg. Ze liepen wel een halfuur door smerige straatjes waar ze maar heel weinig mensen tegenkwamen. Uiteindelijk sloegen ze een heel sme- rig steegje in met uitdragerijen. Ze bleven staan voor een win- kel die gesloten was en waar, zo op het oog, niemand woonde. Het huis verkeerde in vervallen staat.

'In orde!' riep Sikes, voorzichtig om zich heen kijkend.

Nancy bukte zich onder de luiken en Oliver hoorde het geluid van een bel. Ze staken de straat over en bleven enkele ogen- blikken onder een lantaarn staan. Ze hoorden een geluid alsof er een raam werd opengeschoven en spoedig daarna ging voorzichtig de deur open. Mijnheer Sikes greep de ontzette jongen in de kraag en even later stonden ze alle drie binnen. De gang was volkomen duister. Ze wachtten, totdat degene die hen binnen had gelaten, de ketting op de deur had gedaan en deze had vergrendeld.

'Is de ouwe d'r?' vroeg Sikes.

'Ja,' antwoordde een stem, 'maar hij heeft niks losgelaten. Zou hij niet blij zijn jullie te zien? O, nee!'

De stijl van dit antwoord, alsmede de stem die het uitsprak, kwam Oliver bekend voor, maar het was onmogelijk zelfs maar de omtrek van de spreker in het duister te onderscheiden.

'Maak 's licht,' zei Sikes, 'anders breken we onze nek nog.'

'Blijf dan even staan, dan zal ik licht halen,' antwoordde de stem. Ze hoorden hoe de voetstappen van de spreker zich verwijderden en even later zagen ze mijnheer Jack Dawkins, alias de Gladde, verschijnen met een vetkaars in zijn hand.

Het enige teken van herkenning dat deze jongeman gaf, was dat hij Oliver vrolijk toegrijnsde, waarop hij zich omdraaide en de bezoekers wenkte hem over een trap naar beneden te volgen. Ze gingen een lege keuken door en kwamen toen via een deur in een laag vertrek, dat naar aarde rook en op een binnenplaatsje gebouwd scheen te zijn. Hier werden ze met luid gelach begroet.

'O, mijn buik, mijn buik!' riep jongeheer Charley Bates, uit wiens keel het gelach afkomstig was. 'Daar heb je hem! O, Fagin, kijk hem daar staan! Ik hou het niet uit. Laat iemand me vasthouden tot ik uitgelachen ben.'

Na deze onbedwingbare uiting van vrolijkheid ging jongeheer Bates languit op de grond liggen en schopte in aanstekelijke vreugde krampachtig om zich heen. Dan sprong hij op, griste de kaars uit handen van de Gladde, en liep in aandachtige beschouwing enkele malen om Oliver heen, terwijl de jood zijn slaapmuts afzette en een groot aantal diepe buigingen voor de geheel in verwarring verkerende jongen maakte. Onder de bedrijven door was de Gladde, die zich zelden overgaf aan vreugdebetoon wanneer het werk daardoor gevaar liep, met onverdroten ijver bezig Olivers zakken leeg te halen.

'Kijk eens naar z'n kloffie, Fagin!' zei Charley, en hield de kaars zo dicht bij Olivers nieuwe jas, dat die bijna in brand vloog. 'Stof van de allerbeste kwaliteit en een peperdure snit! O, lieve hemel, wat een mop! Op en top een heer, Fagin!'

'Ik ben blij dat je er zo goed uitziet, mijn beste,' zei de jood en maakte spottend een nederige buiging. 'De Gladde zal je een ander pakkie geven, beste jongen, want we zijn bang dat je anders je zondagse kleren bederft. Waarom heb je niet geschreven, beste jongen, om te waarschuwen dat je kwam? Dan zouden we iets voor je warm hebben gehouden.'

Hierop begon jongeheer Bates opnieuw te gieren van de lach, zo luid dat Fagin even meedeed en zelfs de Gladde glimlachte; maar omdat deze laatste net op dit moment het bankbiljet van vijf pond tevoorschijn haalde, is niet te zeggen of die grappige opmerking dan wel deze ontdekking zijn vreugde wekte.

'Hallo! Wat is dat?' informeerde Sikes, een pas vooruit doend toen Fagin het bankbiljet greep. 'Dat is van mij, Fagin.'

'Nee, nee, beste kerel,' zei de oude. 'Van mij, Bill, van mij. Jij krijgt de boeken.'

'Als dat niet van mij en Nancy is,' zei Bill Sikes, en zette met een beslist gebaar zijn hoed op, 'dan breng ik de jongen terug.'

Fagin schokte op. Oliver ook, want hij hoopte, dat de twist er werkelijk mee zou eindigen dat hij teruggebracht werd.

'Vooruit! Geef hier zeg ik je!' zei Sikes. 'Denk je soms dat Nancy en ik onze tijd niet beter kunnen gebruiken, dan achter alle jongens die in jouw klauwen raken, aan te zitten? Geef hier, jij gierig oud skelet!'

Met deze vriendelijke woorden plukte hij het bankbiljet tussen de duim en wijsvinger van de oude vandaan, vouwde het klein op en stopte het in zijn halsdoek. 'Dat is voor ons aandeel in de moeite,' zei Sikes, 'en het is nog niet half genoeg. Jij mag de boeken houden als je zoveel van lezen houdt. Als je er niks om geeft, verkoop je ze maar.'

'Ze zijn van de oude heer,' zei Oliver, zijn handen wringend, 'van die goede, vriendelijke oude heer, die me heeft laten verplegen, toen ik bijna dood ging. O, stuur alsjeblieft de boeken en het geld terug. Hij zal denken dat ik ze gestolen heb. Hou mij hier m'n hele leven, maar alsjeblieft, alsjeblieft stuur ze terug!' Na deze woorden, gesproken met de kracht van hartstochtelijk verdriet, viel Oliver op zijn knieën voor Fagin neer en sloeg zijn handen in wanhoop ineen.

'De jongen heeft gelijk,' merkte Fagin op, terwijl hij gluiperig om zich heen keek en zijn harige wenkbrauwen tot een dikke knoop samentrok. 'Je hebt gelijk, Oliver, ze zullen zeker denken dat jij ze gestolen hebt. Ha! Ha!' gniffelde hij, 'als we het zelf uitgedacht hadden, had het niet beter kunnen verlopen.'

'Natuurlijk niet,' antwoordde Sikes. 'Dat had ik direct door, zo gauw ik 'm door Clerkenwell zag lopen met die boeken onder z'n arm. Het zijn halfzachte psalmzangers, anders hadden ze hem niet in huis gehaald. Ze zullen geen navraag doen, uit angst dat ze dan een vervolging moeten instellen waardoor ie weer in 't cachot terecht komt. Het is dik voor mekaar.'

Terwijl deze woorden werden gesproken had Oliver van de een naar de ander gekeken, alsof hij nauwelijks kon begrijpen wat er gebeurde, maar toen Bill Sikes uitgesproken was, sprong hij plotseling op en rende de kamer uit onder luid hulpgeschreeuw, zodat het oude huis er tot het dak toe van weerkaatste.

'Hou die hond terug, Bill!' schreeuwde Nancy, terwijl ze voor de deur sprong en die dichtgooide nadat Fagin en zijn twee leerlingen erdoor verdwenen waren om de vluchteling na te zetten. 'Hou die hond terug; hij zou de jongen in stukken scheuren.'

'Net goed voor 'm!' riep Sikes, die zich probeerde los te maken uit de greep van het meisje. 'Laat je me los, of ik sla je kop tegen de muur te pletter.'

'Dat kan me niet schelen, Bill, dat kan me niet schelen,' gilde het meisje, hevig met de man worstelend. 'Die hond zal dat kind niet verscheuren; of je moet mij eerst vermoorden!'

'O, ja?' zei Sikes, met opeengeklemde tanden, 'nou, dat zal ik dan gauw doen, als je me niet loslaat.'

De inbreker slingerde het meisje de hoek van het vertrek in, net op het moment dat de jood en de twee leerlingen terugkwamen, Oliver met zich mee slepend.

'Wat is hier aan de hand?' vroeg Fagin.

'Ik geloof, dat die meid gek geworden is,' antwoordde Sikes woedend.

'Nee, dat is ze niet,' zei Nancy bleek en buiten adem.

'Hou je dan kalm, wil je!' zei Fagin, meteen dreigende blik. Hij wendde zich tot Oliver. 'Dus jij wilde weg, hè, beste jongen?' zei hij, terwijl hij een knoestige stok oppakte, die in een hoek bij de haard lag.

Oliver gaf geen antwoord, maar hij volgde de bewegingen van de oude man en haalde gejaagd adem.

'Jij wilde hulp gaan halen; de politie roepen, hè?' sneerde Fagin. 'Daar zullen we je van genezen, jongeheer.'

Hij gaf Oliver met de stok een harde klap op de schouder en

hief hem al voor een tweede slag, toen het meisje naar voren sprong, hem het wapen uit de hand rukte en dit in het vuur gooide.

'Ik zal niet toezien, hoe jij die jongen afranselt, Fagin!' riep het meisje. 'Je hebt hem, en wat wil je nou nog meer? Laat hem – of anders zal ik een paar van jullie dat litteken bezorgen, dat mij voor m'n tijd aan de galg zal brengen.' Ze stampte hard met haar voet op de grond, en keek met samengeknepen lippen en ineengeslagen handen beurtelings de jood en de andere rover aan.

'Maar Nancy,' zei Fagin op sussende toon, 'je... je bent vanavond nog beter in vorm dan anders. Ha! Ha! beste kind, je speelt prachtig toneel.'

'O, ja?' zei het meisje, 'pas dan maar op dat het geen ernst wordt, want als dat gebeurt, ben jij er het ergst aan toe, Fagin.'

Een woedende vrouw heeft, vooral wanneer ze naast hartstochtelijke gevoelens tevens neigingen vertoont om in haar vertwijfeling roekeloze dingen te doen, iets dat slechts weinig mannen durven tarten. Fagin week een paar passen achteruit en keek Sikes aan met een half laffe, half smekende blik. Mijnheer Sikes, op wie aldus een stilzwijgend beroep werd gedaan om juffrouw Nancy weer tot rede te brengen, en die misschien wel voelde dat zijn trots en invloed in het geding waren, stootte een reeks vloeken en bedreigingen uit. Omdat deze echter geen zichtbare uitwerking hadden op degene tot wie ze gericht waren, nam hij zijn toevlucht tot meer tastbare argumenten.

'Wat bedoel je daarmee?' zei Sikes. 'Weet je wel wie en wat je bent?'

'O ja, daar weet ik alles van,' antwoordde het meisje, wild lachend.

'Nou, hou je dan kalm,' hernam Sikes, met een grauw die hij meestal bezigde wanneer hij zich tot zijn hond wendde. 'Jij bent net een mooie om zo menselijk te doen! Een mooie vriendin voor het kind.'

'De almachtige God helpe me, dat ben ik ook,' riep het meisje, 'en ik wilde dat ik op straat doodgebleven was, voor ik had kunnen helpen om hem hier te brengen. Vanaf vanavond is hij een dief, een leugenaar, een duivel en alles wat slecht is. Is dat voor die oude schurk al niet genoeg, zonder slagen?'

'Kom, kom, Sikes,' zei Fagin, met een gebaar in de richting

van de jongens, die gretig stonden te luisteren naar wat er gebeurde, 'we moeten beleefd blijven, Bill, we moeten beleefd blijven.'

'Beleefd!' kreet het meisje, wier woede vreselijk was om aan te zien. 'Beleefd, jij schurk! Ik ging er al voor je op uit om te stelen, toen ik nog niet half zo oud was als dit kind!' Daarbij wees ze op Oliver. 'Sinds die tijd heb ik twaalf jaar lang in hetzelfde vak en dezelfde dienst gewerkt. Weet je dat niet? Zeg op! Weet je dat niet?'

'Nou ja,' antwoordde de jood in een poging de zaak te sussen, 'als dat zo is, dan heb je er toch ook van bestaan!'

'Ja, zo is het!' gaf het meisje terug, de woorden in een woeste, onafgebroken stroom uitspuwend. 'En de koude, natte, vuile straten zijn mijn thuis; en jij bent de ellendeling die me daar lang geleden heen gedreven hebt en me daar, dag en nacht, dag en nacht zal houden, tot ik doodga!'

'Ik bega een ongeluk aan je,' viel Fagin, door al deze verwijten geprikkeld, haar in de rede, 'als je nog veel meer zegt.'

Het meisje zei niets meer, maar in razende hartstocht aan haar haren en kleren rukkend stormde ze op Fagin af. Ze zou waarschijnlijk blijvende herinneringen aan haar wraak op hem hebben achtergelaten, als Sikes haar niet op het juiste moment bij de polsen had gegrepen, waarna ze even vergeefs probeerde zich los te worstelen, en flauwviel.

'Nou is het in orde,' zei Sikes en legde haar neer in een hoek. 'Ze is ontzettend sterk in haar armen in zo'n toestand.'

'Dat is nou het vervelende met vrouwen,' zei de oude. 'Maar ze zijn schrander, en in ons vak bereiken we zonder hen niets. Charley, breng Oliver naar bed.'

'Het is zeker maar beter, als hij morgen niet zijn beste kleren draagt, hè, Fagin?' informeerde Charley Bates.

'Zeker niet,' zei Fagin, en beantwoordde de grijns waarmee Charley dit gevraagd had.

Jongeheer Bates, klaarblijkelijk erg ingenomen met zijn opdracht, nam de kaars op en leidde Oliver naar een aangrenzende keuken, waar een stuk of drie slaapplaatsen waren. En hier, telkens weer in lachen uitbarstend, haalde hij dezelfde oude kleren tevoorschijn, die Oliver ten huize van mijnheer Brownlow had uitgetrokken en waarvan hij gedacht had ze nooit meer te hoeven aantrekken. De voddenman die ze van mijnheer Brownlows dienstmeisje had gekocht, had ze toevallig aan Fagin laten zien, en dat was de eerste aanwijzing geweest omtrent Olivers verblijfplaats.

'Trek die mooie spullen maar uit,' zei Charley Bates. 'Ik geef ze wel aan Fagin om te bewaren. Wat een mop!'

De arme Oliver gehoorzaamde onwillig. Jongeheer Bates rolde de nieuwe kleren op onder zijn arm, liet Oliver alleen in het donker, en deed de deur achter zich op slot.

8

Een paar dagen na deze gebeurtenissen maakte mijnheer Bumble een officiële reis naar Londen, teneinde het bestuur te vertegenwoordigen op de driemaandelijkse zitting van de vrederechter in Clerkenwell. Om zes uur 's ochtends verwisselde hij zijn steek voor een ronde hoed, nam plaats in de postkoets en arriveerde op de gegeven tijd in Londen. Daar nam hij plaats in de herberg waarvoor de koets stil was blijven staan en nuttigde een matig diner van rundvlees, oestersaus en donker bier. Na het eten zette hij zijn glas hete gin met water op de schoorsteenmantel en trok zijn stoel bij het vuur om de krant te lezen. Het eerste waar mijnheer Bumbles blik op viel was de volgende advertentie:

VIJF GIENJES BELONING
Een jongen, genaamd Oliver Twist, is op donderdagavond weggelopen of meegelokt van zijn huis in Pentonville en sindsdien heeft men niets van hem vernomen. Bovengenoemde beloning wordt uitgeloofd aan een ieder die inlichtingen kan verschaffen die leiden tot de opsporing van genoemde Oliver Twist, of enig licht werpen op zijn vroeger leven waarin adverteerder om vele redenen belang stelt.

En daarna volgde een volledige beschrijving van Olivers kleren en uiterlijk, met adres en naam van mijnheer Brownlow.
Mijnheer Bumble sperde zijn ogen open, las de advertentie driemaal zorgvuldig door; en iets meer dan vijf minuten later was hij op weg naar Pentonville, nadat hij zowaar in zijn opwinding het glas gin met water onaangeroerd had achtergelaten.
'Is mijnheer Brownlow thuis?' vroeg mijnheer Bumble aan het

meisje dat opendeed.

Op deze vraag informeerde het meisje naar het doel van zijn bezoek en niet zodra had hij Olivers naam genoemd, of mevrouw Bedwin, die aan de deur van de zitkamer had staan luisteren, haastte zich de gang door.

'Kom binnen, kom binnen,' zei de oude dame. 'Ik wist wel dat we iets over hem zouden horen. De hemel zegene hem! Ik heb het de hele tijd al gezegd!'

Na deze woorden barstte de goede vrouw in tranen uit. Het meisje was inmiddels naar boven gerend en kwam terug met het verzoek aan mijnheer Bumble om haar onmiddellijk te volgen. Hij werd in een kleine studeerkamer gelaten, waar mijnheer Brownlow en zijn vriend mijnheer Grimwig, achter wijnkaraffen en glazen zaten. Laatstgenoemde stiet onmiddellijk uit: 'Een bode! Een gemeentebode! Zo niet, dan eet ik mijn hoofd op.'

'Val ons nu alsjeblieft even niet in de rede,' zei mijnheer Brownlow. 'Gaat u zitten.' Mijnheer Bumble nam plaats, nogal van zijn stuk gebracht door het vreemde van mijnheer Grimwigs optreden. Mijnheer Brownlow verschoof de lamp om het gezicht van de bode beter te kunnen gadeslaan en zei: 'Welnu, mijnheer, u komt hier naar aanleiding van die advertentie. Weet u waar de arme jongen zich nu bevindt?'

'Net zo min als iemand anders,' antwoordde mijnheer Bumble.

'Nu, wat weet u dan wel van hem?' vroeg de oude heer.

'U weet toch bijgeval niets goeds van hem te zeggen, wel?' zei mijnheer Grimwig bijtend.

Mijnheer Bumble begreep onmiddellijk de diepere bedoeling van die vraag en schudde plechtig en onheilspellend het hoofd.

'Zie je wel?' zei mijnheer Grimwig, en keek zijn vriend triomfantelijk aan.

Mijnheer Brownlow keek bezorgd naar het samengetrokken gezicht van mijnheer Bumble en verzocht hem in zo weinig mogelijk woorden te vertellen wat hij van Oliver wist.

Mijnheer Bumble legde zijn hoed neer, knoopte zijn jas open, vouwde zijn armen, dacht enkele ogenblikken na en begon zijn verhaal. Hij had er ongeveer twintig minuten voor nodig, maar de essentie ervan was, dat Oliver een vondeling was, van ongure en slechte ouders, dat hij van zijn geboorte af geen andere eigenschappen had getoond dan valsheid, ondankbaarheid en gemeenheid, dat hij zijn korte loopbaan in zijn geboorteplaats had afgesloten met een bloeddorstige en lafhartige aanval op een nietsvermoedende jongen waarna hij 's nachts uit het huis van zijn meester was weggelopen. Ten bewijze dat hij werkelijk de persoon was voor wie hij zich uitgaf, legde mijnheer Bumble de papieren die hij meegenomen had naar de stad, op tafel.

'Ik vrees, dat het maar al te waar is,' zei mijnheer Brownlow verdrietig, nadat hij de papieren had ingezien. 'Dit is niet veel geld voor uw inlichtingen, maar ik zou u graag driemaal de som gegeven hebben, als u wat gunstigers over de jongen had verteld.'

Het is niet onwaarschijnlijk dat mijnheer Bumble, indien hij dit eerder in het gesprek geweten had, zijn geschiedenis geheel anders gekleurd zou hebben. Maar nu was het daar helaas te laat voor; hij schudde dus het hoofd, stak de vijf gienjes bij zich en vertrok.

Mijnheer Brownlow ijsbeerde enkele minuten door de kamer, blijkbaar zo van streek, dat zelfs mijnheer Grimwig ervan afzag hem nog verder te plagen. Eindelijk stond hij stil en belde. 'Mevrouw Bedwin,' zei mijnheer Brownlow, toen de huishoudster verscheen, 'die jongen, die Oliver, is een bedrieger.'

'Dat kan niet, mijnheer. Dat kan niet,' zei de oude dame heftig.

'Ik zeg u dat het wél zo is,' viel de oude heer uit. 'We hebben net een levensbeschrijving van hem gehoord, beginnend bij zijn geboorte, en hij is van jongs af een doortrapte kleine schurk geweest.'

'Dat zal ik nooit geloven, mijnheer,' antwoordde de oude dame met grote zekerheid. 'Nooit! Het was een lief, dankbaar, vriendelijk kind. Ik ken kinderen, mijnheer, al meer dan veertig jaar. En mensen, die dat niet kunnen zeggen, kunnen beter hun mond houden. Zo denk ik erover!'

Dat was een steek onder water voor mijnheer Grimwig, die vrijgezel was.

'Stil!' zei mijnheer Brownlow, een woede veinzend die hij absoluut niet voelde. 'Laat me de naam van die jongen nooit meer horen. Nooit, onder geen beding. Denk eraan!'

Die nacht waren er bedroefde harten in het huis van mijnheer Brownlow.

Om ongeveer twaalf uur de volgende dag, nadat de Gladde en jongeheer Bates vertrokken waren om hun gebruikelijke beroep uit te gaan oefenen, maakte mijnheer Fagin van de gelegenheid gebruik om Oliver te onderhouden over de ergerlijke zonde van de ondankbaarheid, waaraan hij zich maar al te duidelijk en in niet geringe mate had schuldig gemaakt door zich aan het gezelschap van zijn bezorgde vrienden te onttrekken. Mijnheer Fagin legde grote nadruk op de omstandigheid dat hij Oliver onderdak en voedsel had verschaft toen deze zonder tijdige hulp, zeker van honger omgekomen zou zijn, en hij vertelde het droevige en aandoenlijke verhaal van een jongen, die hij onder soortgelijke omstandigheden had bijgestaan maar die zijn vertrouwen onwaardig was gebleken en neigingen had getoond zich met de politie in verbinding te stellen, waarna hij helaas op zekere morgen in de Old Bailey was opgehangen. Mijnheer Fagin besloot met het schilderen van een nogal onaangenaam beeld van het gehangen worden en op een zeer beleefde manier gaf hij uitdrukking aan zijn oprechte hoop nooit verplicht te zullen zijn Oliver aan die onverkieslijke behandeling bloot te stellen.

Het bloed van de kleine Oliver stolde in zijn aderen bij het luisteren naar die duistere bedreigingen. Toen hij bedeesd opkeek en de onderzoekende blik van Fagin ontmoette, voelde hij dat die waakzame oude heer zijn bleek gezicht en het trillen van zijn leden niet alleen duidelijk opmerkte, maar er zelfs van genoot.

Fagin grijnslachte, streek Oliver over het hoofd en zei dat ze, als hij maar rustig bleef en zich aan zijn werk wijdde, toch nog wel goede vrienden konden worden. Daarna pakte hij zijn hoed, hulde zich in een verstelde jas, ging weg en deed de deur achter zich op slot. Zo bleef Oliver die hele verdere dag alleen, evenals vele volgende dagen. Van vroeg in de ochtend tot 's avonds laat zag hij niemand, en al die lange uren was hij alleen met zijn droevige gedachten die altijd weer teruggingen naar zijn goede vrienden en de mening die ze zich nu over hem gevormd moesten hebben.

Nadat er zo ongeveer een week verlopen was, liet Fagin de deur van de kamer open en mocht Oliver vrij door het huis lopen. In alle kamers waren de vermolmde luiken gesloten en het enige licht drong binnen door ronde gaten bovenin, waardoor de kamers nog somberder leken en zich vulden met vreemde schaduwen. Het huis was erg smerig. In de hoeken van muren en zoldering hadden spinnen webben geweven en af en toe schoten er muizen over de vloer. Afgezien hiervan was er geen levend wezen te zien of te horen en vaak, wanneer het donker werd, hurkte hij in een hoek van de gang bij de straatdeur, om maar zo dicht mogelijk bij levende mensen te zijn, en daar bleef hij dan wachten tot Fagin of de jongens terugkwamen.

Op zekere middag, toen de Gladde en de jongeheer Bates 's avonds uit moesten, kreeg eerstgenoemde jongeman het in zijn hoofd om enige zorg aan den dag te leggen aangaande zijn uiterlijk, en met dit doel voor ogen gelastte hij Oliver hem te helpen. Oliver was maar al te blij zich nuttig te kunnen maken en gelukkig dat hij enkele gezichten had om naar te kijken, hoe onguur die ook waren. Dus knielde hij op de grond, terwijl de Gladde op de tafel zat, en begon aan een werkje, dat door mijnheer Dawkins werd aangeduid als 'zijn kleitrappers schoonkrabben', hetgeen in gewone spreektaal betekende: 'zijn schoenen poetsen'.

De Gladde keek met peinzend gezicht een ogenblik op Oliver neer, zuchtte, en zei tot jongeheer Bates:

'Wat jammer dat hij geen snaaier is.' Waarmee hij bedoelde dat Oliver niet geschikt was voor dief.

'Ah!' zei jongeheer Bates, 'hij weet niet wat goed voor hem is.'

De Gladde zuchtte nogmaals en zei: 'Ik ben een snaaier. En jij bent er een, Charley. Net als Fagin. En Sikes. En Nancy. En Bet. We zijn het allemaal, tot de hond toe.'

'En die is nog het ergste van de hele bende!'

'En het minst geneigd tot kletsen,' vulde de Gladde aan.

'Waarom ga je niet voor Fagin werken, Oliver?' vroeg Charley.

'Om fortuin te maken,' voegde de Gladde eraan toe.

'Zodat je later rustig op je landgoed kunt leven en de brave burger uithangen; zoals ik van plan ben in het op vier na eerstvolgende schrikkeljaar,' zei Charley.

'Ik vind het niet prettig,' antwoordde Oliver bedeesd. 'Ik wilde dat ze me lieten gaan. Ik... ik... zou liever weggaan.'

'Weggaan!' riep de Gladde uit. 'Waar zit je geestkracht? Weer afhankelijk zijn van je vrienden? Ik zou het niet kunnen.'

'Maar jij kunt je vrienden in de steek laten,' zei Oliver, terwijl hij doorging met schoenpoetsen, 'en ze laten opdraaien voor wat jij hebt gedaan.'

'Dat,' reageerde de Gladde, wuivend met zijn pijp, 'deden we voor Fagin. De smerissen weten dat we samenwerken en als wij de kuierlatten niet genomen hadden, zou hij misschien in moeilijkheden zijn gekomen, is 't niet zo, Charley?'

Jongeheer Bates knikte instemmend.

'Je bent verkeerd opgevoed, Oliver,' vervolgde de Gladde, met grote tevredenheid zijn schoenen bekijkend. 'Maar Fagin zal nog wel iets van je maken, of je zou de eerste zijn die op den duur geen voordeel bracht. Je kunt beter meteen beginnen.'

Jongeheer Bates steunde deze raadgeving met allerlei morele vermaningen, waarna hij en zijn vriend, mijnheer Dawkins, een gloedvolle beschrijving gaven van de vele genoegens, gepaard aan het leven dat zij leidden.

'En vergeet nooit, Nolly,' zei de Gladde, net op het moment dat ze hoorden hoe Fagin boven de deur ontsloot, 'dat als jij geen snotlorren en tikkers pikt...'

'Hij weet niet wat je bedoelt,' onderbrak jongeheer Bates.

'Als jij geen zakdoeken en horloges wegneemt,' zei de Gladde, de conversatie op een voor Oliver begrijpelijk niveau terugbrengend, 'dan doet een ander het; en jij hebt er evenveel recht op als die ander.'

'Heel juist!' zei Fagin, die binnengekomen was zonder dat Oliver het had gezien. ''t Ligt allemaal doodeenvoudig, beste jongen. Luister maar goed naar de Gladde. Die begrijpt de catechismus van ons vak!' De oude man wreef zich vergenoegd in de handen, terwijl hij het standpunt van de Gladde onderschreef en hij grinnikte van plezier om de vaardigheid van zijn leerling.

Het gesprek werd niet voortgezet, want de oude man was thuisgekomen in gezelschap van een heer, die Oliver nooit eerder had gezien. Deze heer werd door de Gladde aangesproken als Tom Chitling. Mijnheer Chitling was in jaren ouder dan de Gladde; hij telde misschien achttien lentes. Maar er school een zekere mate van eerbied in de manier, waarop hij zich jegens de Gladde gedroeg, hetgeen erop scheen te wijzen dat hij zich op het stuk van vakbekwaamheid enigszins de mindere voelde van deze jongeheer. Hij had kleine, schitterende oogjes en een pokdalig gezicht, droeg een bontmuts, een manchester jak, een vettige bombazijnen broek en een schootsvel. Zijn kleding was, eerlijk gezegd, nogal kapot, maar hij verontschuldigde zich door te verklaren, dat zijn 'tijd' een uur geleden pas afgelopen was, en dat hij zes weken lang in 'uniform' had gelopen, waardoor hij niet in staat was geweest enige aandacht te schenken aan zijn privékleren. Mijnheer Chitling voegde eraan toe, dat hij tweeënveertig dodelijk lange werkdagen geen druppel te drinken had gekregen en dat hij mocht barsten als hij niet zo droog als een kurk was.

'Waar denk je dat die mijnheer vandaan komt, Oliver?' vroeg Fagin, terwijl Charley een fles drank op tafel zette.

'Ik... ik weet het niet, mijnheer,' antwoordde Oliver.

'Wie is dat?' informeerde Tom Chitling, een verachtelijke blik werpend op Oliver.

'Een jonge vriend van mij, beste kerel,' antwoordde Fagin.

'Dan mag hij van geluk spreken,' zei de jongeman, en keek Fagin veelbetekenend aan. ''t Is niet belangrijk, waar ik vandaan kom, jongeman. Ik durf trouwens om een kroon te wedden dat jij er ook gauw genoeg terechtkomt.'

De jongens lachten om deze grappige opmerking. Na een kort gefluister met Fagin verdwenen ze. Chitling en Fagin trokken daarop hun stoel bij het haardvuur en de oude, na tegen Oliver gezegd te hebben dat hij bij hem moest komen zitten, bracht het gesprek op de grote voordelen van het vak, de bekwaamheden van de Gladde, de vriendelijkheid van Charley Bates en zijn eigen vrijgevigheid.

Vanaf die dag werd Oliver zelden alleen gelaten, maar was haast voortdurend in gezelschap van de andere jongens. Elke dag speelden ze het oude spelletje met de jood – maar of dat nu ten nutte van hen of van Oliver was, wist mijnheer Fagin alleen. Bij andere gelegenheden vertelde de oude man hen verhalen over diefstallen die hij in zijn jonge jaren had gepleegd en hij doorspekte die met zoveel grappige en eigenaardige zaken, dat Oliver ondanks alles hartelijk moest lachen en toonde dat hij het leuk vond, al zijn betere gevoelens ten spijt. Kortom, de geslepen oude man had de jongen in zijn netten verstrikt. Nadat hij hem eerst, door eenzame opsluiting, had doen verlangen naar welk gezelschap dan ook om te ontsnappen aan zijn droefgeestige gedachten, liet hij nu langzaam vergif in zijn ziel druppelen; vergif dat, naar hij hoopte, die ziel voor altijd zwart zou maken.

9

Op een kille, vochtige, winderige avond knoopte Fagin zijn overjas dicht rond zijn verschrompelde lichaam, trok de kraag op tot het onderste gedeelte van zijn gezicht schuilging, en trad uit zijn hol tevoorschijn. Hij bleef even op de stoep staan terwijl de deur achter hem op slot gedaan en vergrendeld werd, luisterde tot de zich verwijderende voetstappen van de jongens niet meer te horen waren, en glipte daarna vlug de straat in.

Het huis waar men Oliver had heengebracht, stond in de buurt van Whitechapel. Fagin verdween in de richting van Spitalfields. De modder lag dik op de keien; een zwarte mist hing over de straten en de regen sijpelde traag neer. Het was een avond, bij uitstek geschikt voor een wezen als Fagin om zich buiten te wagen. Zoals hij daar steels voortgleed, in de schaduw van muren en portieken, leek hij het een of andere walgelijke reptiel, geboren in slijmig vuil en duisternis, bij nacht voortkruipend op zoek naar vet afval om te eten. Hij vervolgde zijn weg door vele kronkelende en nauwe straatjes tot hij Bethnal Green bereikte. Daar sloeg hij linksaf en liep al spoedig in een doolhof van armoedige, smerige stegen, zoals ze in die dichtbevolkte wijk in overvloed te vinden zijn. Hij voelde zich hier duidelijk te zeer thuis om in de war te raken door de duisternis of de ingewikkelde weg. Ten slotte sloeg hij een straatje in dat slechts door één lamp, helemaal aan het andere einde, werd verlicht. Op de deur van een van de huizen daar klopte hij, en nadat hij enkele woorden had gewisseld met degene die opendeed, ging hij de trap op. Toen hij met zijn hand een deurknop aanraakte begon erachter een hond te grommen en een mannenstem vroeg wie daar was.

'Ik ben het maar, Bill. Ik ben het maar, mijn beste,' zei Fagin, rondkijkend in het spaarzaam gemeubileerde vertrek. Niets wees erop dat de bewoner iets anders was dan een nijver werkman, terwijl er geen andere verdachte artikelen te zien waren dan drie zware knuppels die in een hoek stonden.

'Kom er dan maar in,' zei Sikes. 'Ga liggen, jij stomme bruut. Ken je de duivel nou nog niet, al heeft hij een overjas aan?'

De hond was kennelijk wat in de war gebracht door het buitenste kledingstuk van mijnheer Fagin, doch toen de oude zijn jas uitdeed en hem over de rugleuning van een stoel wierp, trok hij zich terug in de hoek waar hij had gelegen en kwispelde met zijn staart, om te tonen dat hij, voor zover dat in zijn aard lag, geheel gerustgesteld was.

'Zo!' zei Sikes.

'Zo, mijn beste,' reageerde Fagin. 'Ah! Nancy!'

Dit laatste teken van herkenning werd met enige verlegenheid geuit, waaruit bleek dat Fagin niet geheel zeker was hoe hij door haar zou worden ontvangen; want mijnheer Fagin en zijn jonge vriendin hadden elkaar, sinds zij het voor Oliver had opgenomen, nog niet ontmoet. Zo hij echter twijfel mocht koesteren op dat punt, dan werd deze toch onmiddellijk weggenomen door het gedrag van de jongedame. Ze trok haar voeten van het haardhekje, duwde haar stoel achteruit en verzocht Fagin de zijne dichterbij te schuiven, want het was een koude nacht, dat stond vast.

'Het ís koud, Nancy, beste meid,' zei Fagin, zijn knokige handen warmend boven het vuur. 'Het lijkt wel of het dwars door je heen gaat.'

'Het moet wel een erg doordringende kou zijn, als hij door jóuw hart heen wil komen,' vond mijnheer Sikes. 'Nancy, geef hem wat te drinken. Schiet op! Je wordt er beroerd van om dat lelijke, oude karkas daar te zien zitten sidderen als een geest die net uit het graf is opgerezen.'

Nancy pakte snel een fles uit de kast. Sikes schonk een glas vol brandewijn in en zei tegen Fagin dat op te drinken.

'Dank je, Bill,' antwoordde de oude, het glas neerzettend na ervan genipt te hebben. 'En nu over dat zaakje in Chertsey,' vervolgde hij, terwijl hij zijn stoel wat vooruittrok en zijn stem dempte.

'Ja. Wat is daarmee?' vroeg Sikes.

'Wanneer moet 't gebeuren? Prachtig tafelzilver, kerel, prachtig zilver!' zei Fagin en wreef zich vergenoegd in de handen.

'Nooit,' antwoordde Sikes koel.

'Wordt het nooit gedaan?' echode de jood, en zakte achterover in zijn stoel.

'Nee, nooit,' hernam Sikes. 'Het is niet zo'n simpele klus als we hadden gedacht.'

'Dan wordt 't niet goed aangepakt,' zei Fagin, verblekend van woede. 'Je kunt me niets wijsmaken.'

'Ik zeg je,' viel Sikes uit, 'dat Toby Crackit veertien dagen bij het huis heeft rondgehangen en dat hij 't met geen van de bedienden eens kan worden.'

'Wil je me vertellen, Bill,' zei Fagin, die kalmer werd naarmate de ander zich meer opwond, 'dat geen van de twee mannen in het huis overgehaald kan worden?'

'Ja, dat wil ik je inderdaad vertellen,' antwoordde Sikes. 'De oude dame heeft ze al twintig jaar in dienst, en al gaf je ze vijfhonderd pond, dan zouden ze nog niet meedoen.'

'Maar wil je me dan ook vertellen dat de dienstmeiden evenmin over te halen zijn?' hield de jood aan.

'Geen enkele kans,' antwoordde Sikes.

'Zelfs niet door die mooie Toby Crackit?' vroeg Fagin ongelovig.

'Nee, zelfs niet door die mooie Toby Crackit,' antwoordde Sikes. 'Hij zegt dat hij valse bakkebaarden heeft gedragen en een kanariegeel vest, de hele tijd dat hij daar rondhing, en het gaf allemaal niets.'

Nadat hij een paar minuten met zijn kin op de borst had zitten nadenken, hief Fagin het hoofd op en zei: ''t Is triest, mijn beste, om zoveel waar we nou zo onze zinnen op hadden gezet, te laten lopen.'

'Zo is het,' zei mijnheer Sikes. 'Pech!'

Er viel een lange stilte, gedurende welke Fagin in diep gepeins was verzonken. Sikes keek hem van tijd tot tijd heimelijk aan. Nancy hield haar blik op het vuur gericht, alsof ze van hetgeen besproken was, niets had gehoord.

'Fagin,' zei Sikes, de stilte abrupt verbrekend, 'is het je vijftig ballen extra waard, als het veilig van buitenaf gebeurt?'

'Ja,' zei Fagin, even plotseling uit zijn overpeinzingen opschrikkend.

'Dan,' zei Sikes, 'kunnen we beginnen zo gauw je maar wil. Toby en ik zijn eergisternacht over de tuinmuur geklommen, om de deurpanelen en de luiken te proberen. Het huis is 's nachts afgesloten als een gevangenis, maar er is één gedeelte dat we zachtjes en zonder gevaar kunnen kraken.'

'Welk deel, Bill?' vroeg Fagin begerig.

'Nou, als je het grasveld oversteekt...'

'Ja?' zei Fagin, zich voorover buigend.

'Hm!' bromde Sikes en zweeg. 'Doet er niet toe, welk deel het is. Ik weet dat je het niet zonder mij kunt, maar het is beter aan de veilige kant te blijven als je met jou te maken hebt!'

'Zoals je wil, mijn beste, zoals je wil,' antwoordde Fagin. 'Is er geen andere hulp nodig, dan die van jou en Toby?'

'Nee,' zei Sikes. 'Behalve nog een jongen, en die moet niet al te groot zijn.'

'Een jongen!' riep Fagin uit. Hij knikte in de richting van Nancy, die nog steeds in het vuur zat te staren, en gaf met een teken te kennen, dat het hem lief zou zijn als Sikes haar de kamer uitstuurde. Sikes haalde ongeduldig de schouders op.

'Waarom? Je hebt toch niks tegen die meid, hè, Fagin?' vroeg hij. 'Ze is niet iemand die kletst. Hè, Nancy?'

'Ik zou denken van niet,' antwoordde de jongedame, waarna ze haar stoel naar de tafel trok en haar ellebogen daarop zette.

'Nee, nee, beste meid, dat weet ik wel,' zei Fagin. 'Maar ik wist niet of je misschien weer uit je humeur zou raken, net zoals laatst.'

Bij deze bekentenis barstte juffrouw Nancy in een luid gelach uit, en terwijl ze een glas brandewijn naar binnen sloeg schudde ze met een uitdagend gebaar het hoofd, wat tot gevolg scheen te hebben dat beide mannen gerustgesteld werden.

'Nou, Fagin,' zei Nancy, 'vertel Bill dan nu maar meteen over Oliver.'

'Ha! Jij bent nog eens snugger, beste kind; de snuggerste meid die ik ooit gekend heb!' zei Fagin, haar over het hoofd strijkend. 'Ik wilde inderdaad over Oliver praten, zeer zeker. Ha! Ha! Ha!'

'Wat is er met hem?' vroeg Sikes.

'Hij is de jongen die je nodig hebt, mijn beste,' antwoordde de oude, terwijl hij een vinger tegen de zijkant van zijn neus legde en schrikaanjagend grijnsde. 'Hij heeft de laatste weken goed getraind en het wordt tijd, dat hij voor zijn kost begint te werken. Bovendien zijn de anderen allemaal te groot.'

'Ja, hij is precies van de maat, die ik moet hebben,' zei mijnheer Sikes peinzend.

'En hij doet alles wat je hem zegt, Bill, mijn beste,' kwam Fagin weer. 'Dat wil zeggen, als je hem bang genoeg maakt.'

'Bang maken?' echode Sikes. 'Laat dat maar aan mij over. Als we eenmaal aan het werk gaan en ik merk iets vreemds aan hem, dan zie je hem niet levend terug, Fagin. Bedenk dat wel, voor je hem met ons meestuurt.'

'Ik heb al aan alles gedacht,' zei de jood met nadruk. 'Ik… ik heb hem nauwkeurig in de gaten gehouden. Als we hem eenmaal laten voelen dat hij een van ons is, als we hem doordringen van het feit dat hij eenmaal een dief is, dan is hij z'n verdere leven van ons! O,oh! Het had niet beter kunnen uitkomen!' De oude man sloeg zijn armen over elkaar, trok zijn hoofd tussen zijn schouders en omarmde zichzelf letterlijk van plezier.

'Van ons?' zei Sikes. 'Van jou, bedoel je.'

'Misschien wel, mijn beste,' zei Fagin met een schril lachje.

'En waarom,' vroeg Sikes, terwijl hij zijn gemoedelijke vriend dreigend aankeek, 'maak je je zo druk om die bleekscheet, terwijl je weet dat er elke avond minstens vijftig knapen in Common Garden rondslenteren, waaruit je maar hoeft te kiezen?'

'Omdat ik die niet kan gebruiken, beste kerel', antwoordde Fagin, enigszins van zijn stuk. 'Hun gezicht verraadt hen als ze in moeilijkheden raken, en dan ben ik ze weer kwijt. Als ik deze jongen goed aanpak, dan kan ik met hem meer bereiken dan met twintig anderen. Bovendien,' zei de oude, zijn zelfbeheersing herwinnend, 'heeft hij ons nu in zijn macht wanneer hij weer de benen neemt. Hij moet met ons in hetzelfde schuitje komen te zitten. Hoe hij d'r in komt kan me niet schelen, maar het geeft mij voldoende macht over hem, als hij meegedaan heeft aan een inbraak; dat is alles wat ik wil. Wanneer gebeurt het, Bill?'

'Overmorgennacht heb ik met Toby afgesproken, tenzij hij andere berichten van me krijgt,' antwoordde Sikes met knorrige stem. 'Breng die jongen morgenavond hier. Hou verder je mond dicht en zet de smeltkroes klaar voor de poet.'

Na enige discussie werd besloten dat Nancy de volgende avond naar Fagins huis zou gaan om Oliver te halen; Fagin merkte namelijk listig op dat Oliver eerder bereid zou zijn mee te gaan met het meisje, dat onlangs nog om hem te helpen tussenbeide was gekomen, dan met iemand anders. Tevens werd plechtig overeengekomen dat Oliver, lopende de voorgenomen expeditie, geheel aan de zorg van mijnheer William Sikes zou worden toevertrouwd, en verder, dat genoemde Sikes met hem kon handelen, zoals hem goed dunkte en door

Fagin niet verantwoordelijk zou worden gesteld voor enig ongeluk of kwaad, dat de jongen mocht overkomen, of enige bestraffing, die zo nodig op hem toegepast zou worden.

Nadat deze inleidende maatregelen waren genomen, begon mijnheer Sikes in een enorm tempo brandewijn te drinken, waarbij hij tegelijkertijd op een aller onmuzikaalste manier flarden van liedjes uitgalmde, vermengd met luide verwensingen, tot hij op de grond neerzakte en ter plaatse in slaap viel.

'Goedenacht, Nancy,' zei Fagin, zich inpakkend als tevoren.

'Goedenacht.'

Hun blikken ontmoetten elkaar en Fagin nam haar nauwlettend op. Het meisje vertrok geen spier. Ze was even eerlijk en ernstig wat het werk betrof als Toby Crackit zelf. Hij wenste haar nogmaals goedenacht, en nadat hij achter haar rug een stiekeme trap tegen het uitgestrekte lichaam van mijnheer Sikes had gegeven, zocht hij in het donker zijn weg naar beneden.

'Zo gaat het nu altijd,' mompelde de oude in zichzelf. 'Het erge met vrouwen is, dat het allerkleinste voorval bij hen een of ander lang vergeten gevoel oproept, en het goede van hen is, dat zoiets nooit lang blijft hangen. Ha! Ha! De man tegen het kind, voor een zak goud!'

De tijd dodend met deze en dergelijke aangename overpeinzingen, zocht mijnheer Fagin door modder en drek zijn weg naar zijn somber verblijf, waar de Gladde ongeduldig op zijn terugkomst zat te wachten. 'Is Oliver naar bed? Ik moet met hem spreken,' was Fagins eerste opmerking.

'Uren geleden,' antwoordde de Gladde, en gooide een deur open. 'Hier is hij.'

De jongen lag vast te slapen op zijn ruwe matje op de grond, zo bleek van angst en verdriet, dat hij eruitzag als de dood – niet de dood zoals die in lijkwaden en doodkisten huist, maar de dood in het kleed dat hij draagt, wanneer het leven juist is weggevloden; wanneer een jonge, edele geest net een ogenblik geleden naar de hemel is gevlucht en de grove adem van de wereld nog geen tijd heeft gehad om de veranderende stof die door die geest geheiligd werd te beroeren.

'Nu niet,' zei Fagin, en keerde zich zachtjes om. 'Morgen, morgen.'

10

Toen Oliver de volgende morgen wakker werd, was hij uitermate verbaasd een nieuw paar schoenen met sterke, dikke zolen naast zijn bed te vinden. Eerst was hij blij met deze ontdekking, aangezien hij meende dat dit erop kon wijzen, dat men besloten had hem te laten gaan; doch zulke gedachten werden spoedig verdreven, toen hij zat te ontbijten met Fagin, die hem vertelde dat hij die avond naar het huis van Bill Sikes zou worden gebracht.

'Om... om... daar te blijven, mijnheer?' vroeg Oliver angstig.

'Nee, nee, beste jongen; niet om er te blijven,' antwoordde Fagin. 'We zouden je niet graag kwijt zijn. Wees maar niet bang, Oliver, je komt weer bij ons terug. Ha! Ha! Ha! We sturen je niet weg, beste jongen. O, nee, nee!' De oude man die, over het vuur gebogen, een stuk brood roosterde, keek om terwijl hij zo tegen Oliver schertste. 'Ik vermoed,' zei hij grinnikend, 'Wat je wel graag wil weten, waarom je naar Bill gaat, hè, beste jongen?'

Oliver kleurde maar zei dapper ja, hij wilde het graag weten.

'Nou, wat denk je?' vroeg Fagin, Olivers vraag omzeilend.

'Ik weet het werkelijk niet, mijnheer,' antwoordde Oliver.

'Ba!' zei Fagin en draaide zich om, schijnbaar geprikkeld omdat Oliver geen grotere nieuwsgierigheid aan den dag legde. 'Wacht dan maar tot Bill het je vertelt.'

Hierna bleef Fagin tot de avond knorrig en zwijgzaam, tot hij zich gereed maakte om uit te gaan. 'Je mag een kaars opsteken,' zei hij en legde er een op de tafel. 'En hier is een boek, om te lezen tot ze je komen halen. Goedenacht.'

'Goedenacht!' antwoordde Oliver zacht.

Fagin wees naar de kaars en beduidde hem die aan te steken. Hij deed dit, en toen hij de kandelaar op tafel zette, zag hij dat Fagin hem met samengetrokken wenkbrauwen strak stond aan te kijken.

'Pas op, Oliver, pas op!' zei de oude man, terwijl hij zijn rechterhand waarschuwend heen en weer bewoog. 'Het is een ruwe vent en wil alleen maar ander bloed zien als het zijne kookt. Wat er ook gebeurt, doe wat hij zegt. Denk eraan!' Hij legde grote nadruk op zijn laatste woorden en liet toen heel langzaam een akelige grijns op zijn gezicht verschijnen, waarna hij knikte en de kamer verliet.

Oliver steunde zijn gezicht op zijn handen nadat de jood vertrokken was, en dacht met kloppend hart na over de woorden die hij zojuist had gehoord. Hij kon geen enkel slecht doel bedenken waarvoor hij naar Sikes gezonden moest worden, dat niet evengoed kon worden bereikt als hij bij Fagin bleef. Nadat hij lange tijd had nagedacht, kwam hij aldus tot de conclusie dat hij gewoon bediendewerk moest verrichten bij de inbreker tot deze een andere jongen vond die er beter voor geschikt was. Hij was al zozeer aan lijden gewend en had, waar hij zich nu bevond, reeds zoveel leed moeten doorstaan, dat hij het vooruitzicht van de verandering niet erg kon bejammeren.

Hij bleef enkele minuten in gedachten verzonken, nam dan het boek op dat Fagin hem had gegeven, en begon te lezen. Het bevatte levensbeschrijvingen van, en rechtszaken tegen grote misdadigers en de bladzijden waren smerig en beduimeld door het vele lezen. Hij las over verschrikkelijke misdaden die iemand het bloed in de aderen deden stollen – van geheime moorden, op eenzame wegen begaan, en van mannen die door hun eigen slechte gedachten tot zulk bloedvergieten waren gekomen, dat je er koud van werd. De afschuwelijke beschrijvingen waren zo werkelijk en levendig, dat de vuilgele bladzijden rood schenen te worden van het geronnen bloed en de woorden in zijn oren naklonken alsof ze er door de geesten der doden in gefluisterd werden.

In een vlaag van vrees klapte de jongen het boek dicht en schoof het van zich weg. Daarna viel hij op de knieën en bad de hemel hem liever direct te laten sterven dan hem te sparen voor zulke verschrikkelijke en afschuwelijke misdaden. Langzamerhand werd hij weer wat kalmer en met zachte, gebroken stem smeekte hij om redding uit de huidige gevaren, en dat, als er nog hulp mogelijk was voor een arme verschopte jongen, die hulp dan nu mocht komen, nu hij troosteloos en verlaten alleen te midden van slechtheid en zonde stond.

Hij bleef op de knieën liggen, met zijn gezicht verborgen in zijn handen, tot een ruisend geluid hem tot de werkelijkheid terugriep. 'Wat is dat?' riep hij, opschrikkend, toen hij een figuur in de deuropening zag staan. 'Wie is daar?'

'Ik ben het maar,' antwoordde een bevende stem.

Oliver hield de kaars boven zijn hoofd en keek in de richting van de deur. Het was Nancy.

'Zet dat licht neer,' zei het meisje, ze wendde haar hoofd af. 'Het doet pijn aan mijn ogen.'

Oliver merkte, dat ze erg bleek zag en vroeg vriendelijk of ze ziek was. Het meisje wierp zich in een stoel en wrong de handen, maar gaf geen antwoord. 'God vergeef me!' riep ze na enige tijd uit. 'Hieraan had ik nooit gedacht.'

'Is er iets gebeurd?' vroeg Oliver. 'Kan ik je helpen?'

Ze schokte heen en weer, greep naar haar keel en hapte naar adem.

'Nancy!' riep Oliver. 'Wat is er?'

Het meisje trok haar sjaal stevig om zich heen en huiverde van de kou. Oliver rakelde het vuur op. Ze trok haar stoel er dichtbijen bleef een tijdje zwijgend zitten; maar eindelijk hief ze haar hoofd.

'Ik weet niet wat ik soms heb,' zei ze, en ze deed het voorkomen of ze druk bezig was haar jurk glad te strijken, 'ik denk dat het deze vochtige, smerige kamer is. Nou, Nolly, beste jongen, ben je klaar?'

'Moet ik met jou mee?' vroeg Oliver.

'Ja, ik kom van Bill,' antwoordde het meisje.

'Waarom?' vroeg Oliver, een stap achteruit wijkend.

'Waarom?' echode het meisje, dat haar ogen afwendde. 'O, voor niets bijzonders.'

'Ik geloof je niet,' zei Oliver, die haar oplettend gadesloeg.

'Zoals je wil,' hernam het meisje en probeerde te lachen. 'Voor wél wat bijzonders dan.'

Oliver begreep dat hij enige macht over de betere gevoelens van het meisje had en een ogenblik dacht hij erover een beroep te doen op haar medelijden. Maar dan schoot het door hem heen dat het nog maar net elf uur was en er nog veel mensen op straat moesten lopen, onder wie er ongetwijfeld enkelen waren, die zijn verhaal zouden geloven. Hij deed een stap vooruit en zei, enigszins gejaagd, dat hij klaar was. Noch zijn korte overweging, noch de bedoeling daarvan bleef door zijn metgezellin onopgemerkt. Ze keek hem scherp aan terwijl hij sprak, en wierp hem toen een blik toe waaruit duidelijk bleek dat ze geraden had wat er in zijn gedachten was omgegaan.

'Sst,' zei het meisje, terwijl ze naar de deur wees en voorzichtig rondkeek. 'Je kunt er nu niets aan doen, ik heb het echt voor je geprobeerd, maar het gaf niets. Als je hier ooit nog vandaan wil, dan is dit in ieder geval niet het juiste ogenblik.'

Getroffen door de gedecideerdheid in haar optreden keek Oliver haar verrast in het gezicht. Ze scheen de waarheid te spreken; haar gezicht was bleek van opwinding en ze trilde van ernst.

'Ik heb je al eens behoed voor mishandeling, en dat zal ik weer doen, en dat doe ik nu ook,' vervolgde het meisje. 'Want als ik je niet had gehaald, dan hadden anderen dat gedaan en die zouden veel ruwer geweest zijn dan ik. Ik heb moeten beloven, dat je rustig zou zijn. Als je dat niet bent, zul je niet alleen jezelf maar ook mij moeilijkheden brengen; ja, misschien zou het mijn dood betekenen. Kijk, dit heb ik al allemaal voor jou verdragen.' Ze wees haastig op een paar blauwe plekken op haar hals en armen, en vervolgde: 'Als ik je nu kon helpen zou ik het doen; maar ik heb er de macht niet toe. Ze willen je geen kwaad doen en wat ze je ook laten uitvoeren, het is niet jouw schuld! Sst! Geef me je hand. Schiet op!'

Ze omklemde de hand, die Oliver instinctmatig in de hare legde, en de kaars uitblazend, trok ze hem achter zich aan de trap op. De deur werd snel geopend door iemand die schuil ging in de duisternis, en toen ze buiten stonden, werd zij even vlug weer gesloten. Een huurrijtuigje stond te wachten. Het meisje trok hem erin en schoof de gordijntjes dicht. De koetsier had geen aanwijzingen nodig, maar legde zonder een ogenblik te verliezen, de zweep over de paarden, waarna ze in volle vaart wegstoven. Alles ging zo vlug en haastig, dat Oliver nauwelijks tijd had om zich te realiseren waar hij was, toen het rijtuigje alweer stopte voor het huis waarheen Fagin de avond tevoren zijn schreden had gericht. Een kort ogenblik wierp Oliver een vluchtige blik door de verlaten straat, en een kreet om hulp lag op zijn lippen; maar het meisje fluisterde hem smekend in zijn oor toch ook aan haar te willen denken, zo angstig, dat hij niet de moed had de kreet ook werkelijk te slaken. Dan was de gelegenheid voorbij; hij bevond zich reeds in het huis en de deur werd achter hem gesloten.

'Deze kant op,' zei het meisje, en liet hem los. 'Bill!'

'Hallo!' antwoordde Sikes, die boven aan de trap verscheen met een kaars. 'O, mooi zo. Kom boven.'

Dit was een wel heel sterke uitdrukking van goedkeuring, een ongekend hartelijk welkom van iemand met het temperament van mijnheer Sikes. Nancy scheen daar erg dankbaar voor te zijn en groette hem vriendelijk.

'Stieroog is met Tom mee naar huis,' merkte Sikes op. 'Hij zou maar in de weg lopen. Zo, dus je hebt 't joch,' voegde hij eraan toe, terwijl ze de kamer betraden. 'Ging hij rustig mee?'

'Als een lammetje,' bevestigde Nancy.

'Ik ben blij het te horen,' zei Sikes, en keek Oliver grimmig aan, 'voor dat jónge karkas tenminste, want hij had er anders voor moeten boeten. Kom hier, jongeman, en laat me je eens even de les lezen. Het is maar beter om dat meteen te doen.'

Terwijl hij zijn nieuwe leerling aldus aansprak, trok mijnheer Sikes Oliver de hoed van het hoofd en gooide die in een hoek; daarna nam hij hem bij de schouder, ging bij de tafel zitten en zette de jongen voor zich neer.

'Nou, om te beginnen, weet je wat dit is?' vroeg Sikes, en pakte een pistool dat op tafel lag.

Oliver antwoordde bevestigend.

'Mooi, kijk dan eens hier,' vervolgde Sikes. 'Dit is kruit, dit hier is 'n kogel, en dit is een stuk van een oude hoed, bij wijze van prop.'

Oliver mompelde dat hij een en ander begreep, en mijnheer Sikes begon heel kalm het pistool te laden. 'Nu is het geladen,' zei hij nadat hij klaar was. Daarop greep hij Olivers pols vast en drukte de loop tegen diens slaap. De jongen kon een beweging van schrik niet onderdrukken. 'Als je ook maar één woord zegt wanneer je met mij buiten bent, behalve dan wanneer ik iets tegen jou zeg, dan vliegt die lading zonder pardon in jouw hoofd. Als je dus besluit om iets te zeggen zonder toestemming, dan een gebedje. Voor zover ik weet is er niemand die navraag naar je zal doen als je uit de weg wordt geruimd; ik zou dus eigenlijk al deze moeite niet hoeven te nemen, als het niet voor je eigen bestwil was. Hoor je me?'

'Wat je bedoelt komt in het kort hierop neer,' zei Nancy, met veel nadruk sprekend en Oliver met licht gefronste wenkbrauwen aankijkend, als om hem te kennen te geven dat hij ernstige aandacht aan haar woorden moest schenken, 'dat als hij je dwars zit bij het karwei dat je gaat doen, je zult voorkomen dat hij later iets vertelt, door hem voor zijn hoofd te schieten, en dat je het risico neemt ervoor te moeten hangen, zoals je dat iedere maand van je leven doet voor heel wat andere dingen.'

'Zo is het!' merkte Sikes goedkeurend op. 'Vrouwen kunnen altijd alles in de minste woorden zeggen – behalve wanneer ze iemand de mantel uitvegen, want dan rekken ze het zolang ze kunnen. En nou hij precies weet waar hij aan toe is, kunnen we eerst beter iets gaan eten en wat maffen voor we op stap gaan.'

Op dit verzoek dekte Nancy vlug de tafel, en nadat ze enkele minuten weg geweest was, kwam ze terug met een pot bier en een schotel met gebraden schaapskop. De waarde mijnheer Sikes dronk al het bier in één teug op en uitte, ruw geschat, niet meer dan zo'n tachtig vloeken tijdens de maaltijd. Na het eten sloeg hij enkele glazen gin met water achterover en wierp zich daarna op het bed, na Nancy opdracht te hebben gegeven hem precies om vijf uur te wekken, met een aantal bedreigingen in geval ze het mocht vergeten. Oliver ging, op bevel, gekleed op een matras op de grond liggen en het meisje rakelde het vuur op en ging daarvoor zitten, klaar om hen op de afgesproken tijd te wekken.

Oliver lag lang wakker, maar uitgeput van het waken en van angst viel hij ten slotte in slaap. Toen hij wakker werd stopte Sikes allerlei voorwerpen in de zakken van zijn overjas, die over de rugleuning van een stoel hing. Nancy was ondertussen bezig het ontbijt klaar te maken. De dageraad was nog niet aangebroken en de kaars brandde nog steeds. Een felle regen kletterde tegen de ruiten en de lucht buiten zag er zwart en bewolkt uit.

'Vooruit!' grauwde Sikes, toen Oliver overeind kwam. 'Halfzes! Schiet op, anders krijg je geen ontbijt meer, het is al laat.'

Oliver had niet veel tijd nodig om toilet te maken, en nadat hij iets gegeten had, antwoordde hij op een desbetreffende knorrige vraag van Sikes, dat hij geheel klaar was. Nancy gooide hem een zakdoek toe voor om zijn hals en Sikes gaf hem een wijde, ruwe cape, die hij om zijn schouders moest knopen. Aldus uitgedost legde hij zijn hand in die van de inbreker, die deze, na even de tijd te hebben genomen om met een dreigend gebaar te laten zien, dat hij het pistool in een van de zakken van zijn jas had, stevig vastpakte en de jongen, na een kort afscheid van Nancy, wegleidde. Bij de deur gekomen draaide Oliver zich om, in de hoop een blik van het meisje op te vangen, maar zij had haar oude plaatsje voor het vuur weer ingenomen en zat daar volkomen onbeweeglijk.

Het was een sombere morgen toen ze de straat opstapten; het waaide en regende hard en de wolken zagen er dreigend en stormachtig uit. In de lucht schemerde reeds het zwakke schijnsel van de komende dag, maar het sombere licht deed de straatlantaarns slechts verbleken, zonder zelf wat warmere en lichtere tinten op de natte daken en het droefgeestige plaveisel te werpen. Er scheen nog niemand wakker te zijn en de straten waar ze doorheen liepen waren leeg en zonder geluid.

Tegen de tijd dat ze Bethnal Green Road insloegen, begon de dag echt aan te breken. De meeste lantaarns brandden niet meer; een paar boerenwagens rammelden moeizaam in de richting van de binnenstad en zo nu en dan ratelde een bemodderde postkoets voorbij. De kroegen, waar nog gaslicht brandde, waren reeds open. Allengs openden ook andere zaken hun luiken en kwamen ze een paar mensen tegen. Weer wat later zagen ze verspreide groepen arbeiders op weg naar hun werk; daarna mannen en vrouwen met vismanden op het hoofd; ezelwagentjes beladen met groente; melkvrouwen met emmers; een ononderbroken rij mensen, die zich met allerlei artikelen naar de oostelijke voorsteden begaven. In de buurt van de City aangekomen, zwol het verkeerslawaai aan tot een gedreun. De drukke morgen van de helft van Londens inwoners was begonnen.

Ze staken Finsbury Square over, waarna mijnheer Sikes Smithfield opging, van welk plein zo'n kakofonie van onharmonieuze klanken opsteeg, dat het Oliver met verbazing vervulde. Het was marktdag. De grond was bedekt met afval en slijk; een dikke walm die opsteeg van het stinkende vee en zich vermengde met de mist die op de schoorstenen scheen te rusten, hing zwaar boven dit stadsdeel. Al de boxen in het midden van de grote vlakte stonden vol schapen. Vastgebonden aan palen langs de kant van de goot stonden, wel vier rijen dik, ontelbare koeien en ossen. Boeren, slagers, veedrijvers, dieven, leeglopers en vagebonden van het allerlaagste allooi wriemelden dooreen. Het fluiten van drijvers; het blaffen van honden; het loeien en stampen van ossen; het blaten van scha-

pen; het knorren en gillen van varkens; het roepen van mars-
kramers; het schreeuwen, vloeken en geruzie aan alle kanten;
het onwelluidende en schier oorverdovende lawaai dat van elk
deel van de markt opsteeg en de smerige gedaanten die voortdurend heen en weer renden, maakten het geheel tot een ver-
bijsterende belevenis.

Mijnheer Sikes sleurde Oliver met zich mee, terwijl hij zich
met de ellebogen een weg door de drukste menigten baande,
een paar maal knikkend naar een passerende vriend. Hij liep
maar door, tot ze eindelijk het rumoer achter zich hadden en
in Holborn kwamen.

'Nou, jongeman,' zei Sikes, opkijkend naar de klok van de
Sint Andrewskerk, 'al bijna zeven uur! Je moet vlugger door-
lopen.'

Mijnheer Sikes deed deze woorden vergezeld gaan van een
ruk aan de pols van zijn kleine metgezel. Oliver versnelde zijn
pas tot een soort draf, die het midden hield tussen lopen en
rennen, om zo met enige moeite de snelle gang van de inbreker bij te houden.

Dit hielden ze vol tot ze Hyde Park Corner hadden bereikt.
Toen vertraagde Sikes zijn pas tot een lege wagen die achter
hen reed, hen had ingehaald. Hij ontwaarde er de naam
HOUNSLOW op en vroeg de voerman of deze hen tot Isleworth
wilde meenemen.

'Spring er maar op,' zei de man. 'Is dat je zoontje?'

'Ja, dat is mijn jongen,' antwoordde Sikes, terwijl hij Oliver
strak aankeek en met een afwezig gebaar zijn hand liet dwalen
naar de zak waarin hij zijn pistool had.

'Je vader loopt wel wat vlug voor je, hè, beste jongen?' zei de
voerman, die zag dat Oliver buiten adem was.

'Geen sprake van,' kwam Sikes tussenbeide. 'Hij is eraan
gewend. Hier pak mijn hand, Ned. Hup! In de wagen!'

Met deze woorden hielp hij Oliver naar boven, terwijl de voerman op een hoop zakken wees en zei dat de jongen daar maar
moest gaan liggen uitrusten.

Naarmate ze steeds meer mijlpalen passeerden, vroeg Oliver
zich sterker af, waar hij toch wel heengebracht werd. Ze reden
door Kensington, Hammersmith, Chiswick, en nog altijd ging
het verder, alsof ze nog maar pas aan hun tocht waren begonnen. Ten slotte kwamen ze bij een wegsplitsing en hier stopte
de wagen. Sikes stapte uit en tilde Oliver van de wagen.

'Dag, jongen,' zei de man.

'Hij is chagrijnig,' reageerde Sikes, en schudde Oliver door elkaar. 'Let maar niet op hem.'

'Ik niet!' zei de voerman en reed verder.

Sikes wachtte tot de wagen een goed eind weg was en ging daarna pas met Oliver verder. Ze namen de weg naar rechts en liepen lange tijd verder, langs vele grote tuinen en herenhuizen, en nergens rustten ze even, tot ze een stad bereikten. Daar zag Oliver op de muur van een huis in grote letters Hamptom staan. Ze hingen een paar uur rond in het vrije veld, om dan uiteindelijk weer naar de stad terug te keren. In een oude herberg gingen ze bij het vuur in de keuken zitten en bestelden iets te eten.

De keuken was een vertrek met een lage zoldering, waaronder in het midden een zware balk liep. Bij het vuur stonden banken met hoge rugleuningen. Sikes en zijn jonge metgezel zaten in een hoekje alleen, zonder door andere bezoekers lastig gevallen te worden. Ze aten koud vlees en bleven daarna nog lang zitten, terwijl mijnheer Sikes zich de weelde van drie of vier pijpen veroorloofde, zodat Oliver ervan overtuigd raakte dat ze niet verder gingen. Overmand door vermoeidheid viel hij in slaap.

Het was donker toen hij wakker schrok door een por van Sikes. Overeind komend zag hij dat zijn waarde metgezel met een werkman zat te praten, onder het genot van een pul bier.

'Zo, dus jij gaat naar Lower Halliford, hè?' vroeg Sikes. 'Zou je mij en m'n jongen zover mee kunnen nemen?'

'Als je nu direct gaat wel,' antwoordde de man, die iets te diep in het glaasje had gekeken. 'En langzaam rij ik niet. M'n paard is een best beest. Op z'n gezondheid.'

Ze wensten de overige aanwezigen goedenavond en gingen naar buiten. Het paard, op welks gezondheid zojuist gedronken was, stond al ingespannen voor de wagen. Oliver en Sikes stapten in en nadat hij de stalknecht en de hele wereld had getart met net zo'n dier op de proppen te komen, klauterde de man er eveneens op. Het paard dat de vrije teugel werd gelaten, maakte daar een uiterst onbehoorlijk gebruik van; het gooide het hoofd in de lucht, stond enige tijd op zijn achterbenen en schoot daarna fier en als een pijl uit de boog de stad uit.

De nacht was erg donker. Een kille nevel steeg op van de drassige gronden en verspreidde zich over de sombere velden. Het was bovendien bijtend koud; alles was troosteloos en zwart. Oliver zat ineengedoken in een hoek van de wagen, verbijsterd van angst en bezorgdheid.

Eindelijk hield de wagen stil. Sikes klom eraf, en nadat hij Oliver bij de hand had genomen liepen ze wederom verder. Ze passeerden Shepperton en vervolgden hun weg door modder en duisternis over sombere landweggetjes, tot ze op niet al te grote afstand de lichten van een andere stad zagen. Toen Oliver ingespannen voor zich uit keek, zag hij dat er water was vlak beneden hen en dat ze een brug naderden. Sikes sloeg plotseling linksaf naar de oever.

Het water! dacht Oliver en hij werd onpasselijk van angst. 'Hij heeft me naar deze stille plek gebracht om me te vermoorden.' Hij stond op het punt een poging te wagen zijn jonge leven te verdedigen, toen hij zag dat ze voor een eenzaam huis stonden. Aan elke kant van de vervallen ingang zat een raam en erboven was nog één verdieping. Het bouwvallige huis lag in volkomen duisternis en wekte de indruk onbewoond te zijn.

Sikes, met Olivers hand nog steeds in de zijne, naderde zachtjes de lage, overdekte voordeur en tilde de klink op. Onder zijn druk week de deur terug en ze stapten naar binnen.

11

'Hallo!' riep een luide, hese stem, zodra ze een voet in de gang hadden gezet.

'Maak niet zo'n kabaal,' zei Sikes, de deur vergrendelend. 'Maak 's licht, Toby.'

'Aha, mijn vriend,' riep dezelfde stem. 'Licht, Barney, licht! Laat de heren binnen. Maar word eerst 'ns wakker, als 't je convenieert.'

De spreker scheen een laarzenknecht of iets dergelijks naar de aldus aangesproken persoon te gooien, want men hoorde een hevige klap, veroorzaakt door een vallend houten voorwerp.

'Hoor je me?' riep dezelfde stem. 'Bill Sikes staat in de gang, zonder dat er iemand is die hem beleefd ontvangt en jij ligt daar maar te slapen, alsof je laudanum bij je eten hebt gehad. Ben je nu een beetje bijgekomen?'

Nadat deze vraag gesteld was, schuifelden een paar in sloffende schoenen gestoken voeten over de kale vloer van het vertrek, even later verscheen uit een deur aan de rechterkant eerst een zwak brandend kaarsje en daarna de silhouet van een individu dat duidelijk hoorbaar gebukt ging onder de kwaal van het door de neus spreken.

'Bedeer Sikes!' riep dit individu, dat luisterde naar de naam Barney, 'kom bidden, bedeer, kom bidden.'

'Jij eerst,' zei Sikes en duwde Oliver voor zich uit. Ze traden binnen in een lage, donkere kamer, waar een rokerig vuur brandde en een stuk of drie kapotte stoelen en een tafel stonden, alsmede een heel oude rustbank, waarop een man in zijn volle lengte lag uitgestrekt – zijn benen hoger dan zijn hoofd – en een stenen pijp rookte. Hij was gekleed in een modern gesneden tabakskleurige jas met grote koperen knopen, een oranje halsdoek, een grof, opzichtig vest met het patroon van een omslagdoek en een vuilgele kniebroek. Mijnheer Crackit (want die was het) had niet erg veel haar, maar wat hij had was roodachtig gekleurd en in lange pijpenkrullen getrokken. Hij was iets langer dan gemiddeld en klaarblijkelijk nogal zwak ter been, maar deze omstandigheid verminderde in geen enkel opzicht zijn eigen bewondering voor zijn laarzen die hij, in hun verheven positie, met levendige tevredenheid gadesloeg.

'Bill, jongen!' zei deze figuur, terwijl hij zijn hoofd naar de deur wendde, 'ik ben blij je te zien. Ik was al bang dat je het opgegeven had, in welk geval ikzelf een poging gewaagd zou hebben. Hallo!'

Hij uitte dit laatste woord in grote verrassing, toen hij Oliver in de gaten kreeg. Mijnheer Toby Crackit hees zich in een zittende houding en vroeg wie dat was.

'De jongen. Het is de jongen maar!' antwoordde Sikes, en trok een stoel bij het vuur.

'Eed vad bedeer Fagids jonges,' riep Barney met een grijns.

'Van Fagin, hè?' zei Toby, Oliver opnemend. 'Die jongen zou geld loskrijgen uit de zak van alle oude dames in de kerk. Zijn gezicht is een fortuin waard.'

'Dat is wel genoeg,' kwam Sikes ongeduldig tussenbeide, en zich naar zijn vriend overbuigend, fluisterde hij een paar woorden in diens oor, waarop mijnheer Crackit ontzettend hard begon te lachen en Oliver lang met verbaasde blik aanstaarde.

'Nou,' zei Sikes, terwijl hij weer ging zitten, 'als je ons nou iets te eten en te drinken geeft, dan steek je ons een hart onder de riem. Ga bij het vuur zitten, jong, en rust uit, want vannacht moet je weer met ons op stap.'

Oliver keek Sikes even in stomme en schuchtere verwondering aan, trok daarna een krukje bij het vuur en ging zitten, met zijn bonzende hoofd in de handen. Hij wist amper waar hij was of wat er om hem heen gebeurde.

'Proost,' zei Toby, nadat Barney wat etensresten en een fles op tafel had gezet, 'Op onze kraak!' Hij verhief zich om deze toost uit te brengen, vulde een glas met drank en sloeg de inhoud naar binnen. Mijnheer Sikes volgde zijn voorbeeld.

'Ook een slokje voor de jongen,' zei Toby en schonk een wijnglas half vol. 'Drink op, stuk onschuld!'

'Heus,' zei Oliver, de man met een smekend gezicht aankijkend, 'heus, ik...'

'Drink op!' herhaalde Toby. 'Denk je dat ik niet weet wat

103

goed voor je is? Zeg tegen hem dat hij 't opdrinkt, Bill.'

'Het zou verstandiger van hem zijn,' zei Sikes terwijl hij met zijn hand naar zijn zak greep. 'Drink op, kwajongen. Drink op!'

Bang geworden door de dreigende gebaren van de beide mannen dronk Oliver haastig de inhoud van het glas leeg, en kreeg onmiddellijk daarop een hevige hoestbui, waar de drie volwassenen groot genoegen in schepten.

Nadat dit gebeurd was en Sikes zijn honger had gestild (Oliver kon niets anders naar binnen krijgen dan een korst brood, die ze hem dwongen in te slikken), gingen de twee mannen in een stoel zitten om een dutje te doen. Oliver bleef op zijn krukje bij het vuur zitten, terwijl Barney zich in een deken wikkelde en zich op de vloer uitstrekte. Een tijdje bewoog zich niemand, behalve Barney die een paar keer opstond om wat kolen op het vuur te gooien.

Oliver was in een lichte sluimering weggezakt, toen hij wakker schrok doordat Toby Crackit opsprong en verklaarde, dat het half twee was. In een oogwenk stonden de twee anderen ook overeind en begonnen met allerlei voorbereidingen. Sikes en zijn makker omwikkelden hun hals en het onderste gedeelte van hun gezicht met donkere sjaals en trokken hun overjas aan, terwijl Barney een kast opendeed, daar verscheidene voorwerpen uithaalde en die haastig in zijn zakken propte.

'Blaffers voor mij, Barney,' zei Toby Crackit.

'Hier zijd ze,' antwoordde Barney en hij haalde twee pistolen tevoorschijn. 'Je hebt ze zelf gelade.'

'In orde,' zei Toby en stopte ze weg. 'Knuppels, zwarte doek, sleutels, centerboren, lantaarns – niets vergeten?' vroeg hij, terwijl hij een klein breekijzer aan de binnenkant van zijn jas vastmaakte.

'In orde,' zei ook zijn kameraad. 'Breng de einden hout, Barney. Mooi zo.' Met deze woorden nam hij een dikke stok aan van Barney, die er daarna ook een aan Toby gaf en vervolgens Olivers cape begon vast te maken.

'Nou!' zei Sikes en hij stak zijn hand uit.

Oliver, volkomen versuft door de ongekende vermoeienis, de atmosfeer en de sterke drank, die hem was opgedrongen, legde zijn hand werktuiglijk in die van Sikes.

'Neem jij zijn andere hand, Toby,' zei Sikes. 'Kijk eens buiten, Barney.'

De man ging naar de deur en keerde terug met de mededeling dat alles rustig was. De twee dieven gingen naar buiten met Oliver tussen zich in. Barney deed alles weer op slot, rolde zich in zijn deken en viel al spoedig opnieuw in slaap.

Het was nu ontzettend donker. De nevel was veel dichter dan voorheen en binnen enkele minuten waren Olivers haren en wenkbrauwen stijf van het halfbevroren vocht. Zij gingen de brug over en liepen in de richting van de lichtjes, die hij reeds eerder had gezien. Ze waren er niet ver af en bereikten al spoedig Chertsey.

'We gaan dwars door de stad,' fluisterde Sikes. 'Vannacht zal er wel niemand op straat zijn die ons kan zien.'

Toby stemde ermee in, en zij haastten zich door de hoofdstraat, die op dit late uur geheel verlaten lag. De kerkklok sloeg twee uur, toen ze het stadje alweer achter zich hadden gelaten. Ze versnelden hun pas en sloegen een weg aan de linkerkant in. Na nog ongeveer vijfhonderd meter te hebben gelopen, stonden ze plotseling stil voor een alleenstaand huis, omgeven door een muur waar Toby Crackit, amper even wachtend om op adem te komen, in een oogwenk opklom.

'Nu de jongen,' zei Toby. 'Duw hem naar boven. Ik pak hem wel.'

Voor Oliver de tijd had om zich heen te kijken, nam Sikes hem al onder de armen en binnen drie of vier seconden lagen hij en Toby aan de andere kant van de muur in het gras. Sikes kwam onmiddellijk daarna. Voorzichtig slopen ze daarna naar het huis.

En nu pas begreep Oliver, welhaast gek van verdriet en ontzetting, voor het eerst, dat inbraak en diefstal, zo niet moord, de doelen vormden van hun tocht. Hij klemde zijn handen ineen en slaakte onwillekeurig een gesmoorde uitroep van afschuw. Er kwam een waas voor zijn ogen, zijn benen weigerden dienst, en hij zonk op zijn knieën.

'Sta op!' mompelde Sikes, die trilde van woede en het pistool uit zijn zak haalde, 'sta op, of ik strooi je hersens uit over het gras!'

'O! In 's hemelsnaam, laat me gaan!' riep Oliver. 'Laat me weglopen en in het open veld sterven. Ik zal nooit meer in de buurt van Londen komen – nooit, nooit! O! Heb medelijden met me en maak geen dief van me. In naam van alle schitterende engelen die in de hemel wonen!'

De man op wie dit beroep werd gedaan, stiet een gruwelijke vloek uit en spande de haan van zijn pistool, maar Toby sloeg het wapen weg, legde zijn hand op de mond van de jongen en sleepte hem vervolgens in de richting van het huis.

'Stil!' fluisterde de man, 'dat gaat hier niet. Nog één woord van hem en ik knap het zaakje zelf op door een dreun op zijn hoofd. Hier, Bill, wrik dat luik open. Hij is nou tam genoeg, denk ik. Ik heb oudere jongens gezien, die op zo'n koude nacht een paar minuten lang hetzelfde spelletje speelden.'

Sikes smeekte ontzettende vervloekingen af over Fagins hoofd, omdat deze hem Oliver voor een dergelijke onderneming had meegegeven, maar ging daarna druk aan het werk met het breekijzer, zonder ook maar het geringste geluid. Na enige hulp van Toby zwaaide het luik op zijn scharnieren open. Erachter zat een klein glas-in-loodvenster, ongeveer één meter zestig boven de grond, van een washok. Het was zo klein, dat de bewoners het klaarblijkelijk niet nodig hadden gevonden het beter te beveiligen, maar het was groot genoeg om iemand van Olivers afmetingen door te laten. Een korte toepassing van mijnheer Sikes' kunst was voldoende om de versluiting open te breken, en even daarna stond het raampje dan ook wijdopen.

'Nou, luister, stuk addergebroed,' fluisterde Sikes, terwijl hij een afgeschermde lantaarn uit zijn zak haalde en het licht vol op Olivers gezicht liet schijnen, 'ik laat jou zo meteen door dat raam naar binnen zakken. Neem deze lantaarn mee, ga heel stilletjes naar de voordeur, maak die open en laat ons binnen.'

Toby ging nu onder het venster staan, met zijn hoofd tegen de muur en zijn handen op zijn knieën, zodat iemand op zijn rug kon staan. Nauwelijks had hij deze houding aangenomen, of Sikes klom erop en het Oliver zachtjes met zijn voeten vooruit door het raam zakken, waarna hij hem, zonder zijn kraag los te laten, veilig binnen op de grond zette.

'Pak de lantaarn aan,' zei Sikes, naar binnen kijkend. 'Zie je dat trapje voor je?'

Oliver, meer dood dan levend, hijgde: 'Ja.' Sikes wuifde met de loop van zijn pistool naar de straatdeur en gaf hem kortaf de raad te bedenken dat hij al die tijd onder schot bleef, en dat hij bij de eerste aarzeling dood zou zijn.

'Het is 'n werkje van één minuut,' zei Sikes, nog steeds fluisterend. 'Zodra ik je loslaat, doe je je werk. Luister!

'Wat is dat?' fluisterde de andere man.

Ze luisterden gespannen.

'Niets,' zei Sikes, en liet Oliver los. 'Nou!'

In de korte tijd die hem gelaten was om tot zichzelf te komen, had de jongen het vaste besluit genomen om, onverschillig of hij bij die poging het leven zou laten, te proberen vanuit de hal naar boven te rennen om de familie te waarschuwen. Bezield door dit idee stapte hij onmiddellijk zachtjes voorwaarts.

'Kom terug!' riep Sikes plotseling luid. 'Terug! Terug!'

Geschrokken door deze plotse onderbreking van de doodse stilte en door een luide kreet die erop volgde, liet Oliver zijn lantaarn vallen en wist niet, of hij nu verder moest gaan of vluchten.

De kreet werd herhaald, er verscheen een licht, een visioen van twee dodelijk verschrikte, halfgeklede mannen boven aan de trap draaide voor zijn ogen – een lichtflits, een harde knal, rook, een gekraak ergens – en hij wankelde achteruit.

Een ogenblik was Sikes verdwenen, maar het volgende was hij er weer en hij greep Oliver bij de kraag, nog voor de rook was opgetrokken. Hij vuurde met zijn eigen pistool op de beide mannen, die zich reeds terugtrokken, en hees de jongen omhoog.

'Omklem je arm steviger,' zei Sikes, terwijl hij hem door het raampje sjorde. 'Geef me vlug een sjaal. Ze hebben hem geraakt. Vlug! Verdomme, wat bloedt dat joch!'

Toen volgde het luide gerinkel van een bel, vermengd met het knallen van vuurwapens en de kreten van mannen, en de gewaarwording over oneffen grond snel te worden weggedragen. Daarna werden de geluiden verward en schenen van heel ver te komen. Een dodelijke kou bekroop het hart van de jongen, en hij zag of hoorde niets meer.

12

De nacht was bitter koud. Sneeuw lag op de grond en er gierde een snerpende wind. Zo was de toestand buiten toen mevrouw Corney, de 'moeder' van het armenhuis dat aan de lezers reeds werd beschreven als de geboorteplaats van Oliver Twist, in haar eigen kamertje voor een vrolijk haardvuur plaats nam. Mevrouw Corney stond op het punt zichzelf op te monteren met een kopje thee. Ze had echter juist een zilveren lepeltje (eigen bezit) in haar theebusje (waar twee ons in kon) gestoken, of ze werd onderbroken door een zacht geklop op de deur.

'O, kom binnen, vooruit!' riep ze scherp. 'Er ligt zeker weer een of andere vrouw op sterven, hè? Ze gaan altijd net dood als ik zit te eten of zo. Blijf daar niet staan, zodat de koude lucht binnenkomt. Wat is er aan de hand?'

'Alstublieft, mevrouw,' zei een verschrompeld oud vrouwtje dat haar hoofd om de deur had gestoken. 'Ouwe Sally ligt op 't randje.'

'Nou, wat heb ik daarmee te maken?' vroeg de Moeder kwaad. 'Ik kan haar toch niet in leven houden, wel?'

'Nee, nee, mevrouw,' antwoordde het oudje, 'dat kan niemand; daarvoor is ze al veel te ver heen. Maar d'r zit 'r iets dwars. Ze zegt dat ze wat te vertellen heeft dat u moet horen. Ze zal nooit rustig sterven als u niet komt, mevrouw.'

Na het aanhoren van deze mededeling mompelde de Moeder een verscheidenheid van scheldwoorden jegens oude vrouwen die niet eens konden doodgaan zonder hun meerderen lastig te vallen, wikkelde zich in een dikke sjaal en volgde de oude vrouw, de hele tijd door kijvend. Het oude wijfje strompelde de gangen door en de trappen op naar de ruimte waar de zieke vrouw lag. Dit was een kaal zolderkamertje, waar aan de achterwand een spaarzaam lichtje brandde. Bij het bed zat een andere oude vrouw te waken.

'Zei ze nog iets, Annie, lieve, terwijl ik weg was?' vroeg de boodschapster.

'Geen woord,' antwoordde de ander.

Bij deze woordenwisseling richtte de zieke zich half op en spreidde de armen. 'Ik zal het haar vertellen,' riep ze, moeizaam en verstikt. 'Kom hier! Dichterbij! Laat me het u in uw oor fluisteren!' Ze pakte de Moeder bij de arm en wilde verder spreken, toen haar blik viel op de twee oude vrouwen, die, verlangend om ook iets te horen, nieuwsgierig voorovergebogen stonden. 'Stuur ze weg,' zei ze. 'Snel!'

De Moeder duwde de oudjes de kamer uit en deed de deur dicht, waarop de wijfjes elkaar verdrongen voor het sleutelgat. 'Luister nu naar me,' zei de stervende vrouw, terwijl ze alle moeite deed om een laatste vonkje sluimerende energie aan te blazen. 'In deze zelfde kamer – in ditzelfde bed – heb ik eens een aardig jong vrouwtje verpleegd. Ze was in het huis opgenomen met voeten die gewond waren van het lopen, en die onder het vuil en bloed zaten. Ze bracht een jongen ter wereld, en toen stierf ze. Laat me even denken – in welk jaar was het?'

'Het jaar doet er niet toe,' zei de ongeduldige toehoorster. 'Wat was er met haar?'

'Ach,' mompelde de zieke vrouw, in haar wezenloze toestand terugvallend, 'wat was er met haar? Ik weet het!' kreet ze, terwijl ze woest overeind schoot, met een opgewonden kleur en ogen die bijna uit haar hoofd puilden. 'Ik heb haar bestolen, ja, dat heb ik! Ze was nog niet koud toen ik het wegnam.'

'Wat wegnam, in 's hemelsnaam?' riep de Moeder.

'*Het*,' antwoordde de vrouw. 'Het enige wat ze had. Ze had geen kleren om zich warm te houden en geen voedsel om te eten; maar ze bewaarde het veilig op haar boezem. Het was goud, zeg ik u! Echt goud, dat haar leven had kunnen redden.'

'Goud!' echode de Moeder, en boog zich begerig over het bed toen de zieke weer achteroverviel. 'Ga door! Wat was het? Wie was de moeder?'

'Ze droeg mij op, het te bewaren,' antwoordde de vrouw kreunend. 'Ik was de enige in haar omgeving die ze vertrouwde. En misschien heb ik ook nog wel de dood van het kind op mijn geweten! Als ze alles geweten hadden, zouden ze hem beter behandeld hebben.'

'Wat geweten hadden?' vroeg de ander. 'Spreek!'

'De jongen begon later zo op zijn moeder te lijken,' mompelde de vrouw, koortsachtig doorratelend en de vraag negerend, 'dat ik het nooit kon vergeten als ik zijn gezicht zag. Arme meid! Ze was nog zo jong ook! Zo'n arm, lief schaap! Wacht, er is nog meer te vertellen.'

'Vlug dan,' antwoordde de Moeder, en boog haar hoofd voorover om de woorden, die hoe langer hoe zwakker klonken, op te vangen. 'Vlug, anders is het misschien te laat!'

'De moeder,' zei de vrouw, zich nu nog meer inspannend dan tevoren, 'de moeder fluisterde mij, toen de doodsstrijd begon, in het oor dat indien haar baby levend ter wereld kwam en voorspoedig mocht opgroeien, er een dag zou komen dat hij zich misschien niet zou schamen om de naam van zijn arme jonge moeder te horen. 'En, o, genadige hemel!' zei ze, haar magere handen vouwend, 'onverschillig of het een jongen of een meisje is, probeer het een paar vrienden te geven en heb erbarmen met het kind, dat eenzaam en verlaten in deze wereld staat, en aan de genade ervan is overgeleverd!'

'Hoe heette de jongen?' vroeg de Moeder.

'Ze noemden hem Oliver,' antwoordde de vrouw zwakjes. 'Het goud, dat ik gestolen heb, was...'

'Ja, ja, wat?' De Moeder boog zich gretig nog dieper over de vrouw heen om haar antwoord te horen; maar ze week instinctmatig achteruit toen de zieke weer overeind kwam, stijf en langzaam, de beddensprei met beide handen vastgreep, een paar onduidelijke, kelige klanken uitstootte en levenloos achterovereviel.

'Morsdood!' zei een van de oude vrouwen, die de kamer invlogen zodra de deur werd geopend.

'En per slot had ze nog niets te vertellen ook,' zei de Moeder, die onverschillig wegliep.

De twee oude heksen, ogenschijnlijk te druk bezig met de voorbereidingen voor hun macabere werk om te antwoorden, bogen zich over het lijk.

Terwijl al deze dingen zich in het armenhuis afspeelden, zat mijnheer Fagin in zijn oude hol – dezelfde plaats waar het meisje Oliver vandaan had gehaald – in diep gepeins verzonken bij een klein, rokerig vuur, met de kin op zijn duimen gesteund.

Aan een tafel achter hem zaten de Gladde, jongeheer Charley

Bates en mijnheer Chitling met volle overgave een spelletje whist te spelen. Aangezien het een koude avond was, had de Gladde zijn hoed op, zoals hij wel vaker gewoon was binnenshuis. Zijn gelaat, toch altijd al zeer intelligent, werd nog belangwekkender door zijn grote interesse voor het spel, in het bijzonder voor de hand van mijnheer Chitling, waarop hij van tijd tot tijd ernstige blikken wierp, waarna hij het eigen spel wijselijk regelde naar zijn bevindingen over de kaarten van zijn buurman.

'Da's dan twee doubles en de robber,' zei mijnheer Chitling, met een zeer lang gezicht, terwijl hij een halve kroon uit zijn vest haalde. 'Ik heb nooit zo'n kerel ontmoet als jij, Gladde; jij wint alles. Zelfs als we goede kaarten hebben kunnen Charley en ik er nog niets van bakken.'

Ofwel de inhoud ofwel de klank van deze opmerking, die zeer droevig werd gemaakt, amuseerde Charley Bates zo, dat diens volgende lachsalvo Fagin uit zijn gepeins deed opschrikken en hem ertoe bracht te vragen wat er aan de hand was.

'Aan de hand, Fagin!' riep Charley. 'Ik wilde dat je het spel gevolgd had. Tommy Chitling heeft geen enkel punt gemaakt!'

'Ha! Ha! Beste kerel,' zei Fagin met een grijns, 'je moet al heel vroeg opstaan, wil je van de Gladde winnen.'

Mijnheer Dawkins aanvaardde dit compliment met wijsgerigheid, en bood aan met elke willekeurige persoon in het gezelschap voor een shilling per keer te willen trekken om de eerste pop. Op dat moment luidde de deurbel. 'Luister!' riep hij, 'ik hoor de rammelaar.' Hij pakte de kaars en sloop zachtjes de trap op.

Weer werd er gebeld, nu met enig ongeduld. Na enkele ogenblikken verscheen de Gladde weer en fluisterde Fagin heel geheimzinnig iets in.

'Wat!' riep de jood. 'Alleen?'

De Gladde knikte, vestigde zijn blik op Fagins gezicht en wachtte diens instructies af. De oude man beet op zijn gele vingers en dacht enige seconden na, terwijl zijn gezicht krampachtig trok. Eindelijk hief hij het hoofd, 'Waar is hij?' vroeg hij.

De Gladde wees naar de zoldering boven hem.

'Breng hem beneden,' zei Fagin. 'En jullie, Charley, Tom, wegwezen!'

Dit korte bevel werd stil en onmiddellijk opgevolgd. Geen enkel geluid verried waar die beiden zich bevonden, toen de Gladde de trap afdaalde met de kaars in zijn hand en gevolgd door een man in een ruwe boerenkiel, die gejaagd het vertrek rondkeek en vervolgens een grote doek, die de onderste helft van zijn gezicht bedekte, wegtrok, waardoor de vermoeide, ongewassen en ongeschoren trekken van mooie Toby Crackit onthuld werden.

'Hoe maak je het, Fagie?' zei die waarde heer. 'Gooi die sjaal van me even in mijn hoed, Gladde, dan weet ik tenminste waar ik hem kan vinden als ik ervandoor ga. Ja, zo is 't goed!' Met deze woorden trok hij zijn boerenkiel op, wond hem rond zijn middel en trok een stoel bij het vuur. 'Ik kan niet over zaken spreken voor ik wat gegeten en gedronken heb,' ging hij verder. 'Haal dus wat tevoorschijn, Fagie, en laat me voor het eerst sinds drie dagen weer eens op m'n gemak mijn maag vullen.'

Fagin gaf de Gladde een wenk om alles wat er aan eetbaars in huis was op tafel te zetten; daarna nam hij tegenover de inbreker plaats en wachtte kalm af. Te oordelen naar de uiterlijke schijn had Toby helemaal geen haast om het gesprek te openen. In het begin vergenoegde Fagin zich ermee geduldig zijn gezicht gade te slaan, om te zien of hij daaruit iets op kon maken aangaande de berichten die Toby bracht, maar tevergeefs. Hij zag er moe en afgetobd uit, maar door het vuil, de baard en de tochtlatten heen schemerde nog altijd het zelfgenoegzaam air van mooie Toby Crackit. In niet te onderdrukken ongeduld begon de jood de kamer op en neer te lopen. Het gaf niets. Toby at maar door tot hij niet meer kon; daarna stuurde hij de Gladde de kamer uit, sloot de deur, mengde zich een glas water en gin en ging er gemakkelijk bijzitten.

'In de allereerste plaats, Fagie,' zei hij, 'hoe is het met Bill?'

'Wat!' krijste Fagin, die zijn stoel had bijgeschoven maar nu weer opsprong.

'Hè? Je wil toch zeker niet zeggen...' begon Toby, verblekend.

'Zeggen!' riep Fagin, ziedend op de grond stampend. 'Waar zijn ze? Sikes en de jongen! Waarom zijn ze hier niet geweest?'

'De kraak is mislukt,' zei Toby zwakjes.

'Dat weet ik,' antwoordde de jood, die een krant uit zijn zak trok en erop wees. 'Wat nog meer?'

'Ze schoten en raakten de jongen. We vluchtten over de velden – zo snel we konden – over heggen en sloten. Ze kwamen ons achterna. Verdomme! De hele streek was in rep en roer, en ze joegen de honden op ons af.'

'De jongen!'

'Bill had hem op zijn rug en rende als de wind. We stonden even stil om hem tussen ons in te nemen; zijn hoofd hing slap naar beneden en hij was koud. Ze zaten ons vlak op de hielen; het was ieder voor zich of de galg voor ons allen! We gingen uit elkaar en lieten de jongen in een greppel liggen – dood of levend. Dat is alles wat ik van hem weet.'

Fagin wachtte niet af of er nog meer zou volgen, maar slaakte een luide kreet, woelde met de handen door zijn haar en snelde de kamer en het huis uit. Op straat bewoog hij zich enige tijd op dezelfde wilde en wanordelijke wijze voort. Toen hij echter langzaam bekwam van Toby Crackits woorden, begon hij door zijstraatjes en steegjes te sluipen. Uiteindelijk sloeg hij een nauwe, naargeestige steeg in naar Saffron Hill.

In de smerige winkeltjes aldaar lagen grote stapels tweedehands zijden zakdoeken te koop, van alle maten en patronen; want hier wonen de handelaars die ze van de zakkenrollers kopen. Fagin was goed bekend bij de vaalbleke bewoners van het straatje en velen knikten hem toe toen hij langskwam. Hij beantwoordde hun groet op dezelfde manier, doch gaf geen verder teken van herkenning, tot hij het andere einde had bereikt. Daar stond hij stil om een kleine man die in de deur van zijn winkeltje een pijp zat te roken, aan te spreken. Fagin wees in de richting van Saffron Hill en vroeg of er daar vanavond ook iemand was.

'In De Kreupelen?' vroeg de man. 'Ja, d'r zijn er vanavond een stuk of zes naar binnen gegaan. Maar ik geloof niet dat je vriend er is.'

'Sikes niet, vermoed ik?' informeerde de jood met een teleurgesteld gezicht.

'*Non istwentus*, zoals de juristen zeggen,' antwoordde de kleine man, zijn hoofd schuddend, en Fagin draaide zich om.

De Drie Kreupelen, of liever De Kreupelen, onder welke naam het etablissement bij de regelmatige bezoekers bekend stond, was de kroeg waar we mijnheer Sikes en zijn hond al eens hebben getroffen. Fagin gaf bij zijn binnenkomst een teken aan de man achter de tap en liep toen direct naar boven, deed de deur van een kamer open, sloop steels het vertrek in en keek oplettend rond, alsof hij iemand zocht.

De kamer werd verlicht door twee gaslampen, maar het vertrek stond zo blauw van de tabaksrook, dat het vooreerst haast onmogelijk was iets te zien. Langzamerhand, en even warrig als het lawaai dat het oor begroette, ontwarde zich echter een verzameling hoofden. Fagin keek van gezicht naar gezicht, tot hij er uiteindelijk in slaagde de aandacht van de waard te trekken. Hij wenkte hem en verliet de kamer even onopvallend als hij was binnengekomen.

'Wat kan ik voor u doen, mijnheer Fagin?' vroeg de man, toen hij hem naar de overloop volgde.

Fagin vroeg fluisterend: 'Is *hij* er?'

'Nee,' antwoordde de man.

'En geen nieuws van Barney?' informeerde Fagin.

'Niets,' antwoordde de waard. 'Hij roert zich niet voordat alles veilig is. Reken er maar op, dat ze hem daar op de hielen zitten; maar met Barney is alles in orde, anders zou ik wel iets gehoord hebben.'

'Komt hij hier vanavond?' vroeg de jood, met dezelfde nadruk op het persoonlijk voornaamwoord als tevoren.

'Monks, bedoel je?' vroeg de waard weifelend.

'Sst!' deed Fagin. 'Ja.'

'Zeker,' antwoordde de man, een gouden horloge uit zijn zak halend. 'Ik had hem eigenlijk al verwacht. Als u nog tien minuten wacht, dan...'

'Nee, nee,' zei Fagin haastig, alsof hij, hoezeer hij de persoon in kwestie ook verlangde te spreken, toch opgelucht was door diens afwezigheid. 'Zeg tegen hem, dat ik hier geweest ben, en dat hij vanavond bij me moet komen. Nee, zeg maar morgen. Als hij toch niet hier is, dan is morgen nog vroeg genoeg.'

'Goed!' zei de man. 'Verder nog iets?'

'Geen woord,' zei Fagin, en begon de trap af te lopen.

De waard ging terug naar zijn gasten en Fagin hield, na even met zichzelf overlegd te hebben, een huurrijtuig aan en verzocht de koetsier hem naar Bethnal Green te rijden. Op ongeveer vijfhonderd meter van mijnheer Sikes' huis stapte hij uit en legde de rest van de afstand te voet af.

'Nou,' mompelde hij, terwijl hij de trap beklom, 'als er hier pogingen worden gedaan om mij te bedriegen, dan zal ik het uit je krijgen, meisje, al ben je ook nog zo slim.'

Hij betrad zonder verdere omhaal de kamer. Nancy was

alleen; ze lag met haar hoofd op tafel en haar haar viel verward om haar heen. Ze heeft gedronken, dacht hij koud, en draaide zich om, om de deur te sluiten. Het geluid dat dit veroorzaakte deed het meisje opschrikken. Ze nam zijn sluw gezicht nauwlettend op, vroeg of er nog nieuws was en luisterde naar zijn verslag van Toby Crackits verhaal. Daarna zonk ze weer in haar aanvankelijke houding terug.

Gedurende deze stilte keek Fagin rusteloos de kamer rond, als om er zich van te vergewissen dat er geen tekenen waren, die erop wezen, dat Sikes stiekem teruggekeerd was. Nadat dit onderzoek klaarblijkelijk bevredigend uitgevallen was vroeg hij, uiterst zoetsappig: 'En waar denk je dat Bill nu is, liefje?'

Het meisje kreunde dat ze het niet wist.

'En de jongen?' vroeg Fagin, alle mogelijke moeite doend om iets van haar gezicht te zien. 'Arm klein kind! Achtergelaten in een greppel, Nancy; denk je toch eens in!'

'Het kind,' zei het meisje, plotseling opkijkend, 'is daar beter af dan hier bij ons en als Bill er geen last mee krijgt, dan hoop ik dat het dood in die greppel ligt.'

'Wat!' riep Fagin verbaasd uit.

'Ja, dat hoop ik,' herhaalde het meisje, terwijl ze hem strak aankeek. 'Ik zal blij zijn, als hij mij niet meer onder de ogen komt; dan weet ik dat het ergste voorbij is. Als ik hem zie, krijg ik een afkeer van mezelf en van jullie allemaal.'

'Je bent dronken,' riep Fagin minachtend uit. 'Ik moet die jongen terug hebben. Dus luister naar me, jij slet. Als hij terugkomt en de jongen achtergelaten heeft, of als hij vrij weet te blijven en de jongen niet aan mij teruggeeft, dan kun je hem beter zelf vermoorden, als je wil, dat hij niet in handen van de beul valt!'

'Wat zeg je daar?' riep het meisje ondanks zichzelf uit.

'Wat ik zeg?' sprak Fagin, opeens dol van woede, verder. 'Die jongen is voor mij honderden ponden waard. Moet ik hem verliezen door de grillen van een stel dronkaards? En moest ik me daarvoor binden aan een baarlijke duivel, die de macht heeft om, om...'

Hijgend naar adem begon de oude man te stamelen, en op hetzelfde ogenblik onderdrukte hij zijn woede. Een ogenblik tevoren hadden zijn handen nog in de lucht geklauwd, waren zijn ogen wijd opengesperd geweest, had zijn gezicht een lijkachtige kleur gehad van toorn, maar nu zakte hij in een stoel en beefde hij bij de gedachte, dat hij de een of andere geheime schurkenstreek aan het licht had gebracht. 'Nancy, beste meid,' zei hij met zijn gewone kraakstem, 'heb je me begrepen?'

'Val me nu niet meer lastig, Fagin!' antwoordde het meisje, lusteloos haar hoofd heffend. 'Als het Bill deze keer niet gelukt is, dan lukt het een andere keer wel weer. Hij heeft al heel wat voordelige zaakjes voor je opgeknapt, en zal er nog heel wat meer doen.'

'En wat die jongen betreft, liefje?' vroeg de oude, terwijl hij zijn handpalmen zenuwachtig tegen elkaar wreef.

'De jongen moet zichzelf maar redden, net als de anderen,' zei Nancy gejaagd. 'En ik zeg je nogmaals; ik hoop dat hij dood is, en buiten het bereik van jullie handen – dat wil zeggen, als Bill er geen last mee krijgt. En als Toby heeft weten te ontkomen, dan zal Bill ook wel in veiligheid zijn, want Bill is tweemaal zo veel waard als Toby.'

'En over wat ik gezegd heb, beste meid?' vroeg Fagin, terwijl hij zijn glinsterende ogen strak op haar gericht hield.

'Je moet het nog eens helemaal van voren af aan zeggen, als het iets is dat je me wil laten doen,' hernam Nancy, 'en als dat het geval mocht zijn, dan kun je beter tot morgen wachten. Je hebt me een ogenblik wakker gemaakt, maar nou ben ik weer suf.'

Fagin stelde nog verscheidene vragen, allemaal met het doel zich ervan te vergewissen of het meisje zijn onvoorzichtige uitlating begrepen had; maar ze was zo weinig onder de indruk, dat hij terugkeerde tot zijn oorspronkelijke indruk, namelijk dat ze flink in de olie was. Toen zijn gemoed door die conclusie was gerustgesteld, ging Fagin weer naar huis, zijn jonge vriendin slapend achterlatend met haar hoofd op tafel.

Het was een uur voor middernacht. Een scherpe wind gierde door de straten. Hij liet zich erdoor voortjagen, bibberend en huiverend bij elke nieuwe vlaag, die hem ruw voor zich uit dreef. Hij had de hoek van zijn straat bereikt, toen een donkere gedaante uit de diepe duisternis tevoorschijn kwam, de straat overstak en ongemerkt naderbij sloop.

'Fagin!' fluisterde een stem, vlak achter zijn oor.

'Ah!' zei de oude man, die zich snel omdraaide, 'is dat…'

'Ja!' onderbrak de vreemdeling. 'Ik sta hier al twee uur. Waar heb je voor den duivel al die tijd gezeten?'

'Jouw zaken behartigd, mijn beste,' antwoordde Fagin, wat

ongerust naar zijn metgezel kijkend. 'De hele avond alleen jouw zaken.'

'O, ja, natuurlijk!' sneerde de vreemdeling. 'Nou, en wat is het resultaat?'

'Niets goeds.'

'Toch ook niet iets slechts, hoop ik?' vroeg de vreemdeling, die abrupt stil bleef staan en zijn metgezel een verschrikte blik toewierp.

De oude stond op het punt om te antwoorden, toen de vreemdeling naar het huis gebaarde met de opmerking dat hij, wat hij te zeggen had, beter binnen kon zeggen. Fagin ontsloot de deur en verzocht de ander die zacht te sluiten, dan haalde hij ondertussen licht. Terwijl hij dit zei, sloeg de deur met een luide klap dicht.

'Dat was mijn schuld niet,' zei de andere man. 'De wind deed het. Schiet eens op met dat licht, anders stoot ik mijn kop nog te pletter in dit verrekte hol.'

Fagin sloop zacht de keukentrap af. Even later kwam hij terug met een brandende kaars en de mededeling dat Toby Crackit in de achterkamer lag te slapen en de jongens voor. Hij wenkte de man hem te volgen en ging hem voor naar boven.

'De paar woorden, die wij te zeggen hebben, kunnen we hier wisselen, mijn beste,' zei hij, terwijl hij op de eerste verdieping een deur opengooide, 'en omdat er gaten in de luiken zitten en we onze buren nooit licht laten zien, zullen we de kaars op de trap zetten. Zo!'

Met deze woorden plaatste Fagin de kaars op de bovenste tree van de trap, tegenover de deur van de kamer. Nadat hij dit gedaan had, betrad hij het vertrek dat geen enkel roerend goed bevatte, behoudens een kapotte leunstoel en een oude bank zonder bekleding. De vreemdeling wierp zich op dit meubelstuk met het gebaar van een vermoeid mens. Fagin trok de leunstoel bij en zo zaten ze tegenover elkaar een tijdlang te fluisteren. Fagin scheen zich tegen bepaalde opmerkingen van de vreemdeling te verdedigen, en de laatstgenoemde was kennelijk nogal geprikkeld. Ze hadden zo misschien een kwartier of langer zitten praten, toen Monks – want met die naam had Fagin de vreemdeling in de loop van het gesprek verscheidene malen aangesproken – zijn stem een weinig verhief en zei:

'Ik zeg je nog eens, dat de zaak slecht opgezet was. Waarom

117

heb je hem niet hier gehouden en direct een handige zakken-roller van hem gemaakt? Heb je dat met andere jongens niet al tientallen malen gedaan? Als je op z'n hoogst nog twaalf maanden geduld had gehad, dan zou je hem hebben kunnen laten veroordelen, waarna hij misschien voor de rest van zijn leven het koninkrijk uit was gestuurd.'

'Wie zou daar voordeel van gehad hebben, mijn beste?' vroeg Fagin nederig.

'Ik,' antwoordde Monks.

'Maar ik niet. Als bij een zaak twee partijen betrokken zijn, dan is het redelijk wanneer de belangen van beiden in het oog worden gehouden, nietwaar? Ik zag dat het niet gemakkelijk zou zijn hem voor het beroep op te leiden; hij was niet zoals andere jongens onder dergelijke omstandigheden. Ik had niets om hem bang mee te maken en dat moeten we in het begin altijd hebben. Wat kon ik doen? Hem er op uit sturen met de Gladde en Charley? Daar hadden we genoeg van, mijn beste; ik heb voor ons allemaal in de rats gezeten.'

'Dat was mijn schuld niet,' merkte Monks op.

'Nee, nee, mijn beste,' beaamde de jood. 'En daar wil ik het nu ook niet over hebben, want als dat niet gebeurd was, dan had jij die jongen nooit in de gaten gekregen en dan was je er nooit achter gekomen dat hij het was die je zocht. Wel, in ieder geval heb ik hem voor je teruggekregen door middel van het meisje, en nu begint zij hem in bescherming te nemen.'

'Wurg dat meisje,' zei Monks ongeduldig.

'Tja, dat kunnen we ons op het moment niet veroorloven, mijn beste,' reageerde Fagin en glimlachte. 'Bovendien weet ik hoe die meisjes zijn, Monks. Zodra die jongen harder gaat worden zal ze niet meer om hem geven. Je wil dat er een dief van hem gemaakt wordt. Als hij nog leeft, kan ik daar van dit ogenblik af mee beginnen; en als – als – het is niet waarschijn-lijk, begrijp me goed, maar in het allerergste geval, als hij dood is…'

'Het is mijn schuld niet, als dat zo is!' viel de andere man hem in de rede, terwijl hij Fagins' arm met trillende handen omklemde. 'Vergeet dat niet, Fagin! Ik had er niets mee te maken. Alles, behalve zijn dood, dat heb ik je van het begin af gezegd. Ik wens geen bloed te vergieten; dat komt altijd uit en bovendien blijft het iemand vervolgen. Als ze hem doodge-schoten hebben, dan ben ik daar de oorzaak niet van geweest;

118

versta je me? O, welk een ellendig hol! Wat is dat?'

'Wat?' riep Fagin, die opsprong. 'Waar?'

'Daar!' riep de man, naar de tegenoverliggende muur starend. 'Ik zag de schaduw van een vrouw met een mantel aan en een hoed op over het beschot glijden!'

De beide mannen snelden de kamer uit. De kaars, haast opgebrand door de tocht, stond nog op dezelfde plaats. In het zwakke schijnsel zagen ze slechts de verlaten trap en elkaars bleke gezicht. Ze luisterden scherp, maar diepe stilte heerste in het hele huis.

'Je hebt het je verbeeld,' zei Fagin, die de kaars opnam; en na tegen zijn metgezel te hebben gezegd dat hij mee kon gaan als hij wilde, begon hij de trap te beklimmen. Ze keken in alle kamers; die waren koud, kaal en leeg. Ze daalden af naar de gang en verder naar de kelder. Een groene waas lag over de muren en sporen van slakken glinsterden in het licht van de kaars maar alles was doodstil.

'Wat zeg je nou?' vroeg Fagin, toen ze weer in de gang stonden. 'Er is geen sterveling in huis, behalve wij, Toby en de jongens. En die heb ik in hun kamers opgesloten, daarstraks.'

Mijnheer Monks lachte wat grimmig en erkende dat het alleen zijn opgewonden verbeelding geweest kon zijn. Hij weigerde echter die avond het gesprek te hervatten, en bedacht plotseling dat het al over enen was. En zo scheidde het beminnelijke paar.

En nu zij dit hebben gedaan kan het misschien geen kwaad als we inlichtingen proberen te verkrijgen omtrent onze jeugdige Oliver Twist en zien of hij nog steeds in die sloot ligt, waar Toby Crackit hem had achtergelaten.

13

'Dat de wolven jullie strot doorbijten!' mompelde Sikes tan-denknarsend. 'Ik wilde dat ik een paar van jullie te pakken had, dan zouden jullie nog harder schreeuwen.'

Terwijl Sikes deze verwensingen bromde liet hij het lichaam van de gewonde jongen op zijn gebogen knie rusten en keek om naar zijn achtervolgers. In de mist en de duisternis viel er niet veel te zien, maar het luide geschreeuw van mannen klonk door de lucht en het blaffen van honden weergalmde in elke richting.

'Stop, jij laffe hond!' riep Sikes naar Toby Crackit, die alles uit zijn lange benen haalde wat erin zat en al een heel stuk voor was.

'Stop!'

De herhaling van dit woord bracht Toby tot staan. Hij was er niet geheel zeker van of hij zich buiten schootsafstand bevond, en er viel op dit ogenblik niet met Sikes te spotten.

'Help eens met die jongen,' brulde Sikes woedend. 'Kom terug!'

Toby deed alsof hij terug wilde komen, maar liet zijn tegenzin duidelijk blijken. 'Vlugger!' riep Sikes, die de jongen in een greppel vlak vóór zich legde en het pistool uit zijn zak haalde.

Op dat moment werd het lawaai luider. Sikes, die opnieuw omkeek, kon onderscheiden dat de mannen die hen nazaten, bezig waren over het hek te klimmen van de akker waarop hij zich bevond, en dat een paar honden al voor hen uit renden.

'We zijn verloren, Bill!' riep Toby. 'Laat dat joch vallen en neem de benen.'

Na deze raad draaide mijnheer Crackit, die aan de kans om door zijn vriend te worden doodgeschoten de voorkeur gaf boven de zekerheid door zijn vijanden te worden gegrepen, zich om en snelde heen. Sikes klemde zijn tanden op elkaar, keek even rond en wierp de cape waarin ze Oliver haastig hadden gewikkeld, over het uitgestrekte lichaam van de jongen heen. Hij rende langs een heg vlakbij om de aandacht van zijn achtervolgers af te leiden van de plaats waar de jongen lag, kwam bij een andere heg die haaks op de eerste stond, slingerde zijn pistool hoog de lucht in, wipte er met één sprong overheen en was verdwenen.

'Pincher! Neptunus!' riep een bevende stem ergens op de achtergrond. 'Kom hier! Hier!'

De honden die, evenals hun meesters, weinig genoegen schenen te beleven aan het spel waar ze mee bezig waren, volgden het bevel maar al te graag op. Drie mannen, die onderwijl een eind in de akker waren doorgedrongen, stonden stil om te beraadslagen.

'Mijn raad, of liever gezegd, mijn bevel,' zei de dikste van de groep, 'is dat we onmiddellijk naar huis gaan.'

'Ik ben voor alles waar mijnheer Giles voor is,' zei een kleinere man, die erg bleek was en erg beleefd, zoals vaak voorkomt bij angstige mensen.

'Mijnheer Giles weet het 't beste,' zei de derde, die de honden had teruggeroepen.

'Zeker,' antwoordde de kleinste, 'en het past ons niet om mijnheer Giles tegen te spreken. Nee, nee, ik ken mijn plaats!'

'Je bent bang, Brittles,' zei mijnheer Giles.

'Dat ben ik niet,' zei Brittles.

'Wel waar,' zei Giles.

'U bent een leugenaar, mijnheer Giles,' zei Brittles.

De derde man maakte op zeer filosofische wijze een einde aan het dispuut. 'Ik zal u vertellen hoe het zit, heren,' zei hij, 'we zijn allemaal bang. Het is heel gewoon en natuurlijk om onder dergelijke omstandigheden bang te zijn. Ik ben 't in ieder geval.'

Deze dialoog werd gehouden tussen de twee mannen die de inbrekers hadden verrast en een rondtrekkende ketellapper, die in een van de bijgebouwen geslapen had en die, met zijn twee mormels, wakker was gemaakt om deel te nemen aan de achtervolging. Mijnheer Giles vervulde de dubbele functie van butler en keukenmeester bij de oude dame die in het landhuis woonde; Brittles was een manusje van alles die, in dienst gekomen als weinig meer dan een kind, nog altijd behandeld werd als een veelbelovende jongen, hoewel hij de dertig al gepasseerd was.

121

Terwijl ze elkaar aldus moed inspraken, heel dicht bij elkaar bleven en telkens wanneer een windstoot de takken tegen elkaar joeg, bevreesd omkeken, haastten de drie mannen zich in stevige draf naar huis.

De lucht werd kouder naarmate de dag langzaam naakte, en de nevel rolde als een dichte rookwolk over de grond. Nog steeds lag Oliver onbeweeglijk en bewusteloos op de plaats waar Sikes hem had achtergelaten. De ochtend brak aan en het eerste zwakke licht schemerde wazig aan de kim. Het regende hard en de druppels spetterden luid in de kale struiken. Maar Oliver voelde er niets van.

Eindelijk werd de jongen met een zachte kreet van pijn wakker. Zijn linkerarm, ruw verbonden met een sjaal, hing zwaar en onbruikbaar neer; het verband was doorweekt van bloed. Hij was zo zwak dat hij zich nauwelijks tot in een zittende houding kon oprichten en toen hij daar eindelijk in slaagde, keek hij verwezen om zich heen als zocht hij hulp en kreunde van pijn. Bevend over al zijn leden van kou en uitputting deed hij een poging om op te staan, maar viel voorover op de grond. Na weer even vervallen te zijn in dezelfde verdoving, stond hij echter op, aangespoord door een angst om zijn hart die hem waarschuwde dat hij dood zou gaan als hij daar zo bleef liggen en probeerde te lopen. Zijn hoofd duizelde en hij waggelde als een dronkeman. Maar niettemin wist hij zich staande te houden en traag strompelde hij voort, kruipend door openingen in heggen, al naar deze op zijn weg kwamen, tot hij eindelijk een weg bereikte.

Het begon nu zo hevig te regenen, dat hij erdoor uit zijn verdoving werd gehaald. Hij keek rond en zag niet ver van zich vandaan een huis dat hij misschien kon bereiken. En ofschoon hij uitgeput was en gekweld werd door pijn, richtte hij zijn onzekere schreden in die richting.

Naarmate hij er dichterbij kwam, beving hem het gevoel dat hij het al eens eerder had gezien. Hij herinnerde zich niets van de details, doch de vorm en ligging van het gebouw kwamen hem bekend voor.

Die tuinmuur! Aan de andere kant ervan was hij gisteravond op zijn knieën in het gras gevallen en had hij de twee mannen om genade gesmeekt. Het was het huis dat ze tot doel van hun inbraak hadden gekozen!

Oliver ervoer zo'n angst dat hij één ogenblik de kwellingen

van zijn wond vergat en slechts aan vluchten dacht. Maar zelfs als hij sterker was geweest, waarheen hád hij dan kunnen vluchten? Hij duwde tegen het tuinhek, wankelde over het grasveld, beklom de stoep, klopte zwakjes aan de deur en zakte in elkaar tegen een van de pilaren van de kleine portiek.

Nu wilde het toeval dat op hetzelfde ogenblik mijnheer Giles, Brittles en de ketellapper zich na de vermoeienissen en verschrikkingen van de nacht in de keuken zaten te verkwikken met thee en lekkere hapjes. Niet dat het de gewoonte van mijnheer Giles was al te vertrouwelijk om te gaan met lager personeel, maar dood, brand en inbraak maken alle mensen gelijk, en zo kwam het dat mijnheer Giles met zijn benen uitgestrekt voor de keukenhaard zat. Hij steunde met zijn linkerarm op de tafel, terwijl hij met zijn rechter een wijdlopig en nauwkeurig verslag van de inbraak illustreerde, waarnaar zijn toehoorders (maar vooral de kokkin en het dienstmeisje, die ook van de partij waren), met ademloze spanning luisterden.

'Het was ongeveer halfdrie,' zei mijnheer Giles, 'toen ik wakker werd en me verbeeldde een geluid te horen. Ik ging overeind zitten en luisterde.'

De kokkin en de dienstmeid riepen bijna tegelijkertijd: 'Herejee!' en schoven hun stoelen dichter bij elkaar.

'Ik gooide de dekens af,' vervolgde Giles, 'stapte zachtjes uit bed, trok mijn...'

'Er zijn dames bij, mijnheer Giles,' mompelde de ketellapper.

'... schoenen aan, mijnheer,' zei Giles, zich naar hem omdraaiend, 'greep het geladen pistool, dat elke avond met de mand met zilverwerk naar boven gaat, en wekte Brittles. 'Brittles,' zei ik, toen hij wakker werd, 'ik geloof dat we kinderen des doods zijn, maar wees niet bang.'

'Was hij bang?' vroeg de kokkin.

'Geen sprake van,' antwoordde mijnheer Giles. 'Hij was dapper – ah! – bijna net zo dapper als ikzelf.'

'Als ik in zijn plaats was geweest, dan zou ik onmiddellijk van schrik zijn gestorven,' zei het dienstmeisje.

'Jij bent een vrouw,' smaalde Brittles, die weer enigszins de oude werd.

'Brittles heeft gelijk,' zei mijnheer Giles, terwijl hij goedkeurend knikte. 'Van een vrouw had men niets anders kunnen verwachten. Maar wij, mannen, pakten een dievenlantaarn en zochten in het stikdonker tastend onze weg naar beneden

'– ongeveer zó.'

Mijnheer Giles was opgestaan en deed juist met gesloten ogen twee stappen vooruit, om de beschrijving van een gepaste illustratie te voorzien, toen hij, evenals de rest van het gezelschap, geweldig schrok en naar zijn stoel terugvloog. De beide vrouwen gilden.

'Dat was een klop,' zei mijnheer Giles, die deed alsof hij volkomen kalm was. 'Laat iemand even de deur opendoen.'

Niemand bewoog.

'Het is wel iets vreemds, zo vroeg in de ochtend!' zei mijnheer Giles, de bleke gezichten om hem heen opnemend. 'Maar de deur moet geopend worden. Verstaan? Iemand moet de deur opendoen.'

Hij keek naar Brittles; doch deze jongeman, van nature bescheiden, beschouwde zichzelf waarschijnlijk als niemand, zodat die opdracht onmogelijk op hem kon slaan. In ieder geval gaf hij geen antwoord. Mijnheer Giles keek smekend in de richting van de ketellapper, maar die was plotseling in slaap gevallen. De vrouwen kwamen niet in aanmerking.

'Indien Brittles de deur liever opent in het bijzijn van getuigen, dan ben ik bereid als zodanig op te treden,' zei mijnheer Giles.

'Ik ook,' zei de ketellapper, die even plotseling wakker werd als hij in slaap was gevallen.

Op deze voorwaarde capituleerde Brittles en het gezelschap ging op weg naar boven, voorafgegaan door de honden. De twee vrouwen vormden de achterhoede. Op aanraden van mijnheer Giles spraken ze allen erg luid, opdat iemand met boze bedoelingen zou weten dat er een heel gezelschap in aantocht was; en het was een meesterlijke politieke zet van datzelfde vindingrijke heer om in de hal de honden in hun staart te knijpen, zodat ze heftig blaften.

Nadat deze voorzorgsmaatregelen waren genomen, pakte mijnheer Giles de ketellapper bij de arm en gaf bevel de deur te openen. Brittles gehoorzaamde. Het gezelschap, dat bevreesd over elkanders schouders gluurde, aanschouwde niets verschrikkelijkers dan de arme Oliver Twist, ineengedoken tegen een pilaar, die sprakeloos en uitgeput zijn ogen opsloeg en zo stom een beroep deed op hun medelijden.

'Een jongen,' riep mijnheer Giles uit, terwijl hij de ketellapper dapper achteruit duwde. 'Wat is er aan de hand met de... hé?

Zeg, Brittles, kijk eens, weet je niet meer?'

Brittles had Oliver nog maar nauwelijks gezien, of hij slaakte een luide kreet. Mijnheer Giles greep de jongen bij een been en een arm (gelukkig niet het gebroken lidmaat), sleepte hem de hal in, en legde hem daar in zijn volle lengte op de grond.

'Hier is hij!' brulde Giles in een toestand van grote opwinding naar boven. 'Hier is een van de dieven, mevrouw! Gewond! Ik heb hem geraakt, juffrouw; en Brittles hield het licht vast.'

De twee vrouwen renden de trap op om te vertellen dat mijnheer Giles een van de inbrekers gevat had, en de ketellapper hield zich er onledig mee Oliver weer bij kennis te brengen om te voorkomen dat hij dood zou gaan, voor ze hem konden ophangen. Te midden van al deze herrie en opwinding hoorde men plotseling een zachte vrouwenstem, die er onmiddellijk een einde aan maakte.

'Giles!' fluisterde de stem boven aan de trap.

'Hier ben ik, juffrouw,' antwoordde mijnheer Giles. 'Wees maar niet bang, juffrouw. Hij bood niet al te veel tegenstand.'

'Sst!' reageerde de jongedame. 'Jij maakt mijn tante al even erg aan het schrikken als de dieven. Is het arme schepsel erg gewond?'

'Ontzettend gewond, juffrouw,' antwoordde Giles met voldoening.

'Wacht even, tot ik met tante gesproken heb.'

Met een tred, even zacht en vriendelijk als haar stem, trippelde de spreekster weg. Spoedig daarop kwam ze terug met de boodschap dat de gewonde voorzichtig naar boven moest worden geholpen naar de kamer van mijnheer Giles, en dat Brittles de pony moest zadelen om onmiddellijk naar Chertsey te rijden en een politieagent en een dokter te halen.'

'Maar wilt u eerst niet even naar hem kijken, juffrouw?' vroeg mijnheer Giles met evenveel trots alsof Oliver een zeldzame vogel was, die hij met grote behendigheid had neergeschoten.

'Nu voor geen geld ter wereld!' antwoordde de jongedame. 'Arme kerel! O! Behandel hem met zachtheid, Giles, om mijnentwil!'

De oude bediende keek op naar de spreekster, toen deze zich omdraaide, en zijn blik was even trots en bewonderend alsof ze zijn eigen kind was. Daarna boog hij zich over Oliver heen en hielp hem naar boven dragen, met de voorzichtigheid van een vrouw.

In een gezellige kamer, waar het meubilair echter eerder ouderwets gemakkelijk was dan modern elegant, zaten twee dames aan een welvoorziene ontbijttafel. Mijnheer Giles, die geheel in het zwart gekleed was, bediende hen.

Van de beide dames was er een al ver in jaren gevorderd, doch de hoge rug van de eikenhouten stoel, waarin zij zat, was niet rechter dan haar rug. Zij was onberispelijk gekleed, in een mengeling van kleding uit het verleden en enkele kleine concessies aan de thans heersende mode, en ze zat op statige wijze in haar zetel, met de handen voor zich op tafel gevouwen.

De jongere dame bevond zich in de lieflijke bloei- en lentetijd van haar leven. Ze was niet ouder dan zeventien jaar, en zo licht en gracieus, zo zuiver en mooi, dat de aarde niet haar element scheen te zijn. De verstandige blik in haar diepblauwe ogen scheen nauwelijks van deze wereld en toch waren de wisselende uitdrukkingen van zachtheid en opgewektheid die over haar gezicht speelden, en bovenal de vrolijke glimlach geschapen voor een thuis, voor vrede en geluk bij de haard. Ze was druk bezig al die kleine diensten te verrichten, die bij het tafelen horen.

'En Brittles is nu al een uur weg, nietwaar?' vroeg de oude dame.

'Een uur en twaalf minuten, mevrouw,' antwoordde mijnheer Giles, na raadpleging van een zilveren horloge, dat hij aan een zwart lint tevoorschijn trok.

Terwijl hij sprak stopte er voor het tuinhek een rijtuigje, waar een dikke heer uitsprong. Deze vloog recht op de deur af en kwam, na op een geheimzinnig snelle manier het huis te zijn binnengedrongen, de kamer instormen, waarbij hij zowel mijnheer Giles als de ontbijttafel bijna omgooide.

'Ik heb nog nooit zoiets gehoord!' riep de dikke heer uit. 'Mijn beste mevrouw Maylie – lieve hemel – in het holst van de nacht nog wel. Ik heb nog nooit zoiets gehoord!'

Met deze uitdrukkingen van medeleven schudde de dikke heer beide dames de hand, trok een stoel bij en informeerde hoe zij voeren. 'U hoort eigenlijk dood te zijn; absoluut dood van schrik,' zei hij. 'Waarom hebt u me niet laten roepen? Mijn hemel; ik zou er in een minuut geweest zijn. Ach, ach! Zo onverwacht! In het holst van de nacht nog wel! En u, juffrouw Rose,' zei de dokter, en wendde zich tot de jongedame, 'ik...'

'O! Heel erg, ja, natuurlijk,' zei Rose, hem in de rede vallend, 'maar boven ligt een arme gewonde en tante had graag dat u naar hem ging kijken.'

'Maar vanzelfsprekend,' zei de dokter. 'Waar is hij? Waar ligt hij? Wijs me even de weg. Als ik weer beneden kom wip ik nog even binnen, mevrouw Maylie.'

Terwijl hij ononderbroken doorpraatte, volgde hij mijnheer Giles naar boven. Mijnheer Losberne was een geneesheer die binnen een omtrek van vijftien kilometer bekend stond als 'de dokter' en die meer door opgewektheid dan door een goed leven dik was geworden, en binnen een vijfmaal grotere omtrek was er geen vriendelijker, hartelijker en excentrieker oude vrijgezel te vinden dan hij.

De dokter bleef veel langer weg dan hij of de dames voorzien hadden. Een grote, platte kist werd uit het rijtuigje gehaald; de bel van een van de slaapkamers werd vaak geluid; de bedienden renden doorlopend de trappen op en neer. Eindelijk kwam hij terug en keek in antwoord op een bezorgde vraag hoe het met de patiënt ging, erg geheimzinnig en sloot de deur.

'Dit is wel iets heel merkwaardigs, mevrouw Maylie,' zei hij.

'Hij verkeert toch niet in gevaar, hoop ik?' zei de oude dame.

'Dat geloof ik niet,' antwoordde de dokter. 'Hebt u deze dief gezien?'

'Nee,' zei de oude dame. 'Rose wilde de man zien, maar ik wilde er niets van horen.'

'Hm!' hernam de dokter, 'er is amper iets in zijn uiterlijk dat u schrik zou kunnen aanjagen. Hebt u er bezwaar tegen hem te zien in mijn bijzijn?'

'Indien het nodig is,' antwoordde de oude dame, 'zeker niet.'

'Dan geloof ik dat het nodig is,' zei de dokter. 'In ieder geval weet ik zeker dat u er veel spijt van zou hebben, als u het uitstelde. Hij is nu volkomen rustig en op zijn gemak. Sta mij toe, juffrouw Rose. U hoeft absoluut niet bang te zijn, dat verzeker ik u.'

Met vele breedsprakige verzekeringen dat ze aangenaam verrast zouden zijn door het voorkomen van de misdadiger, trok de dokter de arm van de jongedame door de zijne, bood mevrouw Maylie zijn vrije hand en leidde hen naar boven. 'Wel,' zei de dokter fluisterend, terwijl hij zachtjes de kruk van de slaapkamerdeur omdraaide, 'laat me nu eens horen wat u van hem denkt. Hij is de laatste tijd niet geschoren, maar desondanks ziet hij er niet erg woest uit.'

Hij wenkte hen hem te volgen en trok omzichtig de gordijnen van het bed terug. Daar lag, in plaats van een doortrapte schurk met zwart gezicht, een kind, afgemat door pijn en uitputting en verzonken in diepe slaap. Zijn gewonde arm, verbonden en gespalkt, lag dwars over zijn borst; zijn hoofd rustte op zijn andere arm, die half verborgen ging onder zijn lange haar, dat over het kussen verspreid lag.

Terwijl de dokter zijn patiënt een paar minuten in stilte gadesloeg, glipte de jongedame zachtjes langs hem, ging in een stoel naast het bed zitten en streek het haar uit Olivers gezicht. Toen ze zich over hem heen boog, drupten haar tranen op zijn voorhoofd.

'Wat heeft dit te betekenen?' riep de oude dame uit. 'Dit arme kind kan toch geen leerling van dieven zijn?'

De dokter schudde droevig het hoofd. 'Misdaad en dood blijven niet beperkt tot de ouden en verschrompelden. De jongsten en schoonsten behoren vaak tot hun uitverkoren slachtoffers.'

'Maar kunt u werkelijk geloven dat deze teergebouwde jongen vrijwillig hulp verleend heeft aan de ergste uitgestotenen van de maatschappij?' vroeg Rose.

De dokter schudde zijn hoofd op een manier waaruit bleek dat hij vreesde, dat dit maar al te zeer mogelijk was. Daarna, zeggend dat ze de patiënt misschien zouden storen, ging hij hen voor naar een aangrenzend vertrek.

'Maar zelfs al zou hij slecht geweest zijn,' hernam Rose, 'bedenk dan toch eens hoe jong hij is; bedenk, dat hij misschien nooit de liefde van een moeder gekend heeft, of de veiligheid van een huis, en dat slechte behandeling en slaag, of gebrek aan brood hem misschien naar mensen toegedreven heeft, die hem tot dergelijk gedrag hebben gedwongen. Tante, lieve tante bedenk dat toch, voor u dit zieke kind naar een gevangenis laat slepen. U houdt van mij en weet, dat ik dankzij uw goedheid en genegenheid nooit het gemis van ouders heb gevoeld, maar anders zou ik wellicht even hulpeloos en onbeschermd zijn geweest als dit arme kind; daarom, heb medelijden met hem, voor het te laat is!'

'Mijn lieve kind,' sprak de oude dame, terwijl zij het wenende meisje aan haar boezem drukte, 'dacht je heus, dat ik hem een haar op zijn hoofd zou krenken? Wat kan ik doen om hem te redden, dokter?'

'Laat me even denken, mevrouw,' zei de dokter.

Dokter Losberne duwde de handen in zijn zakken en liep verscheidene keren de kamer heen en weer, waarbij hij vaak stilstond, op zijn tenen balanceerde, en vreeswekkend fronste. Eindelijk stond hij helemaal stil en sprak als volgt: 'Ik geloof dat ik het wel klaar zal spelen, indien u mij volmacht geeft om Giles en Brittles uit te foeteren. Giles is een trouwe oude bediende, dat weet ik, maar u kunt het op duizend manieren weer goedmaken en hem bovendien een beloning geven omdat hij zo'n goed schutter is. Hebt u daar bezwaar tegen?'

'Niet, als er geen andere manier is om het kind te redden,' antwoordde mevrouw Maylie.

'Die is er niet,' zei de dokter, 'geen enkele andere. Maar het belangrijkste punt van onze overeenkomst moet nog komen. Als die jongen wakker wordt zullen we – hoewel ik tegen die dikhuidige agent beneden gezegd heb, dat het levensgevaarlijk voor hem is om ondervraagd of vervoerd te worden – geloof ik zonder dat het hem schaadt met hem kunnen praten. Nu stel ik deze voorwaarde – ik zal de jongen in uw bijzijn ondervragen, en als we uit hetgeen hij zegt kunnen opmaken dat hij een doortrapte schurk is (en dat is meer dan waarschijnlijk), dan wordt hij zonder meer aan zijn lot overgelaten.'

'O, nee, tante!' riep Rose uit. 'Hij kan nog niet verhard zijn in de zonde. Dat is onmogelijk!'

'Heel goed,' kaatste de dokter terug, 'des te meer reden om mijn voorstel aan te nemen.'

Ten slotte werd de overeenkomst gesloten en de partijen gingen zitten wachten op het moment dat Oliver zou ontwaken.

Uur na uur verstreek en nog steeds lag Oliver in diepe sluimer. Het was reeds avond toen de goedmoedige dokter hun het bericht kon brengen dat de jongen eindelijk zo ver was, dat er tegen hem gesproken kon worden. Hij was nog erg ziek, zei hij, en zwak door bloedverlies, maar hij scheen zo verlangend te zijn iets te onthullen, dat de dokter het beter oordeelde, hem daartoe in de gelegenheid te stellen, dan erop te staan dat hij rustig tot de volgende ochtend wachtte.

Het gesprek duurde lang, want Oliver vertelde hen zijn hele, onopgesmukte verhaal, hoewel hij vaak door pijn en zwakte moest ophouden. Het was een plechtig iets om in die verduisterde kamer de zwakke stem van het zieke kind te horen verhalen over de reeks ongelukken en rampen, die verdorven lieden over hem gebracht hadden.

Die avond werd Olivers kussen door vriendelijke handen gladgestreken en lieflijkheid en deugdzaamheid waakten over hem toen hij eindelijk sliep, kalm en gelukkig. Niet zodra was hij ingesluimerd, of de dokter begaf zich, na zijn tranen te hebben weggewist, naar beneden om mijnheer Giles eens even flink onder handen te nemen.

In de keuken verzameld waren de beide vrouwelijke gediensten, mijnheer Brittles, mijnheer Giles, de ketellapper (die een speciale uitnodiging had ontvangen om zich gedurende de rest van de dag maar eens te goed te doen ter beloning van verleende diensten), en de plaatselijke politieagent. Laatstgenoemd heer was in het bezit van een grote knuppel, een groot hoofd, een grote mond en grote laarzen en hij zag eruit, alsof hij een navenante hoeveelheid bier gedronken had – hetgeen inderdaad het geval was.

Nog steeds liep het gesprek over de gebeurtenissen van de vorige nacht. 'Blijf zitten,' zei de dokter, en wuifde met de hand.

'Dank u, mijnheer,' zei mijnheer Giles. 'Hoe gaat het de patiënt, mijnheer?'

'Zozo,' antwoordde de dokter. 'Ik ben bang dat u zich heel wat moeilijkheden op de hals hebt gehaald, mijnheer Giles.'

'O, mijnheer,' zei mijnheer Giles, die begon te beven, 'u wilt toch niet zeggen dat hij zal sterven? Ik zou geen jongen kunnen vermoorden, nee, nog niet voor al het zilver van het land.'

'Daar gaat het niet om,' sprak de dokter geheimzinnig. 'Vertel me eens, allebei! Zijn jullie bereid erop te zweren, dat die jongen boven dezelfde jongen is, die gisternacht door het raampje neergelaten is? Spreek op! Kom! We zijn benieuwd!'

De dokter, die algemeen bekend stond als een van de best gehumeurde mensen dezer aarde, stelde deze vraag op zo'n verschrikkelijk boze toon, dat Giles en Brittles, die ten gevolge van het bier en de opwinding toch al wat warrig van hoofd waren, elkaar in stomme verbazing aankeken.

'Agent, wilt u alstublieft goed op het antwoord letten,' zei de dokter, plechtig zijn wijsvinger schuddend. 'Van dat antwoord zal veel afhangen.'

De politieagent keek zo verstandig als hij kon en omklemde zijn knuppel.

'Het is simpelweg een kwestie van identificatie,' zei de dokter. 'Nietwaar?'

'Dat is het inderdaad, mijnheer,' antwoordde de agent, tussen hevig gehoest door, want hij had haastig zijn bier opgedronken en een gedeelte ervan was in het verkeerde keelgat geschoten.

'Er is ingebroken in dit huis,' zei de dokter, 'en een paar mannen vangen heel even een glimp op van een jongen, in een wolk van kruitdamp, en bovendien onder de invloed van schrik en duisternis. Nu komt er de volgende ochtend bij dit zelfde huis een jongen aankloppen, en omdat hij nu toevallig een verbonden arm heeft, grijpen deze mannen hem stevig aan, en zweren dat hij een dief is. Nu is de grote vraag of deze mannen door de feiten gerechtvaardigd waren in hun handelingen; en zo niet, in wat voor situatie hebben ze zichzelf dan gebracht?'

De agent knikte wijsgerig. Hij zei, dat, als dit geen gerechtigheid was, hij niet wist wat dat dan wel was.

'Ik vraag jullie nogmaals,' donderde de dokter, 'zijn jullie onder plechtige eden bereid deze jongen te identificeren?'

Brittles keek weifelend naar mijnheer Giles; mijnheer Giles keek weifelend naar Brittles; de agent hield zijn hand achter zijn oor om het antwoord op te vangen.

'Ik heb het allemaal gedaan uit... uit bestwil, mijnheer!' antwoordde Giles. 'Ik dacht beslist, dat het die jongen was. Ze... ze hadden een jongen bij zich.'

'Wel? Bent u ervan overtuigd dat het dezelfde jongen is?' vroeg de dokter.

'Ik weet het niet, ik weet het werkelijk niet, mijnheer,' zei Giles met een droevig gezicht. 'Ik zou er niet op durven zweren.'

Brittles, op zijn beurt ondervraagd, verwikkelde daarop zichzelf en zijn gerespecteerde meerdere in zulk een wonderbaarlijk net van nieuwe tegenstrijdigheden en onmogelijkheden, dat er geen enkel licht op wat dan ook geworpen werd; hij kon alleen maar verklaren dat hij de werkelijke jongen niet zou herkennen, al werd die ook op ditzelfde ogenblik voor hem neergezet, en dat hij gemeend had, dat Oliver het was, omdat mijnheer Giles zulks gezegd had.

Vervolgens werd de vraag opgeworpen of mijnheer Giles werkelijk iemand geraakt had; en toen de agent het pendant van het pistool dat was afgevuurd onderzocht, bleek dit geen gevaarlijker lading te hebben dan buskruit en een prop bruin papier – een ontdekking die op iedereen grote indruk maakte, behalve op de dokter, die de kogel er tien minuten tevoren had uitgehaald. Maar niemand was meer onder de indruk dan mijnheer Giles, die, na in de angst geleefd te hebben dat hij een medemens dodelijk had gewond, dit nieuwe idee onmiddellijk steunde.

Na nog enig gevraag en een heleboel gepraat, was de agent genegen Olivers bestaan verder te negeren, en na te zijn beloond met een paar gienjes, vertrok hij naar de stad.

14

Onder de vereende zorg van mevrouw Maylie, Rose en dokter Losberne, herstelde Oliver, maar langzaam, want zijn kwetsuren waren talrijk en ernstig. Buiten de pijn van zijn gebroken arm, hadden vochtigheid en kou hem ook nog een koorts bezorgd; wekenlang leed hij hieraan en zijn krachten namen meelijwekkend af. Maar eindelijk begon hij langzaam aan beter te worden, en soms kon hij in een paar door tranen verstikte woorden zeggen, hoe diep hij getroffen was door de goedheid van de twee lieve dames en hoe vurig hij hoopte spoedig weer sterk en gezond te zijn, opdat hij iets voor hen zou kunnen doen om zijn dankbaarheid te tonen – iets, hoe gering ook, om te bewijzen dat hij verlangend was hen met hart en ziel te dienen.

'Arme jongen!' zei Rose, toen Oliver op zekere dag wederom geprobeerd had zwakke woorden van dankbaarheid te spreken. 'Je zult gelegenheid genoeg krijgen om ons te dienen. We gaan naar buiten, en mijn tante wil dat je ons vergezelt. De rust, de zuivere lucht en al het mooie van de lente zullen je helemaal doen opknappen, en als je sterk genoeg bent om die last te dragen, dan zullen we je op wel honderd verschillende manieren kunnen gebruiken.'

'Last!' riep Oliver. 'O, lieve juffrouw! Als ik maar voor u kon werken – wat zou ik daar niet voor willen geven!'

'Je zult helemaal niets geven,' zei juffrouw Maylie met een glimlach, 'en als je je slechts de helft van de moeite getroost om ons een genoegen te doen als je nu belooft, dan zul je me heel gelukkig maken. Te denken, dat mijn lieve, goede tante iemand gered heeft van zulk een ellende als jij ons beschreven hebt, zou een onuitsprekelijk genoegen voor mij zijn; maar om bovendien te weten dat het voorwerp van haar medelijden oprecht dankbaar is, zou me een onvoorstelbare verrukking zijn. Begrijp je me?' vroeg ze, Olivers peinzende gezicht gadeslaand.

'O ja, juffrouw, ja!' antwoordde Oliver gretig, 'maar ik bedacht juist dat ik op dit ogenblik erg ondankbaar ben.'

'Tegenover wie?' vroeg de jongedame.

'Tegenover die vriendelijke heer, mijnheer Brownlow, en die lieve oude dame, die me een tijd geleden zo goed verzorgd hebben. Als ze wisten hoe gelukkig ik ben, dan zou hun dat veel genoegen doen, dat weet ik zeker.'

'Dat geloof ik ook,' beaamde Olivers weldoenster, 'en dokter Losberne heeft al beloofd dat, wanneer je sterk genoeg bent om de reis te verdragen, hij je mee zal nemen om hen te bezoeken.'

'Werkelijk, juffrouw?' riep Oliver, terwijl zijn gezicht oplichtte. 'Ik weet niet wat ik zal doen van vreugde, als ik hun vriendelijke gezicht terugzie!'

Korte tijd daarna was Oliver voldoende hersteld om de vermoeienissen van genoemde tocht te verdragen, en zo togen hij en dokter Losberne op zekere morgen op weg in het rijtuigje van mevrouw Maylie.

Toen dit eindelijk de straat inreed, waar mijnheer Brownlow woonde, begon Olivers hart zo hevig te kloppen, dat hij haast niet meer kon ademhalen.

'Nu, mijn jongen, welk huis is het?' vroeg dokter Losberne.

'Dat witte huis,' antwoordde Oliver, opgewonden door het raampje naar buiten wijzend. 'O! Vlug toch, alstublieft. Ik heb een gevoel alsof ik zal sterven; ik moet er zo van beven.'

Het rijtuig reed nog even door. Het stond stil. Nee, dat was het verkeerde huis – dat ernaast dan. Het rijtuig reed opnieuw een paar meter verder en stond toen weer stil. Oliver keek op naar de ramen, terwijl tranen van gelukzalige verwachting langs zijn wangen stroomden.

Helaas! Het witte huis was leeg, en voor het raam hing een stuk papier: TE HUUR.

'Klop eens aan de volgende deur,' riep mijnheer Losberne tegen de koetsier. Aan de bediende die daarop verscheen vroeg hij: 'Wat is er geworden van mijnheer Brownlow, die in het huis hiernaast woonde?'

De man antwoordde dat mijnheer Brownlow zes weken geleden naar West-Indië vertrokken was. 'De oude mijnheer, de huishoudster en een mijnheer die bevriend was met mijnheer Brownlow, ze zijn allemaal samen weggegaan.'

Oliver sloeg de handen ineen en leunde ontsteld achterover.

'Dan gaan we weer naar huis,' zei dokter Losberne tegen de koetsier, 'en stop niet eerder vóór we uit dit beroerde Londen zijn.'

Deze bittere teleurstelling bezorgde Oliver veel verdriet, te midden van al zijn geluk, want hij had tijdens zijn ziekte vele malen aan mijnheer Brownlow en mevrouw Bedwin liggen denken en overpeinsd hoe heerlijk het zou zijn hun te vertellen hoe vaak hij het tijdens de lange dagen en nachten betreurd had op zo'n wrede wijze van hen te zijn gescheiden. De hoop dat hij zou kunnen uitleggen hoe hij tegen zijn wil was meegenomen, had hem tot steun gediend bij vele van de beproevingen die hij had moeten doorstaan. En nu was de gedachte dat ze zo ver weg waren gegaan en nog altijd in de mening verkeerden dat hij een bedrieger en een dief was – een mening die ze misschien wel tot aan zijn stervensuur zouden behouden – bijna meer dan hij kon verdragen.

Deze omstandigheid bracht evenwel geen verandering in de gedragswijze van zijn weldoeners. Na een dag of veertien, toen het mooie warme weer echt begonnen was en alle bomen en bloemen hun jonge blaadjes en rijke bloesems ten toon spreidden, werden voorbereidselen getroffen om het huis in Chertsey een paar maanden te verlaten. Het zilverwerk, dat de hebzucht van de jood zo zeer had gewekt, werd naar de bank gezonden en vervolgens vertrokken ze naar een landhuisje, een eind de provincie in, Oliver met zich meenemend.

Het was een lieflijk plaatsje waar ze aankwamen, en Oliver scheen hier een nieuw bestaan te beginnen. Rozen en kamperfoelie groeiden tegen de muren van het huisje, klimop slingerde zich om de stammen van de bomen en bloemen vervulden de tuin met hun heerlijke geur. Dichtbij lag een klein kerkhof vol bescheiden heuveltjes, waaronder de oude mensen van het dorpje rustten. Oliver wandelde daar regelmatig heen, en wanneer hij dan dacht aan het ellendige graf waarin zijn moeder lag, dan ging hij soms zitten en huilde om haar.

Maar het was een gelukkige tijd. De dagen waren vredig; de nachten brachten vrees noch zorg met zich. Oliver stond 's morgens om zes uur op en zwierf over de velden, waar hij ruikers wilde bloemen plukte, die hij dan mee naar huis nam ter versiering van de ontbijttafel. Daarna ging hij iedere morgen naar een oude heer met wit haar, die vlakbij woonde en hem beter leerde lezen en schrijven. Hij sprak zo vriendelijk en getroostte zich zoveel moeite dat de jongen, om hem een genoegen te doen, zijn uiterste best deed. Ook wandelde hij vaak met mevrouw Maylie en Rose, of hij zat met hen op een schaduwrijk plekje te luisteren naar wat de jongedame voorlas. Dan moest hij nog zijn les leren voor de volgende dag, en dat deed hij met veel plezier in een kamertje, dat op de tuin uitzag, tot het langzaamaan avond werd en de dames weer gingen wandelen en hem meenamen. Hij luisterde gretig naar alles wat ze zeiden en was blij als ze iets vergeten waren, zodat hij het kon halen. Wanneer het helemaal donker geworden was en ze naar huis waren teruggekeerd, ging Rose aan de piano zitten en speelde een vrolijke melodie of zong met zachte stem een oud liedje dat haar tante graag wilde horen. Oliver zat dan bij een van de vensters en luisterde in grote verrukking.

En als de zondag kwam, hoe verschillend werd die dag niet doorgebracht dan Oliver tot nu toe gewoon was geweest, en welk een blijde dag was het! 's Morgens was daar het kerkje waaromheen de vogels zongen en waar de zoete lucht het onaanzienlijke gebouwtje met een geurig aroom vervulde, terwijl de arme mensen eerbiedig in gebed neerknielden. Dan waren er de gewoonlijke wandelingen en 's avonds las Oliver een paar hoofdstukken uit de bijbel, die hij al de hele week bestudeerd had; en dit was een plicht die hem met meer trots en vreugde vervulde dan wanneer hij de dominee zelf was geweest.

De lente ging snel voorbij en de zomer kwam. In het zomerhuisje ging hetzelfde rustige leventje voort en dezelfde opgewekte, serene rust heerste onder de bewoners. Oliver, reeds lang weer een stevige, gezonde jongen geworden, was meer dan gesteld geraakt op de oude dame en haar nichtje, en de getrouwe aanhankelijkheid van zijn jonge, gevoelige hart vond haar beloning in hun trots op, en gehechtheid aan hem.

Op een mooie avond hadden ze langer gewandeld dan ze gewoon waren, want de dag was buitengewoon warm geweest en er scheen een heldere maan, terwijl er een verkoelend windje opgestoken was. Rose was erg vrolijk geweest en ze hadden onder het lopen zo'n opgewekt gesprek gevoerd, dat ze ongemerkt veel verder waren gegaan dan anders. Omdat mevrouw Maylie vermoeid raakte keerden ze langzamer naar huis terug. Rose ging zoals gewoonlijk aan de piano zitten en begon zacht een plechtige melodie te spelen. En terwijl ze dit deed hoorden ze plotseling een geluid alsof ze huilde.

'Rose, lieve!' riep mevrouw Maylie, die haastig opstond en zich over haar heen boog. 'Wat is er, m'n lieve kind, wat maakt je bedroefd?'

'Niets tante, niets,' antwoordde het jonge meisje. 'Ik weet niet wat het is, ik kan het niet beschrijven; maar ik voel...'

'Toch niet ziek, lieve?' viel mevrouw Maylie haar in de rede. Rose huiverde, alsof een dodelijke kilte haar overviel, en haar gezicht in haar handen verbergend zonk ze neer op een sofa en liet haar tranen die ze niet langer kon onderdrukken, de vrije loop. 'Ik kan er niets aan doen,' zei ze. 'Ik vrees dat ik inderdaad ziek ben, tante.'

En dat was ze zeker. Want nadat er kaarsen waren binnengebracht, zagen ze dat haar gelaat marmerwit was geworden, en over haar lieve trekken lag een gekwelde uitdrukking, die daar nooit eerder geweest was. Een minuut later werd haar gezicht overtrokken door een donkerrode blos. Ook die verdween echter weer, gelijk de schaduw van een voorbij zwevende wolk en ze was opnieuw doodsbleek.

Oliver merkte bezorgd op, dat de oude dame door deze verschijnselen zeer geschrokken was, hetgeen voor hem evenzeer gold; doch toen hij merkte dat zij probeerde alles luchtig op te vatten, trachtte hij hetzelfde, en nadat Rose er door haar tante toe overgehaald was om naar bed te gaan, verzekerde ze hun beiden dat ze de volgende morgen vast weer gezond en wel zou opstaan.

'Ik hoop,' zei Oliver, toen mevrouw Maylie terugkwam, 'dat er niets ernstigs met haar is.'

'Dat hoop ik ook, Oliver,' zei de oude dame met trillende stem. 'Ik ben gelukkig met haar geweest – te gelukkig misschien. Mijn lieve, lieve Rose! O, wat zou ik zonder haar moeten beginnen!'

Er volgde een angstige nacht. Toen de morgen aanbrak, bevond Rose zich in het eerste stadium van een ernstige en gevaarlijke koortsaanval.

'We moeten bezig blijven, Oliver, en niet toegeven aan nutteloos verdriet,' zei mevrouw Maylie. 'Deze brief moet zo snel mogelijk naar dokter Losberne worden gezonden. Hij moet naar de markt in de stad worden gebracht, via het pad door de velden. De mensen in de herberg zullen ervoor zorgen dat hij vandaar per koerier direct naar Chertsey wordt gebracht. Jij moet ervoor zorgen dat dat gebeurt; ik weet dat ik je kan vertrouwen.'

Oliver kon geen antwoord geven, maar hij zag eruit alsof hij verlangend was onmiddellijk te vertrekken.

'Hier is nog een brief,' zei mevrouw Maylie, en zweeg dan even om na te denken. 'Maar of ik hem nu moet verzenden, dan wel moet wachten tot ik gezien heb hoe het verder met Rose gaat, dat weet ik werkelijk niet. Ik wil hem liever niet verzenden, voor we het ergste moeten vrezen.'

Oliver zag dat hij gericht was aan Harry Maylie, op een buitenverblijf ergens in de provincie.

'Moet ik hem meenemen, mevrouw?' vroeg Oliver ongeduldig.

'Ik geloof het niet,' antwoordde mevrouw Maylie. 'Ik zal wachten tot morgen.'

Na deze woorden reikte ze Oliver haar beurs en hij ging op weg zonder verder te dralen. Hij rende dwars door de velden, zonder een ogenblik stil te staan, behalve zo nu en dan om op adem te komen, tot hij het marktplein van het stadje bereikte. Hij haastte zich naar de herberg waar een postiljon, die op de stoep zat te dommelen, hem naar de stalknecht verwees, en die stuurde hem, nadat hij had gehoord wat Oliver wilde, door naar de herbergier. Deze heer beende met grote bedachtzaamheid naar de gelagkamer om de rekening uit te schrijven, en nadat hij daarmee gereed was en zijn geld had ontvangen, werd er een paard gezadeld, en moest een man zich in rijtenue steken, wat nog eens tien minuten in beslag nam. Maar eindelijk was alles klaar en nadat men de ruiter de brief had aangereikt, met vele aansporingen voor een snelle aflevering, gaf de man zijn paard de sporen en galoppeerde enkele minuten later het stadje uit over de tolweg.

Oliver haastte zich met een iets lichter hart de herberg uit, toen hij per ongeluk tegen een man botste, een grote man, die, in een cape gehuld, juist op dat ogenblik de deur van de herberg inkwam.

'Ha!' riep de man, zijn ogen op Oliver vestigend en plotseling terugdeinzend. 'Wat, voor den duivel, is dat?'

'Pardon, mijnheer,' zei Oliver. 'Ik had grote haast en zag u niet.'

'Dood!' mompelde de man, de jongen woest aanblikkend. 'Wie had dat kunnen denken? Vermaal hem tot gruis, en nog zou hij uit een stenen doodkist opstaan om mij moeilijkheden te bezorgen.'

'Neemt u mij niet kwalijk,' stamelde Oliver, in de war door 's mans wilde blik. 'Ik hoop, dat u zich niet bezeerd hebt!'

'Verrek!' siste de man tussen opeengeklemde tanden. 'Als ik alleen maar de moed had bezeten om dat ene woord te spreken, dan was ik van je af geweest. Vervloekt, jij duivelskind. Wat doe je hier?'

De man schudde zijn vuist en kwam op Oliver toe, alsof hij deze een slag wilde geven, maar in plaats daarvan viel hij zwaar op de grond, stuiptrekkend in een aanval, en met het schuim om de mond. Een ogenblik keek Oliver neer op het gekronkel van de krankzinnige (want daarvoor zag hij hem aan) en repte zich toen het huis in om hulp te halen. Nadat hij gezien had dat de man veilig de herberg was binnengedragen, rende hij zo snel hij kon huiswaarts, met grote verbazing en ook met enige angst terugdenkend aan het uitzonderlijke gedrag van de onbekende.

Deze omstandigheid vermocht echter niet zijn aandacht lang bezig te houden, want in het huisje teruggekeerd bevond hij dat de toestand van Rose Maylie snel was verergerd. Nog voor middernacht lag ze te ijlen. Een praktiserend geneesheer, die in het dorpje woonde, bleef voortdurend bij haar en gaf als zijn mening te kennen dat de ziekte een zeer ernstig karakter droeg. 'Ja,' zei hij tegen mevrouw Maylie, 'het zou in feite een klein wonder zijn als ze er weer bovenop komt.'

Hoe vaak schoot Oliver die nacht niet overeind in zijn bed, luisterend naar het geringste geluid! Hoe vaak brak het koude angstzweet hem niet uit, als plotselinge snelle voetstappen hem reden gaven te geloven dat iets, dat te erg was om aan te denken, inderdaad gebeurd was!

De morgen brak aan, en in het kleine huisje was het stil. De mensen spraken fluisterend. De hele lieve lange dag, en nog uren nadat het donker geworden was, liep Oliver zachtjes in de tuin op en neer, elk ogenblik zijn ogen opslaand naar de ziekenkamer en huiverend wanneer hij het donkere venster zag, dat de indruk wekte alsof erachter de dood heerste. Die avond laat arriveerde dokter Losberne. 'Het is hard,' zei de goede dokter, onder het spreken zijn hoofd afwendend. 'Zo

139

jong en zo bemind. Maar er is heel weinig hoop.' En na het vernemen van dokter Losbernes mening liet mevrouw Maylie Giles de tweede brief wegbrengen.

Weer een morgen. De zon straalde, alsof zij op geen ellende neerscheen. En terwijl alle bloemen en bomen om haar heen in volle bloei stonden en zij omringd werd door leven en gezondheid, lag het schone, jonge wezen terneer en ging snel achteruit. Oliver glipte weg, naar het oude kerkhof, en zittend op een van de groene heuveltjes huilde en bad hij.

Toen hij thuiskwam zat mevrouw Maylie in de kleine salon. Het hart zonk Oliver in de schoenen bij die aanblik, want zij had het bed van haar nichtje nog geen ogenblik verlaten. Hij vernam, dat Rose was weggezonken in een diepe slaap, waaruit zij zou ontwaken, hetzij om weer geheel te herstellen en terug te keren tot het leven, hetzij om afscheid te nemen en te sterven.

Daar zaten ze urenlang, luisterend en te bevreesd om een woord te spreken. Buiten zonk de zon steeds lager, tot zij ten slotte die schitterende tinten over hemel en aarde wierp, die haar vertrek verkonden. Hun oren, toegespitst op het minste geluid, hoorden het gerucht van naderende voetstappen. Toen dokter Losberne binnenkwam, vlogen ze allebei onwillekeurig naar de deur.

'Hoe is het met Rose?' riep de oude dame. 'Mijn lieve kind! Ze is dood!'

'Nee!' riep de dokter hartstochtelijk. 'Aangezien God goed en genadig is, zal zij nog jaren lang leven om ons allen gelukkig te maken.'

Het was bijna een te groot geluk om te dragen. Oliver voelde zich als verdoofd door het onverwachte nieuws; hij kon huilen, noch spreken of rusten, tot hij, na een lange wandeling in de vredige avondlucht, uitbarstte in een huilbui die hem onnoemelijk opluchtte en hem als het ware plotseling ten volle deed beseffen welk een vreugdevolle verandering had plaatsgegrepen.

De avond viel al snel toen hij naar huis terugkeerde, beladen met bloemen, die hij geplukt had om de ziekenkamer op te vrolijken. Zo voortlopend hoorde hij achter zich het geluid van een voertuig, dat met geweldige vaart naderde. Omkijkend zag hij dat het een postkoets was, en aangezien de paarden galoppeerden en de weg smal was, drukte hij zich tegen

140

een hek om het rijtuig te laten passeren.

Terwijl het voorbijraasde ving Oliver een glimp op van een man met een witte slaapmuts. Een seconde later werd die slaapmuts uit het raampje gestoken en brulde een stentorstem de koetsier toe, te stoppen. 'Jongeheer Oliver,' riep de stem, nadat de paarden tot staan gekomen waren. 'Wat zijn de laatste berichten? Juffrouw Rose!'

'Ben jij het, Giles?' riep Oliver, naar het portier rennend.

Giles werd plotseling achteruitgetrokken door een jongeman, die in de andere hoek zat en nu dringend vroeg wat het laatste nieuws was.

'Beter, veel beter!' antwoordde Oliver. 'Een paar uur geleden is de verandering ingetreden, en dokter Losberne zegt dat al het gevaar geweken is.'

De heer opende het portier, stapte uit, greep Oliver gejaagd bij de arm en nam hem terzijde.

'Weet je het heel zeker, m'n jongen?' vroeg hij met trillende stem. 'Misleid me niet door ijdele hoop te wekken!'

'Dat zou ik voor geen geld ter wereld doen, mijnheer,' antwoordde Oliver. 'Dokter Losbernes woorden waren, dat ze nog vele jaren zou leven om ons allen gelukkig te maken. Ik heb het hem zelf horen zeggen!' De tranen sprongen Oliver in de ogen, toen hij aan dat moment terugdacht. De heer wendde het gezicht af en zei enkele minuten niets. Oliver meende hem te horen snikken, maar hij was bang hem te storen en stapte daarom terzijde. Mijnheer Giles, met zijn witte slaapmuts weer op, zat op de treden van de postkoets en veegde zijn ogen af met een blauwe, wit gestippelde zakdoek.

Ten slotte wendde de heer zich tot Giles. 'Ik geloof dat jij beter met de postkoets door kunt rijden naar het huis van mijn moeder, Giles,' zei hij. 'Ik geef er de voorkeur aan te lopen. Zeg maar dat ik eraan kom. Maar verwissel eerst die slaapmuts voor een wat geschikter hoofddeksel, anders denken ze nog dat we gek zijn!'

Mijnheer Giles, aldus herinnerd aan zijn ongepaste kledij, zette een eenvoudige hoed op, die hij uit de postkoets haalde. Nadat dit gebeurd was, reed de postiljon door.

Terwijl ze verder wandelden, keek Oliver af en toe met veel belangstelling naar de jongeman. Deze scheen ongeveer vijfentwintig jaar oud te zijn en was van gemiddelde lichaamslengte. Zijn gezicht was knap en open, en zijn gedrag natuurlijk en innemend. Niettegenstaande het verschil tussen jeugd en ouderdom, vertoonde hij zo'n sterke gelijkenis met de oude dame, dat het Oliver niet moeilijk gevallen zou zijn hun relatie te raden, indien de jongeman niet reeds over haar gesproken had als zijn moeder.

Mevrouw Maylie zat vol ongeduld te wachten om haar zoon te kunnen ontvangen, toen ze het landhuis bereikten, en de begroeting ging niet voorbijzonder emoties aan beide zijden.

'Moeder,' fluisterde de jongeman, 'waarom hebt u niet eerder geschreven?'

'Dat heb ik gedaan,' antwoordde mevrouw Maylie, 'maar ik heb de brief achtergehouden tot ik de diagnose van dokter Losberne gehoord had.'

'Maar waarom?' vroeg de jongeman. 'Als Rose – als die ziekte anders verlopen was, hoe zou ik dan ooit nog geluk hebben gekend?'

'Indien dat het geval was geweest, Harry,' zei mevrouw Maylie, 'dan vrees ik dat je komst hier een dag eerder of later van heel weinig belang zou zijn geweest.'

'Maar u moet weten moeder, dat Rose, het zoete, lieve kind, mijn hart toebehoort.'

'Ik weet dat zij de hoogste en zuiverste liefde verdient die dat hart van een man kan bieden,' zei mevrouw Maylie. 'Ik weet, dat de toewijding en genegenheid van haar natuur niet vragen om een gewone beantwoording, maar om een diepe en altijd durende liefde.'

'Dat is niet aardig van u, moeder,' zei Harry. 'Denkt u nog steeds dat ik een kind ben, dat niet weet wat het wil en zich vergist in de gevoelens van zijn eigen hart?'

'Ik ben van mening, lieve zoon,' antwoordde mevrouw Maylie, haar hand op zijn schouder leggend, 'dat de jeugd vele nobele gevoelens kent, die echter niet blijvend zijn. Maar bovenal denk ik dat, als een vurige en eerzuchtige jongeman een vrouw trouwt op wier naam een smet rust die, hoewel niet haar eigen schuld, haar voor de voeten geworpen kan worden door laaghartige lieden en niet alleen haar maar ook haar kinderen, men hem ermee zal bespotten. En dan zal hij, ongeacht hoe edelmoedig en goed van hart ook, op zekere dag wellicht spijt hebben van de verbintenis die hij in zijn jonge jaren is aangegaan. En zij zou daaronder kunnen lijden.'

'Moeder,' zei de jongeman ongeduldig, 'hij zou een zelfzuchtige bruut zijn, zowel de naam man als de naam van de vrouw die u beschrijft onwaardig.'

'Dat denk je nu, Harry,' antwoordde zijn moeder.

'Zo zal ik altijd denken!' zei de jongeman. 'De geestelijke doodsangst waarin ik verkeerd heb, dwingt me u openlijk in kennis te stellen van mijn gevoelens, die niet nieuw zijn, noch lichtvaardig gevormd. Ik ken in mijn leven geen hoop, geen vooruitzichten, die geen betrekking hebben op haar; en als u mij in deze dwarsboomt, dan verstrooit u mijn vrede en geluk in de wind.'

'Harry,' zei mevrouw Maylie, 'juist omdat ik zoveel liefde koester voor warme, gevoelige harten, wil ik voor niets ter wereld dat die gewond worden.'

'Laat Rose dan beslissen,' zei Harry. 'Mijn gevoelens zijn blijvend, voor altijd, en vóór ik weer vertrek, zal Rose me aanhoren.'

'Dat zal ze,' beaamde mevrouw Maylie.

'Er is iets in de manier waarop u dat zegt, waaruit ik haast op zou maken dat ze me koel zal aanhoren, moeder,' zei de jongeman.

'Niet koel,' hernam de oude dame, 'verre van dat. Je neemt alreeds een grote plaats in haar hart in. Maar voor je jezelf laat gaan en je verwachtingen te hoog stelt, denk eerst nog even na over Roses geschiedenis, mijn beste jongen, en overweeg wat voor invloed de wetenschap omtrent haar twijfelachtige geboorte op haar beslissing kan hebben – gehecht als ze aan ons is met al de kenmerkende onzelfzuchtigheid van haar edel karakter.'

'Wat bedoelt u?'

'Ik laat het aan jou over om dat te ontdekken,' antwoordde mevrouw Maylie, 'ik moet nu weer naar haar toe, God zegene je!'

'U vertelt haar toch dat ik hier ben?' zei Harry. 'En zult u haar zeggen, hoe ongerust ik geweest ben en hoe ik ernaar verlang haar te zien. U zult toch niet weigeren dat te doen, moeder?'

'Nee,' zei de oude dame, 'ik zal het haar vertellen.' En na de hand van haar zoon liefdevol gedrukt te hebben haastte ze zich het vertrek uit.

Terwijl dit gesprek plaatsvond, zaten dokter Losberne en Oliver aan de andere zijde van de kamer. Eerstgenoemde stak nu Harry Maylie de hand toe en zij begroetten elkaar hartelijk.

De rest van de avond werd vrolijk doorgebracht en het was al laat toen zij, met licht en dankbaar gemoed, naar bed gingen om te genieten van een rust die zij na alle spanning en twijfel die ze hadden moeten verduren, zo dringend behoefden.

De volgende ochtend stond Oliver op en verrichtte zijn vroege bezigheden met meer hoop en plezier dan hij vele dagen had gekend. De mooiste veldbloemen die maar te vinden waren, werden eens te meer geplukt om Rose met hun schoonheid te verblijden. Het is overigens de moeite waard om op te merken, dat na die eerste keer deze morgenwandelingen niet langer door Oliver alleen gemaakt werden.

Harry Maylie werd, nadat Oliver zwaar beladen was thuisgekomen, door een grote liefde voor bloemen gegrepen, en hij legde zoveel smaak aan den dag bij het boeketten schikken, dat hij zijn jonge vriend daarin ver achter zich liet. Oliver echter, wist waar de mooiste bloemen groeiden, en ochtend na ochtend zwierven ze samen door de velden. Het raam van de kamer van de jongedame stond nu open, want zij hield ervan zich door de zoete zomerlucht te laten verkwikken en verfrissen; maar altijd stond er, net binnen het glas-in-loodraam, een bepaald boeketje dat elke morgen met grote zorg behandeld werd, en Oliver merkte onwillekeurig op, dat de verwelkte bloemen nooit weggegooid werden.

Zo vlogen de dagen voorbij, en Rose herstelde snel. Oliver had genoeg te doen. Met verdubbelde ijver leerde hij de lessen van de oude heer met het witte haar, en hij werkte zo hard, dat zijn snelle vorderingen hemzelf verbaasden. En het was ook toen hij zat te leren, dat er iets heel onverwachts plaatsvond, iets, dat hem geheel van streek maakte. Het kamertje waarin hij gewoonlijk studeerde, lag op de benedenverdieping, aan de achterzijde van het huis. Het glas-in-loodraam bood uitzicht op een deel van de tuin, vanwaar een klein hek leidde naar weide en geboomte. Aan die kant stonden geen andere huizen.

Op een mooie avond, toen de eerste schaduwen van de schemering over de aarde daalden, viel Oliver, die een tijdlang had zitten studeren, in slaap. Het was het soort slaap dat het lichaam weliswaar gevangen houdt, maar gedurende welke de geest toch gebonden blijft aan de dingen om ons heen. Oliver wist heel goed dat hij zich in zijn eigen kamertje bevond, dat zijn boeken vóór hem op tafel lagen en dat een zacht windje ruiste tussen de klimplanten tegen de buitenmuur. En toch sliep hij. Plotseling veranderde het toneel; de lucht werd zwaar en bedompt, en in een vlaag van ontzetting dacht hij, dat hij weer in Fagins huis was. Daar zat de afzichtelijke oude in zijn gewone hoekje, naar hem wijzend en met afgewend gelaat fluisterend tegen een andere man, naast hem.

'Stil, mijn beste!' meende hij Fagin te horen zeggen. 'Hij is het, er is geen twijfel mogelijk. Kom mee.'

'Hij!' scheen de ander te antwoorden, 'dacht je dat ik me in hem zou vergissen? Als je hem vijftig voet diep begroef, en als ik dan over zijn graf liep zonder dat er een grafsteen op stond, dan zou ik toch nog weten dat hij daar onder de grond lag!'

De man scheen dit met zoveel haat in zijn stem te zeggen, dat Oliver wakker schrok en overeind schokte.

Goeie genade! Wat was dat, dat het bloed zo door zijn hart joeg? Daar – voor het raam – zo vlak bij hem, dat hij hem bijna had kunnen aanraken – daar stond Fagin! En naast hem, wit van woede, zag hij de man, die hem bij de herberg had aangesproken!

Het duurde slechts een ogenblik, een flits voor zijn ogen; dan waren ze verdwenen. Maar ze hadden hem herkend, en hij hen. En hun blik had een even diepe indruk op hem gemaakt, alsof die in steen gehouwen was en hij hem van zijn geboorte af voortdurend voor zich had gezien. Even stond hij als aan de grond genageld; toen sprong hij door het venster de tuin in en riep luid om hulp.

15

Toen de bewoners van het huis zich, opgeschrikt door Olivers kreten, naar de tuin haastten, troffen ze hem daar bleek en opgewonden, wijzend in de richting van de weilanden en nauwelijks in staat verstaanbaar uitte brengen: 'Fagin! Fagin!'

Harry Maylie, die van zijn moeder Olivers geschiedenis gehoord had, begreep het onmiddellijk. 'Welke kant ging hij uit?' vroeg hij, terwijl hij een zware stok greep.

'Daarheen,' antwoordde Oliver, en wees. 'Fagin en een andere man.'

'Dan zitten ze in de greppel,' zei Harry. 'Volg me, en blijf zo dicht bij me als je kunt.'

Met deze woorden sprong hij over de heg en vloog met zo'n snelheid weg, dat het voor Giles en Oliver buitengewoon moeilijk was hem bij te houden. Enkele ogenblikken later sprong ook dokter Losberne, die aan het wandelen was geweest en net terugkeerde, over de heg en rende hen achterna, schreeuwend informerend wat er eigenlijk aan de hand was. Voort snelden ze, totdat hun leider de hoek van het weiland inschoot die door Oliver was aangeduid, waarna hij nauwkeurig de greppel en de daarlangs lopende heg begon te onderzoeken, zodoende de anderen in staat stellend zich bij hem te voegen. Ondertussen vertelde Oliver dokter Losberne welke omstandigheden tot deze energieke achtervolging geleid hadden.

Het zoeken was tevergeefs, er waren zelfs geen verse voetafdrukken te zien. Ze stonden nu op de top van een kleine heuvel, vanwaar af ze de omgeving over een afstand van vijf tot zes kilometer in elke richting konden overzien. In het dal aan de linkerkant lag het dorpje, maar als de mannen dat hadden willen bereiken langs de weg die door Oliver aangegeven was, dan hadden ze een omweg door het open veld moeten maken, die in zo'n korte tijd niet af te leggen was. Een dicht bos aan de andere kant zouden ze om dezelfde reden eveneens nog niet bereikt kunnen hebben.

'Het moet een droom geweest zijn, Oliver,' zei Harry Maylie.

'O, nee, heus niet, mijnheer,' antwoordde Oliver en hij huiverde toen hij weer aan het gezicht van de oude schurk dacht. 'Ik zag ze alle twee even duidelijk als ik u nu zie.'

'Wie was die ander?' vroegen Harry en dokter Losberne tegelijk.

'Dezelfde van wie ik u vertelde; degene die bij de herberg zo plotseling naar me toe kwam,' zei Oliver. 'We keken elkaar recht in de ogen, en ik kan erop zweren, dat het dezelfde was.'

De beide heren keken naar Olivers ernstige gezicht, terwijl hij sprak, en daarna keken ze elkaar aan. Ze schenen overtuigd te zijn van de juistheid van zijn inlichtingen. Toch was er in geen enkele richting iets te ontwaren dat leek op de voetsporen van mannen die haastig vluchtten.

'Vreemd!' zei Harry.

Niettegenstaande de overduidelijke nutteloosheid van hun zoeken, staakten zij hun pogingen niet voor het vallen van de duisternis verder zoeken onmogelijk maakte. Giles werd naar verschillende kroegen in de buurt gezonden, uitgerust met de beste beschrijving die Oliver van het voorkomen en de kleding van de vreemdelingen kon geven, maar hij kwam terug zonder berichten die het mysterie zouden hebben kunnen verkleinen. De volgende dag werd er opnieuw gezocht, maar eveneens zonder succes en na een paar dagen raakte de geschiedenis in het vergeetboek.

Ondertussen werd Rose snel beter. Ze had haar kamer verlaten, was in staat uit te gaan en bracht, door de hernieuwde omgang met de andere leden van de familie, vreugde in aller hart.

Maar hoewel deze gelukkige verandering een zichtbare uitwerking had op de kleine kring, en hoewel in het landhuisje opnieuw opgewekte stemmen en vrolijk gelach werden gehoord, rustte er toch af en toe een ongewone druk op enkele van de bewoners, en dat ontging Oliver niet. Vaak trokken mevrouw Maylie en haar zoon zich samen terug, en meer dan eens verscheen Rose met sporen van tranen op haar gezicht. Nadat dokter Losberne een dag had vastgesteld voor zijn vertrek naar Chertsey, en Harry had aangekondigd dat hij misschien tegelijk met hem zou gaan, namen deze verschijnselen in aantal toe.

Eindelijk, op zekere morgen, toen Rose zich alleen in de salon bevond, kwam Harry Maylie binnen en vroeg na enige aarzeling, toestemming om enkele ogenblikken met haar te mogen spreken.

'Wat ik te zeggen heb, Rose,' zei de jongeman, terwijl hij zijn stoel naar haar toe trok, 'zul je wel kunnen begrijpen; de meest gekoesterde verlangens van mijn hart kunnen je niet onbekend gebleven zijn, hoewel ik ze nog nooit onder woorden heb gebracht.'

Vanaf het ogenblik dat hij binnenkwam was Rose erg bleek geweest, maar dat kon ook een gevolg zijn van de recentelijk doorgemaakte ziekte. Ze neeg slechts licht het hoofd, en gebogen over een paar planten, die vlak bijstonden, wachtte ze tot hij verder zou gaan.

'Ik... ik... had al eerder weg moeten gaan,' zei Harry.

'Dat had je inderdaad moeten doen,' antwoordde Rose, en er drupte een traan op een van de bloemen waarover ze gebogen stond. 'Ik bedoel, om opnieuw edele en verheven doelen na te streven – doelen die jou waardig zijn.'

'Er bestaan geen doelen, mij waardiger dan het winnen van een hart als het jouwe,' zei de jongeman, terwijl hij haar hand in de zijne nam. 'Rose, mijn eigen, lieve Rose! Al jaren heb ik je lief; ik had gehoopt roem te verwerven en dan trots thuis te kunnen komen om jou te vertellen dat ik die roem alleen nagejaagd had opdat jij erin kon delen. Die dag is niet gekomen, maar op dit ogenblik, zonder verworven roem, bied ik je het hart dat je reeds zo lang behoort, en ik zet al mijn geluk op de woorden waarmee je dit aanbod zult begroeten.'

'Je gedrag is altijd vriendelijk en edel geweest,' zei Rose, de gevoelens die haar bestormden onderdrukkend. 'En opdat je niet van mening zult zijn dat ik ongevoelig of ondankbaar ben, hoor dan nu mijn antwoord.'

'En dat luidt dat ik mag proberen me jou waardig te tonen?'

'Het luidt,' antwoordde Rose, 'dat je moet proberen me te vergeten; niet als je oude en innig toegenegen vriendin, want dat zou me diep kwetsen, maar als het voorwerp van je liefde.'

Er viel een stilte, gedurende welke Rose haar gezicht met één hand bedekte, en haar tranen de vrije loop liet. Harry hield nog steeds haar andere hand vast.

'En je redenen voor deze beslissing?' vroeg hij eindelijk.

'Je hebt het recht die te kennen,' hernam Rose. 'Maar je kunt niets zeggen dat mijn besluit zal veranderen. Het is een plicht die ik moet vervullen. Ik ben het aan mezelf verplicht ervoor te zorgen dat ik, een meisje met een smet op haar naam, jouw vrienden geen reden geef om te vermoeden dat ik op lage wijze heb toegegeven aan jouw eerste liefde en me aan je gebonden heb, als een blok aan je been, dat al je verwachtingen en plannen in duigen zou doen vallen. Ik ben het aan jou en je familie verplicht, geen hinderpaal voor je carrière te zijn.'

'Als je gevoelens in overeenstemming zijn met je plichtsgevoel...'

'Dat is niet het geval,' antwoordde Rose, hevig blozend.

'Je beantwoordt dus mijn liefde?' vroeg Harry. 'Zeg het me slechts, lieve Rose, en verzacht zo de bitterheid van deze teleurstelling!'

'Als ik zulks had kunnen doen zonder hem die ik bemin een groot onrecht aan te doen, dan zou ik...'

'Deze verklaring op heel andere wijze ontvangen hebben?' vulde Harry aan.

'Inderdaad,' zei Rose, terwijl ze haar hand losmaakte. 'Waarom zouden we echter dit pijnlijke gesprek voortzetten? Zoals we elkaar vandaag getroffen hebben, moeten we elkaar nooit weer ontmoeten. Vaarwel, Harry! De toekomst die je tegemoet gaat is een schitterende. Alle eer die iemand ten deel kan vallen dank zij grote talenten en machtige connecties, ligt voor jou in het verschiet. Maar het zijn tevens trotse connecties, en ik wil me niet mengen onder hen die de moeder van wie ik het leven ontving verachten, en evenmin wil ik schande brengen over de zoon van haar, die de plaats van mijn moeder op zo'n bewonderenswaardige wijze heeft ingenomen.'

'Nog één woord, liefste Rose!' riep Harry, terwijl hij voor haar knielde. 'Als ik, zoals de wereld dat noemt, minder... minder gefortuneerd geweest was – als een verborgen en vredig leven mijn lot was geweest, zou je je dan ook van mij hebben afgewend? Of heeft mijn waarschijnlijke opklimming naar rijkdom en eer je tot deze gedachte gebracht?'

'Dwing me niet te antwoorden,' zei Rose. 'Zo staan de zaken niet en zo zullen ze nooit staan. Het is onaardig daarop aan te dringen.'

'Als je antwoord is wat ik bijna durf te hopen,' wierp Harry tegen, 'dan zal het een glimpje geluk brengen op mijn eenzame weg. Rose, omwille van mijn vurige genegenheid; omwille van alles wat ik om jou geleden heb en alles waartoe je me veroordeelt, beantwoord deze ene vraag!'

'Welnu dan, als je lot anders geweest was,' hernam Rose, 'als ik een hulp en troost voor je had kunnen betekenen in een nederig bestaan en geen smet en hinderpaal in eerzuchtige en voorname kringen, dan zou deze beproeving mij bespaard zijn gebleven.'

'Ik vraag één belofte,' zei Harry. 'Laat me nog eenmaal, nog een enkele keer – bijvoorbeeld over een jaar, maar misschien ook veel eerder – nog eens met je over dit onderwerp spreken. Voor het laatst. Ik zal dan alles wat ik bezit aan je voeten leggen, en als je dan toch bij je beslissing blijft, dan zal ik niet meer proberen, door woord, noch door daad, daar verandering in te brengen.'

'Het zal nutteloos zijn,' hernam Rose, 'maar het zij zo.'

Ze stak haar hand uit. Maar de jongeman drukte haar aan zijn borst, en nadat hij een kus op haar edel voorhoofd gedrukt had, verliet hij haastig het vertrek.

'Je bent dus besloten mijn reisgenoot te zijn, hè?' zei de dokter toen Harry Maylie zich de ochtend daarop bij hem en Oliver aan de ontbijttafel voegde. 'Ik geloof dat jij ieder uur van gedachten verandert.'

'U zult dezer dagen nog wel eens anders oordelen!' zei Harry, blozend zonder een enkele aanwijsbare reden.

'Ik hoop dat ik daar dan goede gronden voor zal hebben,' antwoordde dokter Losberne, 'hoewel ik moet bekennen dat ik daar niet veel vertrouwen in heb. Immers, gistermorgen besloot je heel overijld hier te blijven. Nog voor de middag kom je me vertellen dat je mij zo ver mogelijk op je reis naar Londen zult vergezellen. En 's avonds dring je er met veel geheimzinnigheid bij mij op aan dat we zullen vertrekken nog voor de dames zich roeren, waarvan het gevolg is, dat Oliver hier aan de ontbijttafel gekluisterd zit, terwijl hij eigenlijk door de weilanden behoorde te zwerven, op zoek naar allerlei botanische bijzonderheden. Dat is toch werkelijk zonde, hè, Oliver?'

'Het zou me erg gespeten hebben, als ik niet thuis was geweest, wanneer u en mijnheer Maylie weggaan,' antwoordde Oliver.

'Je bent een beste jongen,' zei de dokter. 'Maar in alle ernst, Harry – is die plotselinge haast van je om te vertrekken het gevolg van een bericht van de een of andere hoge piet?'

'Die hoge piet,' antwoordde Harry, 'en ik veronderstel dat u daarmee mijn hooggeëerde oom bedoelt – heeft mij sinds ik hier ben nog geen enkel bericht gestuurd.'

'Wel,' hernam de dokter, 'Je bent een rare kerel. Maar ze zullen je natuurlijk bij de verkiezingen voor Kerstmis nog in het parlement weten te krijgen en deze plotselinge wijzigingen en veranderingen vormen bepaald geen slechte voorbereiding op het politieke leven.'

Harry Maylie leek een paar opmerkingen te willen maken, maar bij nader inzien antwoordde hij slechts: 'We zullen zien.'

Kort daarna hield de postkoets voor de deur stil, en de brave dokter repte zich naar buiten om toe te zien bij het inladen van de bagage.

'Oliver,' zei Harry Maylie zacht, 'ik wilde je even wat zeggen.' Hij wenkte de jongen naar de erker. 'Kun je al goed schrijven?'

'Ik hoop het, mijnheer,' antwoordde Oliver.

'Ik kom misschien een hele tijd niet thuis. Ik zou graag willen dat je me, laten we zeggen elke veertien dagen, een brief schreef. Doe je dat?'

'O natuurlijk, mijnheer! Ik ben er trots op, dat u mij dat vraagt,' riep Oliver.

'Ik zou graag willen weten hoe... hoe mijn moeder en juffrouw Maylie het maken,' zei de jongeman. 'Je kunt me laten weten wat voor wandelingen je maakt, en of zij gelukkig is – zijn, bedoel ik. Begrijp je? Ik had liever niet dat je er met hen over sprak. Laat het een geheim blijven tussen jou en mij. Ik vertrouw op je.'

Oliver, die in de wolken was en het een grote eer vond dat hij zo'n belangrijke opdracht kreeg, beloofde zwijgzaam over, en uitvoerig in zijn epistels te zijn, waarop mijnheer Maylie afscheid van hem nam. De dokter zat al in het rijtuig; Harry wierp nog een laatste blik op het venster met het glas-in-lood en steeg in.

'Vooruit!' riep hij. 'Vooruit, in volle galop! Alleen datgene wat vliegt, mag mij vandaag bijhouden!' Rammelend en ratelend, totdat de afstand het geluid onhoorbaar maakte, vloog het vehikel over de weg, tot ook de stofwolk niet meer te zien was. Maar er was er een, die haar ogen strak gericht hield op de plek, waar het rijtuig verdwenen was, lang nadat de laatste glimp ervan te zien was geweest. Achter het witte gordijn, dat haar aan het oog onttrokken had toen Harry zijn blik opsloeg naar het venster, zat Rose.

16

Mijnheer Bumble zat in de spreekkamer van het armenhuis somber voor zich uit te staren en slaakte van tijd tot tijd een diepe zucht.

Er waren vele andere dingen, buiten zijn droefgeestigheid, die erop wezen dat er een grote verandering had plaatsgegrepen in zijn positie. Waar waren zijn gegalonneerde jas en zijn steek? Hij droeg nog altijd een kniebroek, maar het was niet dé kniebroek. Zijn jas had wijde panden, maar oh, welk een verschil met de jas. De machtige steek was vervangen door een bescheiden ronde hoed. Mijnheer Bumble was geen gemeentebode meer.

Mijnheer Bumble had promotie gemaakt, dat meende hij tenminste. Hij was getrouwd met de Moeder van het armenhuis, mevrouw Corney, en was dus nu Vader van het armenhuis. Een andere bode had hem opgevolgd en de steek, de gegalonneerde jas en de staf waren hem ten deel gevallen.

'En morgen is het alweer twee maanden geleden!' zei mijnheer Bumble zuchtend. 'Het lijkt wel een eeuw.'

Mijnheer Bumble had hiermee kunnen bedoelen dat een mensenleven van geluk in die korte periode van acht weken geconcentreerd was geweest, maar de zucht – ach, het was een heel welsprekende zucht.

'Ik heb mezelf verkocht,' zei mijnheer Bumble, 'voor wat ik dacht dat ze bezat. Ik heb mezelf verkocht voor een kleine hoeveelheid tweedehands meubelen en twintig pond in baar. Ik ben tegen een zeer redelijke prijs weggegaan. Goedkoop, spotgoedkoop!'

'Goedkoop!' kreet een schelle stem in mijnheer Bumbles oor, 'jij zou tegen elke prijs duur geweest zijn. En de hemel weet, dat ik je duur betaald heb!'

Mijnheer Bumble draaide zich om en keek in het gezicht van zijn levensgezellin.

'Mevrouw Bumble, alstublieft!' zei mijnheer Bumble met gevoelige ernst.

'Nou?' riep de dame in kwestie.

'Wil de goedheid hebben, mij aan te zien,' sprak mijnheer Bumble, zijn ogen op haar vestigend. ('Als zij die blik verdraagt,' zei hij tot zichzelf, 'dan verdraagt ze alles.')

Of de vroegere mevrouw Corney tegen arendsblikken bestand was blijft de vraag. Feit is dat ze zeer verachtelijk terugkeek en even later hartelijk begon te lachen. Toen hij dit volkomen onverwachte geluid hoorde, keek mijnheer Bumble ongelovig. Vervolgens verviel hij weer in zijn gepeins, waaruit hij niet eerder ontwaakte dan toen zijn aandacht wederom werd getrokken door haar stem.

'Blijf je daar de hele dag zitten snurken?' informeerde mevrouw Bumble.

'Ik blijf hier zo lang zitten als het mij goed dunkt, mevrouw,' reageerde mijnheer Bumble. 'En hoewel ik niet snurkte, zal ik snurken, gapen, niezen, lachen of huilen al naar het me invalt; dat is nu eenmaal mijn voorrecht.'

'Jouw voorrecht!' sneerde mevrouw Bumble met peilloze minachting.

'Dat woord bezigde ik, mevrouw,' zei mijnheer Bumble. 'De man bezit het voorrecht te mogen bevelen.'

'En wat is dan wel het voorrecht van de vrouw, in 's hemelsnaam?' riep de weduwe van mijnheer Corney zaliger uit.

'Om te gehoorzamen, mevrouw,' donderde mijnheer Bumble. 'Die beklagenswaardige overleden echtgenoot van u had u dat moeten leren en als hij dat gedaan had, dan leefde hij misschien nog. Ik wilde dat het zo was, die arme ziel!'

Mevrouw Bumble begreep ogenblikkelijk dat nu het grote moment gekomen was, en dat als gevolg van deze beslissende slag de heerschappij naar deze dan wel gene kant zou gaan. Ze liet zich in een stoel vallen en barstte in een hevige huilbui uit. Maar tranen waren nu niet het meest geschikt om ermee tot mijnheer Bumbles hart door te dringen; zijn hart was waterbestendig. Hij keek zijn gade met een tevreden blik aan en verzocht haar toch alsjeblieft zo hard mogelijk te huilen.

'Het verwijdt de longen, wast het gezicht, is een goede oogspoeling en een kwaad humeur verdwijnt er meestal door,' zei mijnheer Bumble. 'Huil dus maar raak!'

Terwijl mijnheer Bumble dit grapje plaatste, nam hij zijn hoed van de kapstok, zette hem ietwat schuin op het hoofd, stak zijn handen in zijn zakken en slenterde op zijn dooie gemak naar de deur.

Nu had mevrouw Bumble slechts haar toevlucht tot tranen genomen, omdat dit veel minder inspannend was dan een lichamelijke aanval, maar ze was bepaald bereid om ook die laatste werkwijze toe te passen. Het eerste bewijs dat mijnheer Bumble hiervan ondervond was een hol geluid, waarna zijn hoed plots van zijn hoofd vloog. Zijn gade greep hem daarop stevig met één hand bij de keel, en liet met de andere een regen van slagen op hem neerdalen. Nadat ze dit gedaan had begon ze hem ter afwisseling in zijn gezicht te krabben en hem de haren uit het hoofd te trekken. En toen ze hem aldus naar goeddunken gestraft had, duwde ze hem over een stoel heen, en tartte hem om nog eens over zijn voorrecht te beginnen, als hij durfde.

'Sta op!' besloot zij. 'En maak dat je hier wegkomt, tenzij je wil dat ik iets wanhopigs doe.'

Mijnheer Bumble verhief zich met een droevig gezicht en vroeg zich af, waaruit dat wanhopige dan wel kon bestaan. Hij raapte zijn hoed op en schoot de deur uit, de voormalige mevrouw Corney als heerseres over het slagveld achterlatend. Hij was geheel overrompeld en volkomen verslagen. Hij had er altijd groot behagen in geschept om anderen af te snauwen; het begaan van kleine wreedheden schonk hem altijd veel bevrediging, en dus was hij (het is onnodig het nog te zeggen) een lafaard. En nu was mijnheer Bumble van de hoogte en praal van zijn gemeentebodeschap teruggevallen in de diepste diepten van een pantoffeloverheersing.

'En dat alles in twee maanden!' zei mijnheer Bumble, verzonken in droevig gepeins. Het was te veel. Hij gaf de jongen die het hek voor hem opende een draai om de oren en liep afwezig de straat op.

Hij liep totdat de inspanning het schrijnendste van zijn smart weggenomen had, en bemerkte toen dat de ommekeer in zijn gevoelens hem dorstig had gemaakt. Hij stond stil voor een kroeg in een zijstraat waarvan de gelagkamer, zoals hij met een haastige blik over de blinden heen zag, verlaten was, op één eenzame bezoeker na. Mijnheer Bumble stapte naar binnen, en nadat hij in het voorbijgaan aan de tap iets te drinken had besteld, betrad hij de ruimte die hij van buiten reeds gezien had.

De man, die daar zat, was lang en donker en droeg een wijde cape. Hij zag eruit als een vreemdeling en te oordelen naar zijn stoffige kleren scheen hij een lange reis achter de rug te hebben. Hij verwaardigde zich nauwelijks met zijn hoofd te knikken om mijnheer Bumbles groet te beantwoorden. Mijnheer Bumble bezat waardigheid genoeg voor twee, en dronk daarom zijn gin met water in stilte.

Het gebeurde echter dat mijnheer Bumble zo af en toe de sterke neiging voelde om een steelse blik op de vreemdeling te werpen, en steeds wanneer hij dat deed, keek hij enigszins verward weer de andere kant op omdat hij tot de ontdekking kwam dat de vreemdeling op dat ogenblik een steelse blik op hem wierp. De vreemdeling had heldere, scherpe ogen, maar zijn blik was afstotend door de woestheid en argwaan die eruit spraken. Toen hun ogen elkaar op deze wijze verscheidene keren ontmoet hadden, verbrak de vreemdeling met een ruwe, lage stem de stilte.

'Zocht u mij,' vroeg hij, 'toen u naar binnen gluurde?'

'Daar ben ik mij niet van bewust, of bent u soms mijnheer...'
Op dat punt zweeg mijnheer Bumble abrupt, want hij was nieuwsgierig naar de naam van de vreemdeling.

'Ik hoor al dat het niet zo was,' zei de vreemdeling, met een flauwe trek van sarcasme om zijn mond, 'anders zou u mijn naam geweten hebben. Ik raad u aan er ook maar niet naar te informeren.'

'Ik had geen kwaad in de zin, jongeman,' merkte mijnheer Bumble majesteitelijk op.

'Ik geloof dat ik u al eens eerder gezien heb,' zei de vreemdeling, na een pauze. 'Ik ben u alleen maar eens op straat tegengekomen, maar ik zou u altijd herkennen. U bent hier bode geweest, nietwaar?'

'Ja,' beaamde mijnheer Bumble, enigszins verrast, 'gemeentebode.'

'Juist,' hernam de ander, en knikte. 'Wat bent u nu?'

'Vader van het armenhuis, jongeman,' antwoordde mijnheer Bumble met nadruk, om elke ongepaste familiariteit van de vreemdeling al bij voorbaat te verhinderen.

'Ik twijfel er niet aan of u jaagt nog altijd even hard uw eigen belangen na als vroeger!' zei de vreemdeling, en keek mijnheer Bumble strak in de ogen. 'Spreek vrijuit, man, ik ken u vrij goed, ziet u.'

'Ik veronderstel,' antwoordde mijnheer Bumble, met zichtbare verbazing, 'dat een getrouwd man er niet meer bezwaar tegen hoeft te hebben een eerlijke duit te verdienen dan een ongetrouwde. Gemeenteambtenaren worden nu niet zo goed betaald, dat ze zich kunnen veroorloven een extraatje af te slaan wanneer hen dat op een aannemelijke en beleefde wijze wordt aangeboden.'

De vreemdeling glimlachte en knikte opnieuw, alsof hij daarmee wilde zeggen, dat hij zich niet in zijn man vergist had. Daarop belde hij. 'Vul dit glas nog eens,' zei hij, de waard het lege glas van mijnheer Bumble aanreikend. 'Goed heet en sterk. Zo hebt u het 't liefst, veronderstel ik?'

'Niet te sterk,' antwoordde mijnheer Bumble met een bescheiden kuchje.

'Je begrijpt wel wat dat wil zeggen, waard!' zei de vreemdeling.

De waard glimlachte, verdween en kwam even later terug met een kroes waar de damp afsloeg. De eerste slok deed mijnheer Bumble de tranen in de ogen schieten.

'Luister nu,' zei de vreemdeling. 'Ik ben naar deze stad gekomen om u te spreken, en door een groot toeval wandelt u het vertrek binnen waarin ik zit. Ik wil enkele inlichtingen van u. Ik vraag u niet om die voor niets te geven. Steek dat om te beginnen bij u.'

Terwijl hij dit zei, schoof hij over de tafel een paar goudstukken naar zijn metgezel toe. Nadat mijnheer Bumble ze in zijn vestzak had weggeborgen, ging de vreemdeling verder: 'Ga in uw geheugen – laat eens zien – tien of elf jaar terug. Het seizoen – de winter. Het toneel – het armenhuis. De tijd – 's nachts. En de plaats – dat ellendige hol, waarin verachtelijke slonzen jankende kinderen baarden, die op kosten van de gemeente grootgebracht moesten worden, waarna ze, vervloekt zullen ze zijn, schande met zich meenamen in het graf!'

'De kraamkamer, veronderstel ik!' vroeg mijnheer Bumble.

'Ja,' zei de man. 'Daar is een jongen geboren.'

'Een groot aantal jongens,' merkte mijnheer Bumble moedeloos op.

'Ik heb het over één,' riep de vreemdeling uit. 'Een onderdanig uitziend, bleek mormel, dat hier in de leer werd gedaan bijeen doodkistenmaker – en later naar Londen is weggelopen.'

'O, u bedoelt Oliver! Die jonge Twist!' zei mijnheer Bumble. 'Ik herinner me hem. Er bestond geen obstinater jonge rekel…'

'Het gaat niet om hem; over hem heb ik al genoeg gehoord,' zei de vreemdeling. 'Het gaat om een vrouw; het oude wijf, dat zijn moeder verpleegde. Waar is die?'

'Waar ze is?' zei mijnheer Bumble, die door zijn gin-groc grappig begon te worden. 'Dat zal moeilijk te zeggen zijn. Waar zij zich op het ogenblik bevindt bestaat geen verloskunde, dus ik denk dat ze in ieder geval werkeloos is.'

'Wat bedoelt u?' wilde de vreemdeling weten.

'Dat ze verleden winter gestorven is,' antwoordde mijnheer Bumble.

De man keek hem strak aan. Hij scheen het er een tijdlang niet met zichzelf over eens te zijn of hij zich door dit bericht nu opgelucht, dan wel teleurgesteld moest voelen; maar uiteindelijk zei hij dat het er ook niet zo erg veel toe deed.

Maar mijnheer Bumble was sluw genoeg om te begrijpen dat zich hier een gelegenheid voordeed om een geheim, dat zich in het bezit van zijn vrouw bevond, voordelig van de hand te doen. Zijn vrouw had hem iets over Sally's dood verteld en hoewel ze hem nooit deelgenoot had gemaakt van Sally's bekentenis, had hij er genoeg over gehoord om te weten dat het ging over de laatste ogenblikken van Oliver Twists moeder. Hij haalde zich nu alles zo goed mogelijk voor de geest en deelde de vreemdeling met een geheimzinnig air mee, dat één vrouw bij het sterfbed van de oude feeks aanwezig geweest was en dat die wel enig licht kon werpen op de kwestie.

'Hoe kan ik haar vinden?' vroeg de vreemdeling, die duidelijk liet merken dat zijn angsten (waardoor die ook veroorzaakt werden) door dit nieuws toenamen.

'Alleen door mijn bemiddeling,' antwoordde mijnheer Bumble.

'Wanneer?' riep de vreemdeling.

'Morgen,' zei Bumble.

'Om negen uur 's avonds,' zei de vreemdeling, terwijl hij een vodje papier tevoorschijn haalde en er een adres opschreef. 'Breng haar daar bij mij. Ik hoef je niet te zeggen dat je dit geheim moet houden. Het is in je eigen belang.'

Met deze woorden liep hij naar de deur. Mijnheer Bumbles bemerkte dat er geen naam op het briefje stond.

'Naar wie moet ik vragen?' vroeg hij.

'Monks!' antwoordde de man, waarna hij haastig vertrok.

Het was een sombere zomeravond met een betrokken lucht. De dichte wolken, waaruit reeds dikke regendruppels vielen, voorzegden een hevig onweer, toen mijnheer en mevrouw Bumble de hoofdstraat van de stad verlieten en de richting insloegen van een kleine groep verspreide, vervallen huisjes, gebouwd op een stuk moerasgrond, vlak langs de rivier. De echtgenoot droeg een lantaarn die niet brandde, en beende, een paar passen voor zijn gade uit, naar hun bestemming.

Sedert geruime tijd al stond deze buurt bekend als de woonplaats van lage schurken, wier voornaamste bron van inkomsten bestond uit diefstal en andersoortige misdaad. In het hart ervan stond een groot gebouw, waarin vroeger een fabriek gevestigd was geweest, maar dat reeds lang tot een ruïne was vervallen. Ratten, wormen en de inwerking van vocht hadden de palen waarop het gebouwd was aangetast en doen verrotten, waardoor een groot gedeelte ervan alreeds in het water weggezakt was, terwijl de rest, die zich nog boven de donkere stroom in evenwicht hield, op een gunstige gelegenheid scheen te wachten om het voorbeeld te volgen.

Terwijl de eerste donderslag in de verte door de lucht rolde en de regen met stromen begon neer te vallen, stond het waardige paar voor dit vervallen geheel stil.

'Hier moet het ongeveer zijn,' zei Bumble, het stukje papier in zijn hand raadplegend.

'Hallo daar!' riep een stem van boven. 'Ik kom direct bij jullie.'

'Is dat die man?' vroeg de echtgenote van mijnheer Bumble.

Mijnheer Bumble knikte.

'Denk dan om wat ik je gezegd heb,' zei de Moeder, 'en zeg zo weinig mogelijk, anders verraad je ons meteen.'

Mijnheer Bumble, die het gebouw met spijtige blik gadesloeg, stond juist op het punt om uitdrukking te geven aan enige twijfels aangaande de raadzaamheid om met de onderneming door te gaan, toen hem daartoe de mogelijkheid ontnomen werd door de verschijning van Monks die vlakbij hem een deurtje openmaakte.

'Kom!' riep hij ongeduldig. 'Laat me hier niet staan wachten!'

Ze gingen naar binnen. De man gebaarde hem te volgen en

ging hun voor, een ladder op. Een lantaarn, die aan een touw van de zoldering neerbungelde, wierp een vaag licht op een oude tafel en drie stoelen, die eronder stonden.

'Nu,' zei Monks, nadat ze alle drie waren gaan zitten, 'hoe eerder we ter zake komen, hoe beter voor ons allemaal. De vrouw weet toch waar het over gaat, nietwaar?'

De vraag werd gericht tot mijnheer Bumble, maar zijn vrouw gaf te kennen, dat zij er volkomen van op de hoogte was.

'Het is dus juist, dat u bij die ouwe feeks was, de nacht dat ze stierf, en dat ze u iets verteld heeft...'

'Over de moeder van de jongen, wiens naam u hebt genoemd,' vulde de Moeder, hem in de rede vallend, aan. 'Ja.'

'De eerste vraag is van welke aard haar mededeling was,' zei Monks.

'Dat is de tweede vraag,' wierp de vrouw bedachtzaam tegen. 'De eerste is wat die mededeling waard zou zijn.'

'Wie, voor den duivel, kan dat nou zeggen zonder te weten wat die mededeling inhoudt?' zei Monks.

'Niemand beter dan u, daar ben ik zeker van,' antwoordde mevrouw Bumble, die geen gebrek aan geestkracht bezat, hetgeen haar huwelijkspartner volmondig kon betuigen.

'Hm!' zei Monks veelbetekenend. 'Er valt hier geld te maken, hè? Iets dat van haar afgenomen werd? Iets dat ze droeg... iets...'

'U kunt beter met een bod komen,' viel mevrouw Bumble hem in de rede. 'Ik heb al genoeg gehoord om te weten, dat u de man bent met wie ik moet praten.'

Mijnheer Bumble, die door zijn betere helft nog niet verder in het geheim was ingewijd, luisterde naar deze dialoog met de grootste verbazing, die zo mogelijk nog groter werd toen Monks vroeg welke som voor de onthulling van het geheim geëist werd.

'Wat is het u waard?' vroeg de vrouw beheerst.

'Misschien niets, misschien twintig pond,' antwoordde Monks. 'Zeg op, laat me weten wat het wordt.'

'Geef me vijfentwintig pond,' zei de vrouw. 'Dan vertel ik u alles wat ik weet. Niet eerder. Zoveel is dat nou ook niet.'

'Niet veel voor een miserabel geheim, dat misschien niets waard blijkt te zijn, wanneer het verteld is!' riep Monks ongeduldig uit, 'en dat betrekking heeft op iets, dat al tien jaar, of langer geleden gebeurd is?'

'Zulke dingen blijven goed en verdubbelen, net als met wijn soms het geval is, in de loop van de tijd van waarde,' antwoordde de Moeder, die in haar onverschillige houding volhardde.

'En als ik het voor niets betaal?' vroeg Monks, aarzelend.

'U kunt het me gemakkelijk genoeg weer afnemen,' antwoordde de Moeder. 'Ik ben maar een vrouw – alleen en onbeschermd.'

'Niet alleen, lieve, en ook niet onbeschermd,' sprak mijnheer Bumble, met een stem die trilde van vrees. 'En bovendien is mijnheer Monks te veel heer om te proberen geweld te gebruiken tegen personen die in gemeentedienst zijn. Mijnheer Monks is zich ervan bewust, dat ik geen jongeman meer ben, lieve, en dat mijn krachten enigszins aan het afnemen zijn. Maar mijnheer Monks heeft ongetwijfeld ook gehoord, lieve, dat ik een zeer vastberaden ambtenaar ben met een buitengewone kracht, wanneer ik werkelijk kwaad word. Ik moet alleen een beetje opgepord worden, dat is alles.'

Terwijl mijnheer Bumble deze woorden sprak, deed hij een zielige poging zijn lantaarn met woeste vastberadenheid in de hand te nemen, waarbij hij, door de angst die uit al zijn gelaatstrekken sprak, duidelijk toonde dat hij inderdaad een beetje opgepord diende te worden als hij een vijandelijke aanval wilde plegen.

'Je bent een dwaas,' zei mevrouw Bumble. 'En je kunt beter je mond houden.'

'Zo! Dus hij is uw man, hè?' zei Monks grimmig. 'Zoveel te beter; ik vind het altijd wat prettiger met twee mensen te onderhandelen wanneer ik zie dat ertussen hun geen verschil van mening bestaat. Het is mij ernst. Kijk eens hier!'

Hij stak zijn hand in zijn zijzak, trok een linnen buideltje tevoorschijn, telde daaruit vijfentwintig gouden sovereigns op tafel uit en schoof ze naar de vrouw toe.

'Nou,' zei hij, 'pak ze op en laat me uw verhaal 'ns horen.'

De gezichten van de drie mensen raakten elkaar bijna, toen de twee mannen, in hun verlangen niets te missen van het gefluister van de vrouw, zich over het tafeltje heen bogen. Het naargeestige licht van de hangende lantaarn benadrukte de bleekheid van hun trekken, die, omgeven door somberheid en duisternis, een spookachtige indruk maakten.

'Toen de vrouw, die wij ouwe Sally noemden, stierf,' begon

161

de Moeder, 'sprak ze over een jonge vrouw, die enige jaren tevoren een kind ter wereld had gebracht, niet alleen in dezelfde kamer, maar zelfs in hetzelfde bed als dat waarin zij lag te sterven. Het kind was de jongen, wiens naam u gisteravond tegenover hem genoemd hebt.' De Moeder knikte onverschillig in de richting van haar echtgenoot. 'De jonge vrouw werd door de vroedvrouw bestolen. Ze beroofde het lijk van datgene, wat de moeder haar met haar laatste adem verzocht had voor het kind te bewaren.'

'Heeft ze het verkocht?' riep Monks met vertwijfelde gretigheid. 'Waar? Wanneer?'

'Nadat ze me met grote moeite verteld had dat ze zulks inderdaad had gedaan,' zei de Moeder, 'zakte ze achterover en stierf.'

'Zonder verder iets te zeggen?' riep Monks met een stem, die, doordat hij hem zo onderdrukte, nog woedender klonk. 'Het is een leugen! Ik laat niet met me spelen. Ze heeft meer gezegd!'

'Ze heeft geen woord meer geuit,' zei de vrouw onbewogen, 'maar met haar ene hand, die gedeeltelijk gebald was, greep ze mijn jurk vast, en toen ze dood was en ik de hand losmaakte, zag ik dat er een smerig stukje papier in geklemd zat.'

'En daar stond op?' informeerde Monks, terwijl hij zich nog verder voorover boog.

'Het was een lommerdbriefje,' hernam de vrouw. 'Over twee dagen zou het verlopen zijn. En daar ik meende dat het nog wel eens te pas kon komen, loste ik het in.'

'Waar is het nu?' vroeg Monks snel.

'Hier!' antwoordde de vrouw. En alsof ze blij was ervan verlost te zijn, smeet ze een zakje op tafel. Monks rukte het met bevende handen open. Het bevatte een gouden medaillon, waarin twee lokjes haar en een gouden trouwring zaten.

'Aan de binnenkant staat de naam Agnes gegraveerd,' zei de vrouw. 'Er is ruimte opengelaten voor de achternaam, en dan volgt de datum, ongeveer een jaar voor het kind geboren werd.'

'En is dat alles?' vroeg Monks, nadat hij de inhoud van het zakje nauwkeurig onderzocht had.

'Alles,' antwoordde de vrouw.

Mijnheer Bumble haalde diep adem, alsof het hem verblijdde dat het verhaal uit was, zonder dat er iets gezegd werd over het teruggeven van de vijfentwintig pond, en hij vond de moed om de zweetdruppels die op zijn neus parelden, af te vegen.

'Ik weet verder niets van het verhaal, behalve dat wat ik kan raden,' zei zijn vrouw na een korte pauze tegen Monks. 'En ik wil verder ook niets weten, want dat lijkt mij veiliger. Maar mag ik u twee vragen stellen?'

'Vragen mag u,' zei Monks enigszins verwonderd, 'maar of ik antwoord geef, dat is nog zeer de vraag.'

'Is dat hetgene wat u van mij verwachtte te krijgen?'

'Ja,' gaf Monks toe. 'De tweede vraag?'

'Wat bent u van plan ermee te doen? Kan het tegen mij gebruikt worden?'

'Nooit,' verzekerde Monks, 'noch tegen mij. Kijk!'

Met deze woorden schoof hij plotseling de tafel opzij en trok een groot luik open, vlak voor de voeten van mijnheer Bumble, waarop deze heer met grote haast verscheidene passen achteruit deed.

'Kijk naar beneden,' zei Monks, terwijl hij de lantaarn in het zwarte gat neerliet. 'Wees niet bang voor me. Als ik het gewild had, dan had ik jullie heel rustig naar beneden kunnen laten zakken, toen jullie erop zaten.'

Aldus aangemoedigd waagde de Moeder zich tot aan de rand en zelfs mijnheer Bumble, gedreven door nieuwsgierigheid, deed hetzelfde. De woeste rivier, gezwollen door de zware regenval, joeg snel onder hen heen, kolkend en schuimend tegen de groene, slijmerige palen.

'Als je daar het lichaam van een man ingooide, waar zou het dan morgenochtend zijn?' vroeg Monks, de lantaarn in de donkere put heen en weer zwaaiend.

'Twintig kilometer stroomafwaarts,' antwoordde Bumble, die bij de gedachte alleen al in elkaar kromp.

Monks haalde het kleine pakje uit zijn hemd, waarin hij het haastig weggestopt had, en nadat hij het met een stuk lood, dat op de grond lag, had verzwaard, liet hij het in de stroom vallen. Het viel recht naar beneden, kliefde het wateroppervlak met een nauwelijks hoorbare plons, en verdween. De drie keken elkaar aan en schenen vrijer adem te halen.

'Ziezo!' zei Monks, terwijl hij het luik weer sloot. 'De zee mag dan haar doden teruggeven, zoals het in de boeken staat, maar goud houdt zij voor zichzelf, en het medaillon ook. We kunnen ons aangenaam samenzijn nu wel beëindigen.'

'Met genoegen,' zei mijnheer Bumble, grotelijks bereidwillig.

'U houdt uw mond toch wel, hè?' zei Monks, met een dreigende blik. 'Voor uw vrouw ben ik niet bang.'

'Je kunt op me vertrouwen, jongeman,' antwoordde mijnheer Bumble, zich al buigend in de richting van de ladder bewegend.

'Ik ben blij voor u om dat te horen,' merkte Monks op. 'En maak nu dat je zo gauw mogelijk wegkomt.'

Het was maar gelukkig dat het gesprek hier eindigde, want anders zou mijnheer Bumble, die buigend tot op vijfentwintig centimeter van de ladder geraakt was, ongetwijfeld pardoes naar beneden gevallen zijn in de kamer eronder. Hij stak zijn lantaarn aan, deed verder geen poging meer het gesprek te rekken, en klom zwijgend de ladder af, gevolgd door zijn vrouw. Monks vormde de achterhoede. Ze liepen langzaam door de kamer op de benedenverdieping – mijnheer Bumble, die zijn lantaarn zo'n dertig centimeter boven de grond hield, liep opmerkelijk voorzichtig, terwijl hij zenuwachtig om zich heen speurde naar verborgen valluiken.

De deur, via welke ze binnengekomen waren, werd zachtjes door Monks ontsloten, en na een knik gewisseld te hebben met hun geheimzinnige kennis, verdween het echtpaar in de vochtige duisternis buiten.

17

Op de avond, volgende op die waarop onze drie waarde vrienden hun kleine zakelijke aangelegenheid afdeden, ontwaakte mijnheer William Sikes uit een dutje en informeerde grauwend en slaperig hoe laat het was.

De kamer waarin mijnheer Sikes deze vraag stelde, was niet dezelfde als waarin hij gewoond had vóór de tocht naar Chertsey, hoewel zij niet ver van zijn vroeger adres gelegen was. Het was een erg bekrompen vertrek, slechts verlicht door een klein raampje in de plankenzoldering. Er waren nog verdere tekenen die erop wezen dat onze vriend de laatste tijd niet zo goed was gevaren, want de schaarsheid van het meubilair en linnengoed en zijn weinige kleren wezen op een toestand van uiterste armoede. Het voorkomen van mijnheer Sikes zelf bevestigde deze symptomen. Hij lag op bed, gewikkeld in zijn grijze overjas. Zijn gezicht was er door een lijkachtige kleur, door ziekte daarop nagelaten, niet mooier op geworden en deze vergelijking werd nog versterkt door een smerige slaapmuts en een ruige, zwarte baard van een week. De hond zat naast zijn bed, nu eens zijn meester aankijkend, dan weer de oren spitsend en grommend als een geluid op straat zijn aandacht trok. Bij het raam zat een vrouw, bezig een oud vest te herstellen. Ze was zo bleek en vermagerd door de ontberingen, dat het uiterst moeilijk geweest zou zijn in haar dezelfde Nancy te herkennen, die we al eerder in dit verhaal zijn tegengekomen, als we haar stem niet gehoord hadden toen ze antwoord gaf op de vraag van mijnheer Sikes.

'Even over zeven,' zei het meisje. 'Hoe voel je je, Bill?'

'Slap als een vaatdoek,' antwoordde mijnheer Sikes met een vloek. 'Hier, help me een handje om op te staan van dat verdomde bed.'

De ziekte had mijnheer Sikes' humeur er niet op vooruit doen gaan, want toen het meisje hem hielp opstaan en naar een

165

stoel leidde, schold hij haar uit en sloeg haar.

'Grienen, hè?' zei Sikes. 'Vooruit! Sta niet te snotteren. Hoor je me?'

'Waarom ben je vanavond zo hard tegen me, Bill?' vroeg het meisje met iets van tederheid. 'Zovele nachten heb ik je verpleegd en voor je gezorgd, en dit is de eerste avond dat je weer jezelf bent. Als je daaraan gedacht had, dan zou je me niet zo behandeld hebben als daarnet, wel? Zeg dat je het niet gedaan zou hebben.'

'Goed dan. Nee, ik zou het niet gedaan hebben. Maar sta nu op en doe je werk, en kom me niet weer aan met die vrouwennonsens.'

Bij elke andere gelegenheid zou dit vertoog de gewenste uitwerking gehad hebben; maar het meisje, werkelijk zwak en uitgeput, zonk weer in een stoel neer, liet haar hoofd hangen en viel flauw, nog voor mijnheer Sikes enige gepaste vloeken had kunnen uiten. Omdat hij niet goed wist, wat hij in zo'n ongewoon noodgeval moest doen, probeerde mijnheer Sikes het eerst met enige godslastering en toen hij merkte dat die remedie niet de minste uitwerking had, riep hij om hulp.

'Wat is hier aan de hand, mijn beste?' vroeg Fagin, die naar binnen keek.

'Help me even met 't meisje, wil je,' zei Sikes ongeduldig.

Met een uitroep van verrassing schoot Fagin haastig te hulp, terwijl mijnheer Jack Dawkins (alias de Gladde), die zijn achtenswaardige vriend de kamer in was gevolgd, haastig een bundel die hij torste op de grond zette, waarna hij jongeheer Charley Bates, die hem vlak op de hielen zat, een fles uit de hand rukte, met zijn tanden de kurk eraf trok en een gedeelte van de inhoud in de mond van de patiënt goot, nadat hij eerst zelf een slok genomen had om vergissingen uit te sluiten.

'Bezorg haar eens een beetje frisse lucht met de blaasbalg, Charley,' zei mijnheer Dawkins, 'en sla jij op haar handen, Fagin, terwijl Bill haar rok losmaakt.'

Deze gezamenlijke pogingen, met grote voortvarendheid uitgevoerd, hadden al gauw het gewenste resultaat. Langzaam kwam het meisje weer tot zich, wankelde naar een stoel bij het bed, verborg haar gezicht in het kussen en liet het aan mijnheer Sikes over zijn bezoekers verder te woord te staan.

'Welke slechte wind blaast jou hierheen?' vroeg hij aan Fagin, verbaasd over hun onverwachte komst.

'Helemaal geen slechte wind, mijn beste, want ik heb iets meegebracht waar je blij mee zult zijn. Gladde, beste jongen, maak die bundel open en geef Bill de spulletjes waar we vanmorgen ons geld aan hebben uitgegeven.'

De Gladde opende het pak en overhandigde één voor één de artikelen die erin zaten aan jongeheer Charley Bates, die ze op tafel zette.

'Wat een konijnenpastei, Bill,' riep deze uit, terwijl hij een geweldige pastei uitpakte. 'En hier een half pond thee van zeven shilling sixpence. Anderhalf pond suiker, twee halve ponds-broden, een pond goeie boter, een stuk dubbele Gloucesterkaas en als de klap op de vuurpijl wat van de beste soort die je ooit geproefd hebt!' Onder het uitspreken van deze laatste loftuiting toverde jongeheer Bates een grote fles wijn tevoorschijn, terwijl mijnheer Dawkins een glas vol rum schonk uit een fles die hij bij zich had, welke de zieke zonder een ogenblik te aarzelen achteroversloeg.

'Ah!' zei Fagin, zich met voldoening in de handen wrijvend, 'nou kun je weer voort, Bill, nou kun je weer voort.'

'Voort!' riep mijnheer Sikes uit. 'Ik had al twintig keer dood kunnen zijn, voordat jij iets gedaan zou hebben om me te helpen. Waarom heb je me drie weken en nog langer in zo'n toestand alleen gelaten? Jij gemene zwerver! Als het meisje er niet was geweest, dan was ik misschien wel kapotgegaan.'

'Hoor hem nou toch, jongens!' zei Fagin schokschouderend. 'En nou komen we hem nog wel al die heerlijke dingen brengen!'

'Die dingen zijn op zichzelf best lekker,' zei mijnheer Sikes, wat milder gestemd toen hij nog eens over de tafel keek. Hij sneed een stuk pastei af, dat hij wegspoelde met flinke slokken drank. 'Maar ik moet vanavond wat poen van je hebben.'

'Ik heb geen rooie cent bij me,' reageerde Fagin.

'Maar thuis heb je genoeg,' wierp Sikes tegen. 'Ik moet vanavond wat hebben, en daarmee basta.'

'Goed dan,' zuchtte Fagin, 'ik stuur de Gladde straks wel.'

'Daar komt niets van in,' hernam mijnheer Sikes. 'De Gladde is veel te glad. Nancy komt wel naar je hol om het te halen.'

Na een heleboel gepingel bracht Fagin mijnheer Sikes ertoe om in plaats van met vijf pond, met drie pond vier shilling en sixpence genoegen te nemen. Daarna keerde hij, vergezeld door Nancy en de jongens, naar huis terug, terwijl mijnheer

Sikes weer naar bed ging om te slapen tot het meisje terug-kwam.

Al gauw bereikten zij Fagins huis, waar zij Toby Crackit en mijnheer Chitling troffen, zeer verdiept in hun vijftiende kaartspelletje.

'Is er niemand geweest, Toby?' vroeg Fagin.

'Geen levende ziel,' antwoordde mijnheer Crackit. 'Het is hier zo saai geweest als 'n kerkhof.' Met deze woorden streek mijnheer Crackit zijn winst op, en beende zwierig de kamer uit.

'Ah!' riep Tom Chitling, 'hij heeft me uitgekleed, maar ik kan wel weer wat nieuw geld verdienen, nietwaar, Fagin?'

'Natuurlijk kun je dat; en hoe eerder hoe liever, Tom; dus ver-lies verder geen tijd. Gladde! Charley! Het is tijd om op pad te gaan. Voort! Het is al bij tienen en er is nog niets gedaan.'

Gehoorzamend aan deze wenk knikten de jongens tegen Nan-cy, pakten hun hoed en verlieten de kamer.

'Mooi,' zei de jood. 'Ik zal even het geld voor je halen, Nancy. Dit is alleen maar de sleutel van een kastje, waarin ik een paar kleinigheden bewaar die de jongens zo af en toe krijgen, liefje. Ik sluit m'n geld nooit weg, want ik heb niets om weg te slui-ten, kindje. Ha! Ha! Ha! Het is een armzalig vak, Nancy, maar ik zie graag jonge mensen om me heen; en ik verduur het alle-maal – ik verduur het allemaal. Sst!' zei hij, terwijl hij haastig de sleutel in zijn hemd verborg, 'wie is dat? Luister!'

Het meisje scheen er absoluut geen belang in te stellen of er iemand kwam of ging, tot het gemompel van een mannen-stem haar oren bereikte. Toen rukte ze bliksemsnel haar hoed en sjaal af en gooide ze onder tafel, een klacht over de hitte uitend. Maar Fagin had niets gezien, want hij stond met zijn rug naar haar toe.

'Bah!' fluisterde hij, alsof hij zich ergerde over deze storing, 'het is de man, die ik al eerder verwachtte; hij komt naar bene-den. Geen woord over het geld zolang hij hier is, Nancy.'

Fagin legde zijn benige wijsvinger tegen zijn lippen en liep met een kaars naar de deur. De bezoeker kwam zo haastig de kamer binnen, dat hij al vlak voor het meisje stond voor hij haar opmerkte.

Het was Monks.

'Een van mijn jonge mensen,' zei Fagin, toen hij zag dat Monks achteruit deinsde bij het zien van een vreemde.

'Beweeg je niet, Nancy.'

Het meisje trok haar stoel dichter bij de tafel en keek Monks onverschillig aan; maar toen hij zich tot Fagin wendde, bekeek ze hem nogmaals heimelijk, scherp, onderzoekend en doelbewust.

'Nog nieuws?' informeerde Fagin.

'Geweldig nieuws,' antwoordde Monks glimlachend. 'Dit keer ben ik eens op tijd. Ik wil je onder vier ogen spreken.'

Fagin wees naar boven en nam Monks mee de kamer uit. Uit het kraken van de planken kon Nancy opmaken dat hij zijn bezoeker naar de tweede verdieping leidde.

Nog voor het geluid van hun stappen opgehouden had door het huis te weerklinken, deed het meisje haar schoenen uit, glipte de deur door, besteeg de trap en verdween in de duisternis daarboven.

Een kwartier bleef de kamer leeg; toen sloop het meisje met dezelfde zachte tred weer naar binnen en onmiddellijk daarna kon men de twee mannen naar beneden horen komen. Monks liep onmiddellijk door naar de voordeur en Fagin stommelde weer naar boven voor het geld. Bij zijn terugkomst trok het meisje haar sjaal recht en zette haar hoed op.

'Hé, Nancy,' riep de oude uit, zette de kaars neer en deed een paar passen achterwaarts. 'Wat ben je bleek! Wat heb je uitgevoerd?'

'Zover ik weet niets; alleen voor ik weet niet hoe lang in deze bedompte kamer gezeten,' antwoordde het meisje onverschillig. 'Vooruit! Laat me teruggaan, dan ben je lief!'

Met een zucht bij elk geldstuk telde Fagin het bedrag uit in haar hand. Ze namen zonder verder nog iets te zeggen afscheid.

Toen het meisje de straat had bereikt ging ze op een stoep zitten en scheen enkele ogenblikken volkomen van haar stuk te zijn. Plotseling sprong ze op en haastte zich voort in een richting die geheel tegengesteld was aan die waarin Sikes op haar terugkomst wachtte.

Ze versnelde haar pas, tot ze ten slotte voort rende. Nadat ze zich zo volkomen uitgeput had, stond ze stil om adem te scheppen, wrong zich de handen en barstte in tranen uit.

Wellicht realiseerde ze zich op dat moment ten volle in welk een hopeloze toestand ze zich bevond. Hoe dan ook, ze draaide zich om en haastte zich in de tegenovergestelde richting.

En ze bereikte al spoedig het huis, waar ze de inbreker had achtergelaten.

Zo ze al enige opwinding verried toen ze bij mijnheer Sikes binnentrad, dan merkte hij dat in ieder geval niet op. Hij vroeg slechts of ze het geld meegebracht had, en na het bevestigende antwoord uitte hij een tevreden gegrom en hervatte de slaap die door haar komst onderbroken was.

Gelukkig voor haar verzachtte het bezit van geld de volgende dag zijn karakter zodanig, dat hij geen neiging vertoonde om erg kritisch aangaande haar gedrag te zijn. Dat ze afwezig en zenuwachtig was, als iemand die op het punt staat een roekeloze en gewaagde stap te ondernemen, zou de arendsblik van Fagin niet ontgaan zijn; maar mijnheer Sikes bezat niet zo'n scherp opmerkingsvermogen en daar hij bovendien in een ongebruikelijk minnelijk humeur verkeerde, zag hij niets ongewoons in haar gedrag. Bij het vallen van de avond echter, toen ze zat te wachten tot de inbreker zich in slaap dronk, waren haar wangen zo bleek en schitterden haar ogen zo koortsachtig, dat het zelfs Sikes opviel.

'Wel, verdorie!' zei hij, terwijl hij het meisje aanstaarde. 'Je ziet eruit als een levend lijk. Wat is er aan de hand?'

'Niets,' antwoordde het meisje. 'Waarom staar je me zo aan?'

'Ik zal je vertellen wat het is,' zei Sikes, 'als jij geen koorts hebt, dan zit er iets ongewoons in de wind – ach, welnee, 't moet de koorts wezen.'

Nadat hij zich met deze verzekering gerustgesteld had, dronk Sikes zijn glas leeg, waarna hij, versierd met vele vloeken, om zijn drankje vroeg. Het meisje sprong op, schonk vlug, met haar rug naar hem toe, een glaasje vol en hield dit aan zijn lippen, terwijl hij de inhoud opslokte. Sikes viel achterover op het kussen. Zijn ogen vielen dicht en gingen weer open. Hij woelde rusteloos, dommelde wat en schoot weer overeind, en plotseling, op het punt om op te staan, werd hij als het ware geslagen door een diepe, zware slaap.

Haastig zette het meisje haar hoed op en sloeg haar sjaal om, terwijl ze telkens angstig rondkeek, alsof ze, in weerwil van het slaapdrankje dat ze in het geneesmiddel had gedaan, ieder ogenblik de zware hand van Sikes op haar schouder verwachtte te voelen. Ze boog zich zachtjes over het bed en kuste de inbreker op de lippen, waarna ze geruisloos de deur van de kamer opende en weer sloot, en zich snel naar buiten begaf.

Ze repte zich door de straten, haar weg zoekend naar het Londense West End. Ruim een uur later bereikte ze haar bestemming. Dit was een familiehotel in een rustige, deftige straat nabij Hyde Park. De klok sloeg elf uur toen het heldere licht van de lamp, die voor de ingang brandde, haar de weg wees. Ze liep de hal binnen en keek onzeker om zich heen.

'Wel, jongedame!' zei een keurig geklede vrouw, die uit een kantoortje achter haar kwam. 'Wat kom je hier doen?'

'Ik zoek een dame die hier logeert, juffrouw Maylie,' antwoordde Nancy.

De jonge vrouw, die nu pas opmerkte hoe Nancy eruitzag, gaf als enig antwoord een blik van hautaine minachting, waarna ze een kelner riep om de bezoekster verder te woord te staan. Tegenover hem herhaalde Nancy haar verzoek.

'Wie kan ik zeggen?' vroeg de kelner.

'Het heeft geen nut een naam te noemen,' antwoordde Nancy. 'Ik moet de juffrouw spreken.'

'Vooruit,' zei de man, haar in de richting van de deur duwend, 'daar komt niets van in! Maak dat je wegkomt!'

'Als je me eruit wil hebben, dan zul je me moeten dragen,' zei het meisje fel. 'Is hier niemand die een eenvoudige boodschap wil overbrengen voor een arme stumper als ik?'

Dit beroep had uitwerking op een zachtmoedige kok, die tussenbeide kwam, en het resultaat was, dat de kelner beloofde naar boven te gaan. 'Wat moet ik zeggen?' vroeg hij, met één voet op de trap.

'Dat een jonge vrouw dringend verzoekt juffrouw Máylie alleen te spreken,' zei Nancy, 'en dat, als ze maar één woord gehoord heeft van hetgeen ik te zeggen heb, ze reeds zal weten of ze me verder moet aanhoren of me eruit moet laten zetten.'

'Nou zeg,' zei de man, 'nu overdrijf je toch.'

Hij spoedde zich naar boven en kwam even later terug met de boodschap dat ze verwacht werd. Nancy volgde de man met knikkende knieën naar een kleine antichambre waar hij haar alleen liet.

Nancy had haar leven vergooid in de luidruchtigste bordelen en kroegen van Londen; niettemin bezat zij nog iets van de echt vrouwelijke natuur. Toen ze achter de deur een lichte voetstap hoorde naderen en dacht aan het grote contrast dat over enkele ogenblikken in dit kamertje te aanschouwen zou zijn, ging ze gebukt onder het bewustzijn van haar eigen schaamte, en ze kromp in elkaar, alsof ze de tegenwoordigheid van haar die ze te spreken gevraagd had, haast niet verdragen kon.

Maar tegen deze betere gevoelens kwam haar trots in het geweer. Zelfs deze vervallen metgezellin van dieven en schurken voelde zich te trots om haar zwakke vrouwelijke gevoelens te tonen, omdat zij dacht dat dit zwakheid was.

Ze sloeg haar ogen ver genoeg op om te zien dat de persoon die binnenkwam een slank en mooi meisje was; vervolgens gooide ze het hoofd met voorgewende onverschilligheid in de nek en zei: 'Het is moeilijk om u te spreken te krijgen, juffrouw. Als ik me beledigd gevoeld had en weggegaan was, zoals vele anderen gedaan zouden hebben, dan zou het u op een dag gespeten hebben.'

'Het doet me leed als iemand zich ruw jegens u heeft gedragen,' antwoordde Rose. 'Maar vertel me waarom u me te spreken hebt gevraagd.'

De vriendelijke toon van dit antwoord, de aardige manier van optreden en het volkomen ontbreken van hooghartigheid overrompelden het meisje geheel en ze barstte in tranen uit.

'O, juffrouw, juffrouw!' zei ze, de handen ineenslaand, 'als er meer mensen waren zoals u, dan zouden er minder zijn zoals ik.'

'Ga zitten,' zei Rose ernstig. 'Als u geld nodig hebt of in moeilijkheden zit, dan zal ik werkelijk blij zijn als ik u kan helpen – heus, dat meen ik.'

'Laat me maar liever staan, juffrouw,' zei het meisje nog steeds huilend, 'en spreek niet zo vriendelijk tegen me, voor u me beter kent. Ik ben het meisje dat de kleine Oliver terugbracht naar de oude Fagin, op de avond dat hij het huis in Pentonville verliet.'

'U!' zei Rose Maylie.

'Ik, juffrouw. Ik ben het ellendige schepsel, waarover u wel gehoord zult hebben, dat tussen dieven leeft en nooit een beter leven of een vriendelijker woord heeft gekend dan zij mij waard vonden. God sta me bij! U mag gerust openlijk voor mij terugdeinzen, juffrouw, ik ben eraan gewend. Maar dank de hemel, dat u nooit te midden van honger en kou, ruzie en dronkenschap – en nog erger – hebt verkeerd, zoals ik van mijn geboorte af.'

'Ik beklaag u!' zei Rose met gebroken stem. 'Het benauwt mijn hart naar u te luisteren!'

'De hemel zegene u voor uw goedheid!' hernam het meisje. 'Ik moet u nu zeggen dat ik mijn leven, en dat van anderen, in uw handen leg. Want ik ben weggeglipt van hen, die me zeker zouden vermoorden als ze wisten dat ik hier was, om u te vertellen wat ik heb afgeluisterd. Kent u een man die Monks heet?'

'Nee,' antwoordde Rose.

'Hij kent u wel,' zei het meisje, 'en hij weet, dat u hier bent, want doordat ik hem hoorde vertellen waar u logeerde, kon ik naar u toe komen. Een tijd geleden, vlak nadat Oliver in uw huis was gezet in de nacht van de inbraak, heb ik – omdat ik deze man verdacht –een gesprek afgeluisterd dat Fagin en hij in het donker voerden. Uit wat ik hoorde, maakte ik op dat Monks Oliver toevallig met twee van onze jongens gezien had op de dag dat we hem voor de eerste keer kwijtraakten. En hij had direct gezien, dat het een kind was waar hij al een hele tijd naar zocht, hoewel ik niet kon begrijpen waarom. Hij sloot een overeenkomst met Fagin dat deze, als hij de jongen terug wist te krijgen, een zeker bedrag zou ontvangen; en als hij erin slaagde een dief van hem te maken, hetgeen Monks graag wilde, om een reden die hij voor zich hield, dan zou Fagin nog meer krijgen.'

'Om welke reden dan?' vroeg Rose.

'Ik weet het niet,' zei het meisje. 'Maar gisteravond kwam hij weer. Weer gingen ze naar boven, en weer luisterde ik aan de deur. De eerste woorden, die ik Monks hoorde zeggen, waren: "En zo ligt het enige bewijs van de identiteit van de jongen op de bodem van de rivier." Ze lachten en Monks sprak verder over de jongen. Hij raakte erg opgewonden en zei dat hij, hoewel hij het geld van de jonge duivel nou veilig in handen had, toch liever gewild had dat het op een andere manier gegaan was; want wat zou het niet een mop geweest zijn om al het gepoch in het testament van de vader te ontluisteren door de jongen eerst in elke gevangenis van de stad te laten opsluiten en hem daarna te laten hangen voor een of andere zware misdaad, waar Fagin hem gemakkelijk bij had kunnen betrekken, nadat ze eerst een aardig winstje uit hem geslagen hadden.'

'Wat zegt u daar allemaal?' vroeg Rose.

'De waarheid, juffrouw, hoewel die van mijn lippen komt,'

antwoordde het meisje. 'Daarop zei Monks dat hij, als hij zijn haat kon bevredigen door de jongen te doden zonder zijn eigen nek te riskeren, dat zeker zou doen; maar daar dat niet mogelijk was, kon hij door voordeel te trekken uit de geboorte en geschiedenis van de jongen, deze altijd nog veel kwaad berokkenen. 'Kortom, Fagin,' zei hij, 'zelfs jij hebt nog nooit zulke valstrikken gespannen als ik voor mijn broertje Oliver!'

'Zijn broertje!' riep Rose uit.

'Dat waren zijn woorden,' zei Nancy, rusteloos om zich heen kijkend, iets dat ze gedurende het hele gesprek trouwens al deed, omdat ze voortdurend achtervolgd werd door het beeld van Sikes. 'En nog meer. Hij zei, dat het wel door de hemel of door de duivel ten nadele van hem bekokstoofd moest zijn, dat Oliver in uw handen terecht was gekomen; maar dat dit ook zijn goede zijde had, want hoeveel honderdduizenden ponden zou u niet willen geven, als u ze had tenminste, om te weten wie die tweebenige spaniël van u was. Maar het wordt laat, en ik moet zien dat ik thuiskom zonder de verdenking te wekken een boodschap als deze te hebben gedaan. Ik moet nu onmiddellijk...'

'Weg?' zei Rose. 'Maar wat kan ik doen? Wat kan ik met deze mededelingen uitrichten zonder u? Waarom wilt u terug naar zulke mensen. Als u dit hele verhaal nog eens vertelt aan een heer, die in de kamer hiernaast zit, dan kunt u binnen een halfuur ergens veilig zijn ondergebracht.'

'Ik moet terug,' zei het meisje, 'omdat – hoe kan ik u zulke dingen vertellen? – omdat er een man is, de ergste van hen allemaal, die ik niet kan verlaten; nee, zelfs niet om gered te worden van het leven dat ik nu leid. Het is te laat!'

'Het is nooit te laat,' zei Rose, 'voor boetvaardigheid en berouw.'

'Dat is het wel,' kreet het meisje, bevend als gevolg van haar zielenkwelling. 'Ik kan hem nu niet verlaten! Ik wil niet de oorzaak zijn van zijn dood, en als ik anderen vertelde wat ik u verteld heb en dat dan tot zijn arrestatie leidde, dan zou hij zeker sterven. Hij is de laaghartigste en gemeenste van hen allemaal en hij is zo wreed geweest!'

'Is het mogelijk,' riep Rose uit, 'dat u voor zo'n man elke hoop voor de toekomst opgeeft? Dat is dwaasheid!'

'Ik weet niet wat het is,' antwoordde het meisje, 'ik weet alleen dat het zo is. Ik word naar hem teruggetrokken ondanks al het lijden; en ik geloof dat het zelfs nog zo zou zijn, als ik wist dat ik uiteindelijk door zijn hand zou moeten sterven.'

'Wat moet ik doen?' zei Rose. 'Dit geheim moet ontsluierd worden. Hoe kan Oliver, die u toch zo graag wilt helpen, anders voordeel hebben van uw onthulling?'

'U hebt zeker een vriendelijke heer in uw omgeving, die u zal aanraden wat u moet doen,' antwoordde het meisje.

'Maar waar kan ik u vinden, indien ik u weer nodig heb?'

'Wilt u mij beloven, dat u mijn geheim zorgvuldig zult bewaren en dat u alleen komt, of met de enige andere persoon die op de hoogte is; en dat ik niet gevolgd of bespied zal worden?' vroeg het meisje.

'Dat beloof ik plechtig,' antwoordde Rose.

'Elke zondagavond van elf tot twaalf,' zei het meisje zonder aarzelen, 'loop ik op de London Bridge, als ik tenminste nog leef.'

'Wacht nog even,' verzocht Rose, toen Nancy in de richting van de deur liep. 'U zult tenminste toch wel wat geld willen aannemen, opdat u zonder oneerlijkheid verder kunt leven – in ieder geval totdat we elkaar weer ontmoeten?'

'Geen cent,' antwoordde het meisje. 'God zegene u, lieve juffrouw, en moge Hij evenveel geluk op uw hoofd doen neerdalen als ik schande over het mijne gebracht heb!' Luid snikkend keerde het ongelukkige schepsel zich om, terwijl Rose Maylie, overweldigd door dit buitengewone onderhoud, in een stoel zonk en haar gedachten probeerde te ordenen.

Rose bevond zich waarlijk in een ongewoon moeilijke situatie. Terwijl ze een brandend verlangen voelde om de sluier, waarin Olivers verleden gehuld was, uiteen te rukken, kon ze er toch niet toe komen het heilige vertrouwen, dat de ongelukkige vrouw in haar had gesteld, te schenden. Haar woorden en haar gedrag hadden Rose Maylie diep getroffen.

Zij, haar tante en Oliver hadden zich voorgenomen slechts drie dagen in Londen te blijven, voordat ze voor enige weken naar een afgelegen kustplaats vertrokken. Het was nu middernacht van de eerste dag. Welk plan kon ze bedenken, dat binnen achtenveertig uur uitgevoerd kon worden? Of hoe kon zij de reis uitgesteld krijgen zonder verdenkingen te wekken?'

Dokter Losberne bevond zich ook bij hen, maar Rose kende de onstuimigheid van de brave man te goed en voorzag te duidelijk de verontwaardiging, waarmee hij het nieuws zou ontvangen, om hem het geheim te vertellen. De gedachte kwam bij haar op Harry om raad te vragen, maar dit riep de herinnering aan hun laatste afscheid wakker, en het scheen haar onwaardig toe om hem terug te roepen.

Ze bracht een slapeloze nacht door. Maar nadat ze de volgende dag alles nog eens nauwkeurig overlegd had, kwam zij tot het wanhopige besluit Harry te raadplegen. Ze had haar pen wel vijftig keer opgenomen en al even zovele malen weer neergelegd, zonder een letter te schrijven, toen Oliver, die, met mijnheer Giles als lijfwacht, op straat een eindje gewandeld had, zo geagiteerd haar kamer binnenkwam, dat ze al vreesde voor nieuw dreigend onheil.

'Hoe komt het dat je er zo opgewonden uitziet?' vroeg Rose.

'Ik heb een gevoel of ik zal stikken,' antwoordde de jongen, nauwelijks in staat om verstaanbaar te spreken. 'O, hemel! Ik heb die mijnheer gezien – die mijnheer, die zo goed voor me geweest is –mijnheer Brownlow! Hij stapte uit een koets en ging een huis binnen. Ik heb niet met hem gesproken – ik kon niet, want ik beefde zo. Maar Giles heeft voor mij gevraagd of hij daar woonde en ze zeiden dat dat zo was. Kijk, hier is het,' zei Oliver, terwijl hij een stukje papier openvouwde.

Rose nam snel het besluit om deze ontdekking uit te buiten.

'Vlug!' zei ze. 'Laat een huurrijtuig halen. Ik ga er onmiddellijk met je heen, zonder een minuut te verliezen.'

Het was niet nodig om Oliver tot spoed aan te manen en binnen een paar minuten waren ze op weg naar Graven Street.

Daar aangekomen liet Rose Oliver in het rijtuig wachten onder het voorwendsel dat ze de oude heer op zijn komst wilde voorbereiden. Ze gaf haar kaartje af en vroeg mijnheer Brownlow te spreken over een zeer dringende aangelegenheid. Spoedig kwam de bediende terug en verzocht Rose hem naar boven te volgen. In een kamer op de eerste verdieping werd juffrouw Maylie voorgesteld aan een heer op leeftijd, die er uiterst vriendelijk uitzag en een groene jas droeg. In diens gezelschap was een andere oude heer, die er nu niet zo vriendelijk uitzag, en wiens handen op de knop van een dikke stok rustten.

'Mijnheer Brownlow, geloof ik?' zei Rose.

'Zo heet ik,' antwoordde de eerste oude heer, die beleefd opstond. 'Gaat u alstublieft zitten. Dat is mijn vriend, mijnheer Grimwig.' Grimwig stond op, boog stram en viel weer in zijn stoel terug.

'Ik twijfel er niet aan of mijn woorden zullen u ten zeerste ver-rassen,' zei Rose, 'Maar u hebt eens grote goedheid betoond jegens een heel goede jonge vriend van mij, en ik weet zeker, dat u graag nog eens wat van hem wil horen.'

'Zeker!' zei mijnheer Brownlow. 'Wie is het?'

'Oliver Twist,' antwoordde Rose.

Nauwelijks waren deze woorden aan haar lippen ontsnapt, of mijnheer Grimwigs gezicht vertoonde nog maar één uitdruk-king, namelijk onvermengde verwondering, en hij liet een lang gefluit horen.

Mijnheer Brownlow was niet minder verrast, hoewel hij zijn verbluftheid niet op dezelfde excentrieke wijze uitte. Hij trok zijn stoel dichter bij die van juffrouw Maylie en zei: 'M'n lieve jongedame, als het in uw macht ligt de bewijzen aan te voeren die mij in staat zullen stellen de ongunstige mening, die ik mij vroeger over dat arme kind heb moeten vormen, te wijzigen, spreek dan in 's hemelsnaam vrijuit.'

'Een deugniet! Ik eet mijn hoofd op als hij geen deugniet is,' bromde mijnheer Grimwig.

'Het is een kind met een edel karakter en een warm hart,' zei Rose, kleurend.

'Let maar niet op mijn vriend, juffrouw Maylie,' zei mijnheer Brownlow. 'Hij meent niet wat hij zegt.'

'Ja, dat doet hij wel,' grauwde mijnheer Grimwig.

'Nee, dat doet hij niet,' zei mijnheer Brownlow.

'Hij eet zijn hoofd op als hij het niet meent,' bromde Grim-wig.

'Hij verdient dat het van zijn romp geslagen wordt als hij het wel meent,' zei Brownlow. 'Juffrouw Maylie, wilt u me nu laten weten welke inlichtingen u omtrent dit arme kind kunt verstrekken?'

Rose verhaalde nu onmiddellijk in zo weinig mogelijk woor-den wat Oliver allemaal overkomen was sinds hij het huis van mijnheer Brownlow had verlaten (Nancy's informatie bewaarde ze tot ze hem eens onder vier ogen zou spreken) en eindigde met de verzekering dat Olivers enige verdriet de afgelopen maanden veroorzaakt was door het feit dat hij niet in staat was zijn vroegere weldoener te ontmoeten.

'God zij dank!' zei de oude heer. 'Dit betekent een groot geluk voor mij. Maar waar is hij nu, juffrouw Maylie?'

'Hij wacht in een rijtuig voor de deur,' antwoordde Rose.

'Voor de deur!' riep de oude heer. En met deze woorden snelde hij de kamer uit, rende de trap af en dook zonder verder iets te zeggen het voertuig in. Spoedig daarna kwam hij terug, vergezeld door Oliver, die door mijnheer Grimwig welwillend ontvangen werd. 'Er is nog iemand anders, die we niet mogen vergeten,' zei mijnheer Brownlow, terwijl hij belde. 'Stuur mevrouw Bedwin hier.'

De oude huishoudster kwam onmiddellijk boven, maakte bij de deur een kniebuiging en wachtte op orders.

'Nou, jij wordt ook elke dag blinder, Bedwin,' zei mijnheer Brownlow geprikkeld. 'Zet je bril op en probeer eens of je niet zelf kunt ontdekken waarvoor je geroepen wordt.'

De oude dame begon in haar zak te grabbelen naar haar bril. Maar Olivers ongeduld was hiertegen niet bestand; hij gaf toe aan zijn eerste impuls en sprong in haar armen.

'God is goed voor mij!' kreet de oude vrouw, hem omhelzend. 'Het is mijn onschuldige jongen!'

'Mijn lieve oude verpleegster!' riep Oliver.

'Ik wist dat hij terug zou komen,' zei de oude vrouw, hem in haar armen wiegend. 'Wat ziet hij er goed uit en wat is hij netjes gekleed, als de zoon van een heer! Waar ben je al die tijd geweest? Ah! Hetzelfde lieve gezicht, maar niet zo bleek. Dezelfde zachte ogen, maar niet zo bedroefd.' Zo ging ze maar door, en de goede ziel lachte en huilde om beurten.

Mijnheer Brownlow liet Oliver met haar alleen, opdat ze ongestoord bij konden praten, en ging Rose voor naar een andere kamer waar hij luisterde naar het verhaal van haar onderhoud met Nancy, hetgeen hem niet weinig verraste en verstelde. Rose zette eveneens uiteen waarom ze dokter Losberne niet in vertrouwen genomen had. De oude heer vond dat ze voorzichtig gehandeld had, en nam het op zich om zelf met de goede dokter te gaan spreken. Ze kwamen overeen dat hij die avond om acht uur naar het hotel zou komen, en dat onderwijl mevrouw Maylie voorzichtig van het gebeurde op de hoogte gesteld diende te worden. Nadat dit afgesproken was, gingen Rose en Oliver weer huiswaarts.

Rose had de verontwaardiging van de goede dokter bepaald niet overschat. Niet zodra had hij Nancy's verhaal gehoord, of hij liet een stroom van bedreigingen en verwensingen van zijn lippen stromen en zei, dat hij haar het eerste slachtoffer van de politie zou maken, ja, hij zette zelfs zijn hoed op om onmiddellijk deze overheidshulp in te roepen. Maar hij werd tegengehouden door mijnheer Brownlow.

'Wat moeten we, voor den duivel, dan doen?' riep de opvliegende dokter. 'Moeten we soms een motie van dank indienen bij deze vagebonden en hen vriendelijk verzoeken per persoon honderd pond of zo aan te nemen als blijk van hoogachting voor hun vriendelijkheid jegens Oliver?'

'Dat nu niet direct,' hernam mijnheer Brownlow lachend, 'maar we moeten kalm en met grote omzichtigheid te werk gaan.'

'Kalm en omzichtig,' riep de dokter uit, 'ik stuur ze naar...'

'Dat doet er niet toe,' interrumpeerde mijnheer Brownlow. 'Maar bedenk eerst of het doel dat we ons gesteld hebben bereikt wordt wanneer we hen ergens heenzenden. Ons doel is tenslotte simpelweg Olivers afstamming te ontdekken en hem in het bezit te stellen van de erfenis die hem, indien het verhaal waar is, op slinkse wijze is ontstolen. Het is duidelijk dat we de grootste moeite zullen hebben om dit geheim te ontsluieren, tenzij we die Monks op de knieën krijgen. Dat kan slechts door list en door hem te pakken te nemen wanneer hij niet omgeven is door die mensen. Want stel, dat hij gevangen genomen wordt, dan hebben we nog geen bewijs tegen hem. Voor zover wij weten, is hij niet eens betrokken bij de diefstallen van de bende. We moeten hem zelf zien te grijpen. Maar voor we precies kunnen beslissen wat te doen, zal het nodig zijn nog eens met het meisje te spreken, om vast te stellen of ze bereid is ons die Monks aan te wijzen, met dien verstande dat wij met hem afrekenen en dat de politie er niet bij wordt gehaald. Of, als ze dat niet kan, om van haar zo'n gedetailleerde beschrijving van zijn uiterlijk en de plaatsen waar hij komt los te krijgen, dat we hem kunnen identificeren. We kunnen haar pas aanstaande zondagavond ontmoeten; vandaag is het dinsdag. Ik zou willen voorstellen dat we intussen volkomen kalm blijven en de hele geschiedenis zelfs voor Oliver geheim houden.'

Hoewel dokter Losberne dit voorstel met een zuur gezicht begroette, moest hij toch toegeven dat hij op dat ogenblik geen betere oplossing wist; en omdat zowel Rose als mevrouw Maylie krachtig de zijde van mijnheer Brownlow kozen, werd diens voorstel met algemene stemmen aangenomen.

'Ik zou graag,' zei hij, 'de hulp van mijn vriend Grimwig

inroepen. Hij is een vreemde man, maar schrander, en bovendien advocaat. Hij zal ons misschien van grote dienst kunnen zijn.'

'Ik heb er geen bezwaar tegen dat u uw vriend erbij haalt,' reageerde de dokter, 'als ik dan de mijne in deze geschiedenis mag kennen. Hij is de zoon van mevrouw Maylie en een heel oude vriend van deze jongedame,' zei de dokter.

Rose bloosde hevig, doch uitte geen hoorbaar bezwaar, en zo werden Harry Maylie en mijnheer Grimwig aan de commissie toegevoegd.

'We blijven natuurlijk in de stad,' zei mevrouw Maylie, 'zolang er maar de geringste mogelijkheid bestaat dat we dit onderzoek met enige kans van slagen kunnen voortzetten.'

'Goed!' hernam mijnheer Brownlow. 'En aangezien ik op de gezichten om mij heen de wens onderken om te informeren hoe het kwam dat ik hier niet was om Olivers verhaal te bevestigen aangezien ik zo plotseling het land verlaten had, moet ik de voorwaarde stellen dat mij niets gevraagd wordt tot ik de tijd gekomen acht om mijn verhaal eigener beweging te vertellen. Maar kom! Het avondeten is al aangekondigd en de kleine Oliver wacht op ons.'

18

Hoewel bedreven in de kunst van het bedriegen en huichelen, was Nancy toch niet in staat de geestelijke druk, het gevolg van de stap die ze genomen had, geheel te verbergen. Zij herinnerde zich dat zowel Fagin als Sikes haar plannen hadden verteld, die voor alle anderen verborgen waren gebleven, in de volle overtuiging dat ze te vertrouwen was. En al waren die plannen nog zo laag, de ontwerpers ervan nog zo slecht, en haar gevoelens jegens Fagin, die haar stap voor stap dieper in de afgrond van misdaad en ellende gevoerd had, nog zo bitter, toch koesterde ze soms iets als medeleven met hem, in de vrees dat hij ten slotte door haar hand zou vallen. Ze was echter vastbesloten zich door deze overweging niet te laten weerhouden. Als er nog tijd was geweest, dan zou haar angst om Sikes haar nog eerder hebben doen terugschrikken; maar ze had de voorwaarde gesteld dat haar geheim zorgvuldig bewaard werd, ze had niets gezegd dat tot zijn ontmaskering kon leiden, ze had om zijnentwille geweigerd te vluchten naar een veilige plek, waar ze onbereikbaar zou zijn voor alle schuld en slechtheid, die haar omringde – wat kon ze nog meer doen? Ze was vastbesloten.

Hoewel haar innerlijke strijd steeds weer op deze ene beslissing uitliep, liet hij niettemin uiterlijke sporen na. Binnen een paar dagen werd ze nog veel bleker en magerder. Soms lachte ze zonder vrolijkheid, dan weer was ze stil en terneergeslagen. Het was zondagavond en de klok van de meest nabije kerk sloeg het hele uur. Sikes en Fagin zaten te praten in de kamer van de inbreker, maar zij zwegen om te luisteren. Het meisje keek op van haar lage bankje en luisterde eveneens. Elf uur.

'Eén uur aan deze kant van middernacht,' zei Sikes, die een van de blinden optrok, naar buiten keek en weer ging zitten. 'Donker en bewolkt. Een prachtige avond om zaken te doen.'

'Wat jammer, Bill, m'n beste, dat er op het ogenblik niets

zover is, dat we eraan kunnen beginnen!' Fagin zuchtte en schudde mistroostig zijn hoofd. Dan trok hij Sikes aan zijn mouw en wees naar Nancy die haar hoed had opgezet en op het punt stond de kamer te verlaten.

'Hé!' riep Sikes. 'Nancy! Waar ga je zo laat nog naar toe?'

'Niet ver.'

'Wat is dat voor antwoord? Waar ga je heen, vraag ik!'

'Ik weet nog niet waarheen,' antwoordde het meisje.

'Dan weet ik het wel,' zei Sikes, meer uit koppigheid dan omdat hij er werkelijk bezwaar tegen had dat het meisje uitging. 'Nergens heen. Ga zitten.'

'Ik voel me niet lekker. Dat heb ik je al verteld. Ik heb frisse lucht nodig.'

'Dan steek je je hoofd maar uit het raam,' antwoordde Sikes.

'Daar krijg ik niet genoeg. Ik wil de straat op.'

'Dan zul je het zonder moeten stellen,' zei Sikes. Met deze woorden stond hij op, sloot de deur af, stak de sleutel in zijn zak, trok Nancy de hoed van haar hoofd en smeet die op tafel. 'Zo, en nou blijf je rustig waar je bent, begrepen?'

'Wat bedoel je, Bill? Weet je wel wat je doet?' riep het meisje.

'Of ik weet wat ik...' riep Sikes, zich tot Fagin wendend. 'Ze is gek geworden, weet je, anders zou ze zo niet durven praten.'

'Je drijft me nog eens tot een wanhoopsdaad,' mompelde het meisje, terwijl ze beide handen tegen haar borst drukte, alsof ze met moeite een uitbarsting van woede onderdrukte. 'Laat me gaan, onmiddellijk!'

'Nee!' schreeuwde Sikes, en greep haar ruw bij de arm. 'Als die meid niet volslagen gek geworden is, dan mogen ze m'n armen en benen één voor één afsnijden!'

Plotseling wrong hij haar armen op haar rug en sleepte haar naar een zijkamertje, waar hij haar in een stoel neerduwde en met alle kracht vasthield. Ze worstelde en smeekte om beurten, tot de klok twaalf uur geslagen had. Toen, uitgeput, gaf ze zich gewonnen. Met een gruwelijk gevloek liet Sikes haar alleen en voegde zich weer bij Fagin.

'Poeh!' zei de inbreker, het zweet van zijn gezicht vegend, 'wat een eigenaardige meid is dat! Waarom, denk je, had ze het zich in haar kop gezet om vanavond uit te gaan?'

'Eigenwijzigheid! Vrouwelijke eigenwijzigheid, veronderstel ik,' antwoordde Fagin.

'Ja, dat zal wel,' bromde Sikes. 'Ik dacht, dat ik haar getemd had, maar ze is nog even erg als altijd.'

'Erger,' zei Fagin peinzend. 'Ik heb haar nog nooit zo meegemaakt, en dat om zo iets onbelangrijks.'

'Ik ook niet,' zei Sikes. 'Ik denk dat ze koorts heeft. Ik zal haar wat bloed aftappen zonder de dokter lastig te vallen, als ze weer zo gek doet.'

Fagin betuigde knikkend zijn instemming met deze behandelingswijze.

Op dat moment verscheen het meisje weer en ging op haar oude plaatsje zitten. Haar ogen waren rood en gezwollen. Ze wiegde heen en weer, schudde haar hoofd en barstte na een tijdje in lachen uit.

'Kijk, nou vervalt ze weer in het andere uiterste!' riep Sikes, terwijl hij zijn bezoeker uiterst verrast aankeek.

Fagin gebaarde met het hoofd dat hij er maar geen verdere aandacht aan moest schenken; en al spoedig kwam het meisje weer tot rust. Daarop wenste Fagin Sikes goedenacht en vroeg of iemand hem even op de trap wilde bij lichten.

'Licht hem bij,' zei Sikes tot Nancy. 'Het zou jammer zijn als hij zijn nek brak, de toeristen zouden teleurgesteld zijn!'

Nancy volgde de oude man met een kaars naar beneden. In de gang gekomen legde hij zijn vinger tegen zijn lippen, ging vlak voor haar staan en fluisterde: 'Wat is er, Nancy, m'n liefje? Als hij' – hij wees met zijn knokige wijsvinger naar boven – 'zo hard voor je is, waarom zou je dan niet...'

'Nou?' vroeg ze, toen Fagin zweeg en haar strak aankeek.

'Het doet er op 't ogenblik niet toe. We praten er nog wel eens over. Je hebt in mij een vriend, Nancy – een betrouwbare vriend. Als je je wil wreken op hen, die je behandelen als een hond – erger dan zijn hond, want daar is-ie nog wel 'ns vriendelijk tegen – kom dan naar mij toe. Je kent me lang genoeg, Nancy!'

'Ik ken je heel goed,' antwoordde het meisje zonder de geringste emotie te verraden. Ze zei met vaste stem goedenacht, beantwoordde de blik waarmee hij afscheid nam, met een begrijpend knikje en sloot de deur tussen hen.

Fagin liep naar huis, geheel verdiept in de gedachten die hem bestormden. Hij had het idee dat Nancy genoeg had van de bruutheid van de inbreker en genegenheid had opgevat voor een nieuwe vriend. Haar veranderde houding en haar wanhopige poging om die avond op een bepaald uur de deur uit te gaan, versterkten hem in dit vermoeden. Het voorwerp van deze nieuwe genegenheid bevond zich niet onder zijn volgelingen. Met Nancy als assistent zou hij een waardevolle aanwinst betekenen, en dus moest hij zonder verwijl opgespoord worden.

Maar er kon tevens een ander en duisterder doel bereikt worden. Sikes wist te veel, en de schimpscheuten van de schurk hadden Fagin al vaak verbitterd. Het meisje moest weten dat zij, als ze Sikes in de steek liet, nooit veilig zou zijn voor diens woede. Wat is waarschijnlijker, dacht Fagin, dan dat ik haar er met een beetje aandrang wel toe krijg hem te vergiftigen? Vrouwen hebben zulke dingen, en ergere, al vaker gedaan om hetzelfde doel te bereiken. Op die manier zou de gevaarlijke schurk uit de weg geruimd zijn, er zou meteen een ander in zijn plaats komen, en mijn invloed op het meisje zou, door het feit dat ik van haar daad op de hoogte ben, onbegrensd zijn.

Maar misschien zou ze ervoor terugdeinzen deel te nemen aan een complot om Sikes te vermoorden. Hoe, bedacht de jood, voortgluipend naar zijn huis, kan ik mijn invloed op haar vergroten? Welke nieuwe macht kan ik mij verwerven?

Dergelijke breinen zijn uiterst inventief in moeilijke gevallen. Als hij, zo dacht Fagin, een spion achter haar aan stuurde, aldus te weten kwam wie zij nu haar genegenheid schonk en haar dreigde de hele geschiedenis aan Sikes te vertellen, zou hij zich dan zo niet van haar medewerking verzekeren?

'Natuurlijk,' zei hij bijna hardop. 'Dan durft ze niet meer te weigeren. Geen sprake van! Geen sprake van! Ze ontsnapt me niet meer!'

Fagin was de volgende morgen al vroeg op en wachtte ongeduldig op de verschijning van een nieuwe handlanger. De naam van de jongeman luidde Morris Bolter. Dit was een lang- én X-benige, slungelige knaap met een rode neus, die pas van het land naar Londen was gekomen en die Nancy nog niet kende. Eindelijk verscheen hij en viel als een verscheurend dier aan op het ontbijt, dat Fagin had bereid.

'Ik wil, Bolter,' zei Fagin, terwijl hij tegenover hem plaats nam, 'dat je iets voor me doet, dat grote voorzichtigheid vereist, mijn beste. Je moet een vrouw schaduwen en me vertellen waar ze heen gaat, wie ze ontmoet en zo mogelijk, wat ze zegt.'

'Wie is het?' informeerde Bolter, en sneed een monsterlijke homp brood af.

'Een van ons. Maar ze heeft nieuwe vrienden gevonden, mijn beste, en ik moet weten wie dat zijn.'

'Juist,' zei Bolter, na een paar enorme happen. 'Waar is ze? Waar moet ik op haar wachten? Waar moet ik heen?'

'Dat zul je allemaal nog tijdig van me horen, mijn beste,' zei Fagin. 'Hou je gereed, en laat de rest aan mij over.'

Die avond, en de volgende, en de daaropvolgende zat de spion, met laarzen aan en gekleed als iemand van buiten, klaar om op het eerste woord van Fagin op weg te gaan. Zes lange avonden verstreken, en elk daarvan kwam Fagin met een teleurgesteld gezicht thuis en zei kort, dat het ogenblik nog niet gekomen was. Op de zevende avond keerde hij vroeger terug, en was beheerst door een blijdschap die hij niet trachtte te verbergen.

'Vanavond gaat ze uit,' zei Fagin, 'en ik weet haast wel zeker, dat ze de goeie boodschap gaat doen, want de man, voor wie ze bang is, komt pas morgenochtend vroeg thuis. Kom mee, vlug!'

Ze slopen steels het huis uit en haastten zich naar Sikes' woning. Het was over elven toen ze er aankwamen. Een paar minuten later ging de deur open en verscheen Nancy.

'Is dat de vrouw?' vroeg Bolter, bijna onhoorbaar fluisterend.

Fagin knikte. 'Volg haar, en blijf aan de andere kant van de straat.'

In het licht van de lantaarns volgde Bolter het meisje. Ze keek een paar maal zenuwachtig om maar scheen naarmate ze vorderde, meer moed te krijgen. De spion bewaarde een voorzichtige afstand.

De klokken sloegen kwart voor twaalf, toen de twee figuren op Londen Bridge verschenen. De jonge vrouw stapte nu voort met snelle pas en keek speurend om zich heen, alsof ze iemand verwachtte. De jongeman sloop voort in de diepste schaduw en richtte zijn stappen naar de hare. Bijna op het midden van de brug stond ze stil. Ook de jongeman bleef staan.

Het was een erg donkere avond; boven de rivier hing een dichte mist. Er liepen slechts weinig mensen over de brug, en zij die er liepen betoonden grote haast.

Het meisje was een paar keer rusteloos heen en weer gelopen

– nauwkeurig gadegeslagen door haar achtervolger – toen de zware klok van de Sint-Paul het middernachtelijk uur aankondigde. Een ogenblik later stapten een jongedame en een heer met grijs haar uit een huurrijtuig en stuurden dit weg. Nauwelijks hadden ze voet gezet op het plaveisel, of het meisje schrok op en snelde naar hen toe.

Met een uitroep van verrassing stonden zij stil, toen het meisje zich bij hen voegde. Op dat moment wrong een man, die eruitzag als een plattelander, zich langs hen heen, informeerde grof waarom ze het hele trottoir in beslag namen en liep verder.

'Ik ben bang om hier met u te spreken,' zei het meisje gejaagd. 'Kom, laten we die trap daar afgaan.'

De trap die het meisje aanduidde leidde naar een aanlegsteiger aan de rivier. Zij werd onderbroken door twee bordessen, en de onderste treden verbreedden zich, zodat iemand die om de tweede bocht heen liep, niet gezien kan worden door anderen, boven hem op de trap. Ongemerkt haastte nu de spion zich voor de anderen uit naar deze plek. Daar verborg hij zich, ervan overtuigd dat ze niet helemaal naar beneden zouden komen. Spoedig hoorde hij het geluid van voetstappen en daarna stemmen, vlak bij hem.

'Dit is ver genoeg,' zei de stem van de heer. 'Ik wil niet, dat de jongedame nog verder gaat. Menigeen zou u trouwens te zeer gewantrouwd hebben om zelfs maar tot hier te komen. Waarom konden we boven niet met elkaar praten, waar het licht is?'

'Ik heb u al eerder gezegd,' reageerde het meisje, 'dat ik bang was om daar met u te spreken. Ik voel me zo angstig, zo bezwaard, dat ik nauwelijks kan staan.'

'Angstig waarvoor?' vroeg de heer.

'Ik weet het niet,' antwoordde het meisje. 'Ik wilde dat ik het wist. Afschuwelijke gedachten over de dood en met bloed bevlekte lijkwaden, en een vrees, zo heftig, dat het is alsof ik in brand sta.'

'Verbeelding,' zei de heer.

'Wees vriendelijk tegen haar!' zei de jongedame. 'Arm kind.'

'Vorige zondagavond was je hier niet,' zei de heer.

'Ik kon niet komen,' antwoordde Nancy. 'Ik werd met geweld vastgehouden door hem, over wie ik de jongedame al eerder verteld heb.'

'Ze verdenken u er toch niet van, zich met iemand in verbinding te hebben gesteld aangaande de kwestie die ons hier vannacht samengebracht heeft?' vroeg de heer.

'Nee,' antwoordde het meisje. 'Maar het is niet gemakkelijk voor mij om weg te komen als hij niet weet waar ik heen wil. Ik had de jongedame ook nooit kunnen opzoeken, als ik hem niet eerst wat laudanum gegeven had. Maar hij, noch iemand anders verdenkt me.'

'Goed,' zei de heer. 'Luister nu goed. Deze jongedame heeft mij en enkele andere vrienden, die volkomen te vertrouwen zijn, meegedeeld, wat u haar verteld hebt. Wij zijn nu van plan om het geheim, wat dat ook mag zijn, uit die Monks te wringen. Maar als we hem niet te pakken kunnen krijgen of als hij, wanneer we hem eenmaal hebben, niet mee wil werken, dan moet u zonder meer Fagin aan ons uitleveren.'

'Fagin!' riep het meisje, terwijl ze terugdeinsde. 'Dat doe ik niet! Hij mag een duivel zijn, maar dat doe ik niet.'

'Zeg me waarom?' zei de heer.

'Omdat,' hernam het meisje vastberaden, 'al heeft hij een slecht leven geleid, het mijne ook slecht was. Wij hebben met een heel stel samen dezelfde koers gevaren, en ik keer me niet tegen hen die zich ook tegen mij hadden kunnen keren, maar het niet gedaan hebben, al waren ze nog zo slecht.'

'Dan,' zei de heer vlug, alsof hij op dit punt had aangestuurd, 'moet u mij Monks in handen spelen en mij verder met hem af laten rekenen.'

'En wat gebeurt er als hij de anderen verraadt?'

'Ik beloof u dat, indien we de waarheid uit hem krijgen, de zaak verder zal blijven rusten. Er moeten omstandigheden zijn in Olivers korte geschiedenis, die te pijnlijk zijn om algemeen bekend te worden, en wanneer de waarheid eenmaal bekend is, zullen zij vrijuit gaan.'

'En als u de waarheid niet te weten komt?' opperde het meisje.

'Dan,' vervolgde de heer, 'zal Fagin niet aan de justitie overgeleverd worden zonder uw toestemming.'

'Belooft de jongedame me dat?' vroeg het meisje.

'Zeker,' antwoordde Rose, 'ik beloof het eerlijk en oprecht.'

'Zal Monks nooit te weten komen hoe u dit alles weet?' vroeg het meisje.

'Nooit,' antwoordde de heer. 'We zullen het zo aanleggen, dat hij het zelfs niet zal kunnen gissen.'

'Ik ben altijd zelf een leugenaarster geweest en heb, van kindsbeen af, tussen leugenaars geleefd,' zei het meisje, na een korte stilte, 'maar ik zal u op uw woord geloven.'

Vervolgens begon ze zo zachtjes, dat het voor de luisteraar moeilijk was om te horen wat ze zei, met naam en ligging de kroeg De Drie Kreupelen te beschrijven, en onthulde tevens de avond en het uur waarop Monks er meestal kwam.

'Hij is groot,' zei het meisje, 'en sterk gebouwd. Hij heeft een sluipende gang, en hij kijkt voortdurend over zijn schouder. Zijn ogen liggen dieper in hun kassen dan bij ieder ander. Zijn gezicht heeft een donkere kleur, net als zijn haar en ogen, en hoewel hij niet ouder kan zijn dan zesentwintig, is het vervallen en afgeleefd. Z'n lippen vertonen vaak de indrukken van zijn tanden, want hij heeft ontzettende aanvallen en dan bijt hij zelfs op z'n handen, zodat ze vol wonden zitten – waarom schrikt u?' vroeg het meisje, abrupt zwijgend.

De heer antwoordde haastig dat hij er zich niet van bewust was geschrokken te zijn en verzocht haar verder te gaan.

'En aan zijn hals, zo hoog, dat je het boven z'n halsdoek uit kunt zien, wanneer hij opzij kijkt, zit…'

'Een breed, rood litteken, als een brandwond?' riep de heer.

'Wat is dat?' zei het meisje. 'Kent u hem?'

De jongedame slaakte een kreet van verrassing.

'Ik geloof het wel,' zei de heer. 'Maar vele mensen lijken heel sterk op elkaar. We zullen zien.' Hij liep een paar passen in de richting van de verborgen spion. 'Nu,' zei hij na een pauze, 'u hebt ons een zeer grote dienst bewezen, jongedame, en ik wil u daarvoor belonen. Wat kan ik voor u doen?'

'Niets,' antwoordde Nancy, huilend nu. 'Voor mij is er geen hoop meer.'

'U brengt uzelf buiten het bereik ervan,' zei de heer. 'Het ligt in ons vermogen – en het is zelfs onze innige wens – u een veilige schuilplaats in Engeland aan te bieden, of, als u bang bent om hier te blijven, ergens in het buitenland. Voor de ochtendschemering kunt u zich volkomen buiten het bereik van uw vroegere metgezellen bevinden. Kom! Laat hen, nu u er nog tijd en gelegenheid voor hebt.'

'Ze laat zich nu vast overhalen!' riep de jongedame. 'Ze aarzelt, ik weet het zeker.'

'Nee, ik doe het niet,' antwoordde het meisje na een korte

innerlijke strijd. 'Ik zit vastgeklonken aan mijn oude leven. Ik haat en verafschuw het nu, maar ik kan het de rug niet meer toekeren. Ik ben te ver gegaan om terug te kunnen. Ik moet naar huis.'

'Naar huis!' herhaalde de jongedame.

'Naar huis, juffrouw,' hernam het meisje, 'naar een huis, dat ik mij met het werk van mijn hele leven heb verworven. Laten we afscheid nemen. Anders zien ze me nog, en achtervolgen me. Ga! Als ik u een dienst bewezen heb, dan vraag ik u alleen mij te verlaten en naar huis te laten gaan.'

'Het is nutteloos,' zei de heer met een zucht, en draaide zich om. 'We bedreigen haar veiligheid misschien door hier te blijven.'

'Ja, ja,' drong het meisje aan.

'Neem in ieder geval deze beurs,' riep de jongedame. 'Doe het terwille van mij, zodat u iets hebt, wanneer de nood aan de man komt.'

'Nee!' antwoordde het meisje, 'ik heb dit niet voor geld gedaan. Laat me dat tenminste als troost. En toch zou ik graag iets hebben, dat u heeft toebehoord, lieve juffrouw – nee, nee, geen ring – uw zakdoek. Zo. God zegene u! Goedenacht, goedenacht!'

Men hoorde het geluid van voetstappen die zich verwijderden, de stemmen stierven weg. De verblufte spion draalde nog een paar minuten in zijn schuilhoek. Dan, nadat hij er zich door voorzichtig rondgluren van vergewist had dat hij weer alleen was, schoot hij tevoorschijn en begaf zich naar het huis van Fagin, zo snel als zijn benen hem konden dragen.

Het was bijna twee uur voor het aanbreken van de dag, het tijdstip dat in de herfst van het jaar met recht het diepst van de nacht genoemd kan worden, wanneer de straten stil en verlaten zijn. Het was op dit dode uur, dat Fagin in zijn oude hol zat, met een gezicht zo verwrongen en bleek, en ogen zo bloeddoorlopen, dat hij leek op een afgrijselijk fantoom, nog vochtig van het graf. Hij zat gebogen over de haard waarin geen vuur brandde, gewikkeld in een versleten sprei, de ogen gericht op een brandende kaars op een tafel naast hem. Uitgestrekt op de grond lag Morris Bolter in diepe slaap. Zo nu en dan keek de oude man even snel in zijn richting, en richtte dan zijn ogen weer op de kaars, die door haar lange, verbrande pit en de smeer die op de tafel droop, duidelijk aantoonde dat zijn gedachten elders waren.

En zo was het ook. Vernedering door het verijdelen van zijn plan; haat jegens het meisje, dat het gewaagd had met vreemden samen te spannen; een diep wantrouwen aangaande de oprechtheid van haar weigering hem uit te leveren; bittere teleurstelling omdat de kans om zich op Sikes te wreken verkeken was; vrees voor ontdekking, ondergang en dood; en razende woede; al deze hartstochtelijke overpeinzingen vlogen door Fagins brein terwijl hij de gruwelijkste wraakplannen zat uit te denken.

Zonder ook maar het geringste besef te hebben van het verstrijken van de uren, bleef hij daar zitten tot zijn aandacht getrokken werd door voetstappen op straat. 'Eindelijk,' mompelde hij. Terwijl hij dit zei, werd er gebeld. Hij slofte naar boven, naar de deur, en keerde even later terug in gezelschap van een man, die tot over zijn kin in zijn overjas schuilging. Het was Sikes, die onder zijn ene arm een groot pak droeg.

'Ziezo!' zei hij, het pak op tafel leggend. 'Neem dat onder je hoede. Het is lastig genoeg geweest om het te pakken te krijgen.'

Fagin sloot het pak weg in een kast en ging weer zitten zonder iets te zeggen. Maar hij wendde zijn ogen geen ogenblik van Sikes af. Zijn lippen beefden zo hevig, en zijn gezicht was zo veranderd door de emoties, dat de inbreker onwillekeurig angstig achteruit schoof.

'Wat nou?' riep Sikes. 'Waarom kijk je me zo aan?'

Fagin schudde zijn bevende wijsvinger heen en weer, maar zijn woede was zo groot, dat hij even geen woord kon uitbrengen.

'Verduiveld!' zei Sikes, verschrikt in zijn jaszak grijpend, 'hij is gek geworden. Ik moet een beetje op mezelf passen.'

'Nee, nee,' mompelde Fagin, die zijn stem hervond, 'het is niet... jij bent het niet, Bill. Ik heb op jou niets aan te merken.'

'O, heb je op mij niets aan te merken?' zei Sikes, op uitdagende wijze een pistool overbrengend naar een andere zak, waar hij er gemakkelijker bij kon. 'Dat is dan gelukkig.'

'Ik moet je iets vertellen, Bill, dat voor jou erger is dan voor mij.'

'Zo?' deed de inbreker met een ongelovig gezicht. 'Vertel maar op. Maar vlug, anders denkt Nancy nog, dat ik de pijp uit ben.'

'De pijp uit!' riep Fagin. 'Daarover is ze het met zichzelf al vrij aardig eens.'

Sikes keek Fagin verbluft in het gezicht, en toen hij daarop geen bevredigende verklaring van het raadsel kon lezen, greep hij hem in de kraag van zijn jas en schudde hem flink door elkaar. 'Spreek op!' zei hij. 'Zeg wat je te zeggen hebt, in duidelijke woorden. Voor den dag ermee, ouwe schelm!'

'Veronderstel dat die jongen die daar ligt...' begon Fagin.

Sikes draaide zich om naar de plaats waar Bolter lag te slapen. 'Nou?' zei hij.

'Veronderstel dat die jongen,' hernam de jood, 'ons zou verraden – dat-ie ons zou aangeven – nadat-ie eerst voor dat doel de juiste mensen uitgezocht had en ze op straat had getroffen om ons nauwkeurig te beschrijven en de plaats te noemen waar ze ons het gemakkelijkst kunnen grijpen. Veronderstel eens dat hij dat allemaal deed en bovendien nog een plan verried waarbij wij allemaal betrokken zijn. Stel je voor, dat-ie dat allemaal deed,' riep de jood, terwijl zijn ogen vonkten van woede, 'wat dan?'

'Wat dan?' antwoordde Sikes met een geweldige vloek. 'Ik zou z'n schedel onder de ijzeren hak van m'n schoen vermorzelen.'

'En als ik zoiets gedaan had?' riep Fagin, nee, gilde hij bijna. 'Ik, die zoveel weet en zoveel anderen buiten mij zou kunnen laten hangen.'

Bij de gedachte alleen al werd Sikes doodsbleek. 'Ik zou zoveel kracht hebben,' mompelde de inbreker, zijn gespierde arm heffend, 'dat ik je hoofd zou verpletteren alsof er een zwaarbeladen wagen overheen gereden was.'

'Zou je dat?'

'Of ik dat zou!'

'En als het Charley was, of de Gladde, of Bet, of...'

'Kan me niet schelen wie,' antwoordde Sikes ongeduldig. 'Wie het ook was, ik zou hem op dezelfde manier behandelen.'

Fagin keek de inbreker strak aan, gaf hem een teken stil te zijn, bukte zich en schudde de slapende heen en weer. 'Bolter, Bolter! Arme jongen!' zei Fagin, opkijkend met een uitdrukking van duivelse verwachting op zijn gezicht. 'Hij is moe – moe, omdat hij haar zo lang bespioneerd heeft – hij heeft haar bespioneerd, Bill.'

'Wat bedoel je?' vroeg Sikes, terugdeinzend.

Fagin gaf geen antwoord, maar trok de slaper in een zittende houding. Bolter gaapte, en keek suf om zich heen. 'Vertel me dat nog eens – zodat hij het ook kan horen,' zei Fagin onder het spreken naar Sikes wijzend.

'Wat moet ik vertellen?' vroeg de slaperige Bolter.

'Dat van – NANCY! ' zei de oude, terwijl hij Sikes bij zijn pols greep alsof hij hem wilde verhinderen weg te gaan voor hij genoeg gehoord had. 'Ben je haar gevolgd?'

'Ja.'

'Naar Londen Bridge, waar ze twee personen heeft ontmoet?'

'Inderdaad.'

'Een heer en een juffrouw, waar ze al eerder eigener beweging geweest was. En die twee vroegen haar om al haar vrienden uit te leveren, en Monks in de eerste plaats, waarin ze toestemde; en om hen te vertellen in welk huis we meestal samenkomen, wat ze deed – en om te zeggen hoe laat hij daar meestal komt, wat ze deed. Ze heeft het allemaal verteld. Ze heeft het allemaal verteld, zonder de minste bedreiging, zonder verzet – dat heeft ze toch – nietwaar?' krijste Fagin.

'Juist,' antwoordde Bolter. 'Zo is het!'

'En wat zei ze over verleden zondag?'

'Nou, dat heb ik u toch al verteld.'

'Nog eens. Vertel het nog eens!' riep Fagin, die Sikes' pols nog steviger omklemde, en met zijn andere hand in de lucht klauwde, terwijl het schuim hem op de lippen kwam.

'Ze vroegen haar,' zei Bolter die, naar het zich liet aanzien, vaag begon te begrijpen wie Sikes was, 'waarom ze verleden zondag niet gekomen was, zoals ze beloofd had. Ze zei, dat ze met geweld thuis was gehouden door de man over wie ze zen al eens eerder verteld had.'

'Wat zei ze nog meer over hem? Zeg het hem!'

'Nou, dat ze niet gemakkelijk weg kon komen, tenzij hij wist waar ze heen ging,' zei Bolter, 'en daarom had ze hem, voor ze die dame de eerste keer bezocht, wat laudanum laten drinken.'

'Hel en verdoemenis!' schreeuwde Sikes. 'Laat me gaan!' Hij slingerde de oude man van zich af en rende de kamer uit.

'Bill! Bill!' riep Fagin, die hem haastig volgde en hem bij de buitendeur vastgreep. 'Je zult toch niet te veel geweld gebruiken, Bill?' De dag begon aan te breken en het was al zo licht, dat de mannen elkaars gezicht konden onderscheiden. In beider ogen lag een gloed, die niet kon worden misverstaan. 'Ik bedoel,' zei Fagin, 'niet zo veel geweld, dat het onze veiligheid in gevaar brengt. Wees verstandig Bill, en niet te onbesuisd.'

Sikes gaf geen antwoord, maar trok de deur open en schoot de stille straat op. Zonder een ogenblik te rusten of te aarzelen, en steeds met woeste vastberadenheid recht voor zich uit kijkend, holde hij door, tot hij zijn eigen huisdeur bereikt had. Hij sprong licht de trap op, ging zijn kamer binnen, deed de deur stevig op slot en schoof het bedgordijn opzij.

Op het bed lag het meisje, half ontkleed. Hij had haar wakker gemaakt, want ze richtte zich met een verraste blik op.

'Sta op!' zei de man.

'Bill, jij bent het!' zei het meisje met blijde stem.

'Ja,' luidde het antwoord. 'Sta op.'

Het meisje ontwaarde het zwakke licht van de nieuwe dag en stond op om het gordijn open te trekken.

'Laat maar,' zei Sikes, en hield haar met zijn hand tegen. 'Voor wat ik te doen heb, is het hier licht genoeg.'

'Bill,' zei het meisje met zachte, angstige stem, 'waarom kijk je zo naar me?'

Gedurende enkele ogenblikken keek de inbreker haar aan, met wijd opengesperde neusvleugels en zwoegende borst. Dan greep hij haar bij haar hoofd en haar keel, en sleurde haar naar het midden van de kamer.

'Bill, Bill!' hijgde het meisje, zich werend met de kracht van de doodsangst. 'Ik – spreek tegen me – zeg wat ik gedaan heb!'

'Dat weet je, jij duivelin!' antwoordde de inbreker, terwijl hij zijn adem inhield. 'Ze hebben je vanavond bespioneerd. Elk woord dat je gezegd hebt, is afgeluisterd.'

'Spaar dan om 's hemels wil mijn leven, zoals ik het jouwe gespaard heb,' hernam het meisje, zich aan hem vastklampend. 'Bill, lieve Bill, je kunt toch niet het hart hebben om me te doden? O! Denk toch eens aan alles wat ik, vanavond nog, voor jou heb opgegeven. Bill, Bill, omwille van de lieve God, omwille van mij, omwille van jezelf! Ik ben je trouw gebleven, zondig als ik ben!'

De man worstelde hevig om zijn armen vrij te krijgen, maar die van het meisje waren rond de zijne geklemd en hij kon ze niet los krijgen.

'Bill,' schreeuwde het meisje, terwijl ze pogingen deed om

haar hoofd op zijn borst te leggen, 'de heer en die lieve dame hebben me vanavond gezegd dat ik mijn dagen in vrede in een vreemd land zou kunnen eindigen. Laat me weer naar hen toegaan en hun smeken tegenover jou dezelfde goedheid te betonen. Laten we allebei deze verschrikkelijke omgeving verlaten en een beter leven leiden. Het is nooit te laat om berouw te hebben, maar we hebben tijd nodig –een klein, klein beetje tijd!'

De inbreker rukte een arm los en greep zijn pistool. De zekerheid dat anderen hem onmiddellijk zouden horen wanneer hij schoot, flitste hem echter door zijn brein, zelfs bij deze woede, en met alle kracht die hij bezat, sloeg hij er tweemaal mee op het gelaat dat naar hem was opgeheven.

Ze wankelde en viel, bijna verblind door het bloed dat uit een diepe wond in haar voorhoofd gulpte, maar met grote moeite wist ze zich op haar knieën op te richten en uit haar lijfje een witte zakdoek tevoorschijn te halen – de zakdoek van Rose Maylie. Tussen haar gevouwen handen hief ze hem zo hoog ten hemel als haar zwakke krachten toelieten en fluisterde een gebed om genade tot haar schepper.

Het was een afgrijselijk gezicht haar zo te zien. De moordenaar wankelde achteruit naar de muur, bande het beeld uit door een hand voor zijn ogen te houden, greep een zware knuppel en sloeg haar neer.

19

De zon – de stralende zon, die de mens niet alleen licht maar ook nieuw leven en hoop brengt – verscheen in heldere en schitterende pracht boven de dichtbevolkte stad. Zij wierp haar stralen gelijkelijk door kostbare vensters en door met papier dichtgemaakte ruiten naar binnen. De kamer waarin de vermoorde vrouw lag, werd eveneens verlicht. Jawel. Hij probeerde het licht buiten te sluiten, maar het bleef naar binnen stromen.

Hij had zich niet bewogen; hij was bang geweest zich te verroeren. Eerst had hij een kleedje over het lijk gegooid, maar het was erger zich voor te stellen hoe de ogen zijn richting uitdraaiden, dan ze recht naar boven te zien staren. En daar lag het lichaam – alleen nog vlees en bloed, meer niet. Maar welk een vlees, en zo veel bloed!

Hij stak de haard aan en gooide de knuppel in de vlammen; hij hield het wapen vast tot het brak en toen stapelde hij de stukken op de kolen, opdat ze tot as zouden vergaan. Hij waste zich en sloeg zijn kleren af. Maar sommige vlekken kon hij niet weg krijgen. Hij sneed de stukken eruit en verbrandde ze. Maar overal in de kamer waren die vlekken te vinden! Zelfs de poten van de hond waren met bloed besmeurd.

Al die tijd had hij het lijk geen ogenblik de rug toegekeerd – nee, geen enkele keer. Na al zijn voorzorgsmaatregelen genomen te hebben, liep hij achterwaarts naar de deur, de hond met zich mee trekkend, uit angst dat het beest zijn poten opnieuw zou bevuilen en de bewijzen van zijn misdaad mee zou nemen op straat. Hij trok zachtjes de deur dicht, sloot haar af, stak de sleutel weg en verliet het huis. Hij keek op naar het venster om er zich van te overtuigen, dat er van buiten niets te zien was. Het gordijn was nog steeds gesloten. Hij floot de hond en beende snel weg.

Zonder bepaald doel en zonder precies te weten waar hij heen wilde, sloeg hij van Islington de weg naar Hampstead Heath in. Hij ging door de laagte bij de Vale of Heath, liep over de heide naar de velden bij North End, en in een daarvan ging hij onder een heg liggen, en viel in slaap. Spoedig was hij weer op de been en ging verder – het land in – daarna weer terug – een andere route over hetzelfde terrein – daarna doolde hij over de akkers, ging in een greppel liggen rusten, stond weer op en dwaalde verder. Op die manier legde hij kilometers en kilometers af. De morgen en de middag gingen voorbij en de dag liep ten einde, en nog altijd strompelde hij voort.

Eindelijk, om negen uur 's avonds, geheel uitgeput en gevolgd door de hond, die hinkte als gevolg van de ongewoon lange wandeling, glipte hij een kroegje in een stil dorp binnen. In de gelagkamer brandde een haard en een aantal landarbeiders zaten ervoor te drinken. Ze maakten ruimte voor de vreemdeling, maar deze ging in de verste hoek zitten en at en dronk alleen, of liever, met zijn hond, want die kreeg zo af en toe een stukje toegeworpen.

Na beëindiging van zijn maal stortte hij zich weer in de eenzaamheid en duisternis van de weg. Hij voelde hoe een dodelijke angst hem bekroop. Elk voorwerp om hem heen nam de vorm aan van een angstwekkend iets. Maar die angsten waren niets, vergeleken met het gevoel, dat het gruwelijke fantoom van die morgen hem overal achtervolgde. Hij kon de schaduw ervan in de duisternis zien, de kleren door de droge bladeren horen ritselen en elk zuchtje van de wind droeg die laatste zachte kreet met zich mee. Als hij stil stond, hield het fantoom ook de pas in. Liep hij hard, dan volgde het hem, als voortgedragen door een droefgeestige, zachte wind, die nooit sterker of minder werd. Bij wijlen keerde hij zich om, in de vertwijfelde vastbeslotenheid dit spookverschijnsel van zich af te slaan, maar de haren op zijn hoofd gingen dan overeind staan en het bloed stolde in zijn aderen, want het had zich met hem omgedraaid en bevond zich nu weer achter hem. Die morgen had hij het steeds voor zich gehouden, maar nu bevond het zich achter hem – alsmaar achter hem.

Op een van de velden die hij doorkruiste, stond een schuur; een onderkomen voor de nacht. Voor de deur stonden drie hoge populieren, die het binnen erg donker maakten, en de wind jammerde in de takken met een naargeestig gehuil. Hier strekte hij zich uit, vlak tegen de muur – om een nieuwe kwel-

ling te ondergaan. Want nu verscheen hem het verschrikkelijke visioen van die wijd starende ogen, glazig en zonder enige
glans, te midden van al die duisternis. Het waren er slechts
twee, maar ze waren overal.

Hij stond op en rende naar buiten. Het spookbeeld bevond
zich opnieuw achter hem. Hij ging de schuur weer binnen en
strekte zich uit. De ogen waren er. En zo bleef hij in een toestand van doodsangst liggen, bevend over al zijn leden en het
koude zweet vochtig op zijn lijf, tot hij plotseling op de nacht-
wind het geluid van ver verwijderd geroep hoorde;
geschreeuw van stemmen in vrees.

Hij vloog overeind en rende naar buiten. De hele hemel
scheen in brand te staan. Met een regen van vonken schoten
grote vlammen de lucht in en stegen zware rookwolken op. De
kreten werden luider en hij hoorde geroep van 'brand!' vermengd met gelui van een alarmklok en het geknetter van de
vlammen. Het was voor hem als een nieuw soort leven. Hij
vloog erop af, door struiken en kreupelhout schietend, even
snel als zijn hond. Hij bereikte de plaats van de ramp. Halfgeklede figuren renden heen en weer; sommigen probeerden verschrikte paarden uit stallen te halen, anderen kwamen zwaarbeladen uit een brandend huis, in een regen van vonken,
veroorzaakt door neerstortende roodhete balken. Vrouwen en
kinderen gilden en het geluid van de brandpompen en het sis-
sen van het water dat op het brandende hout viel, verhoogden
het lawaai nog. Sikes schreeuwde ook, en vluchtend voor zichzelf en zijn herinneringen stortte hij zich in de menigte.

Hij vloog die nacht her en der, nu eens zwoegde hij aan de
pompen, dan haastte hij zich door rook en vlammen, over
vloeren die kraakten onder zijn gewicht, bedreigd door vallen-
de stenen. Maar hij werd als door toverkracht beschermd,
want hij liep geen schrammetje of kneuzing op, totdat het
weer morgen werd en er slechts zwartgeblakerde ruïnes restten.

Toen deze krankzinnige opwinding voorbij was, keerde echter
het besef van zijn verschrikkelijke misdaad nog tienmaal sterker terug. Hij blikte wantrouwend om zich heen, want hij
vreesde het onderwerp van gesprek te zijn. De hond gehoorzaamde het wenken van zijn vinger en samen slopen ze weg.
Toen hij voorbij een brandspuit kwam, riepen enige mannen
hem toe bij hen te komen zitten om ook iets te gebruiken. Hij

nam wat brood en vlees en hoorde de brandweerlieden, die uit Londen kwamen, over de moord spreken. 'Ze zeggen dat hij naar Birmingham gegaan is; maar ze krijgen hem nog wel. De politie zit achter hem aan, en tegen morgenavond wordt er in het hele land naar hem uitgekeken.'

Hij haastte zich weg en liep door tot hij van vermoeidheid bijna neerviel; toen ging hij ergens aan de kant van de weg liggen en sliep lang, maar erg onrustig. Verder zwierf hij, besluiteloos en onzeker, en hij werd geplaagd door de angst voor een volgende eenzame nacht. Eensklaps nam hij het wanhopige besluit om naar Londen terug te gaan.

Daar is in ieder geval iemand met wie ik kan praten, dacht hij. En ik zal me er ook kunnen verbergen. Nadat ik het land op gevlucht ben, zullen ze me daar nooit zoeken. Waarom zou ik me niet een week of zo schuil kunnen houden, om dan Fagin wat geld af te troggelen en naar Frankrijk gaan? Verduiveld, ik riskeer het.

Hij koos de stilste wegen en begon aan de terugtocht, vastbesloten de hoofdstad bij het vallen van de avond via een omweg te bereiken. Maar de hond! Als er een signalement van hem verspreid was, dan zouden ze niet vergeten hebben dat de hond ook verdwenen was en waarschijnlijk met hem mee was gegaan. Hij besloot het dier te verdrinken en onder het lopen keek hij uit naar een vijver, terwijl hij ook even bleef staan om een zware steen op te rapen en in zijn zakdoek te knopen. Mogelijk waarschuwde zijn instinct de hond bij deze voorbereidingen, want hij bleef wat verder achter dan gewoonlijk, en toen zijn meester aan de rand van een vijver stilstond bleef hij ook staan.

'Kom hier!' riep Sikes.

Uit macht der gewoonte kwam het dier naar hem toe, maar toen Sikes zich bukte om de zakdoek aan zijn halsband vast te maken, stiet hij een zacht gegrom uit en sprong achteruit.

'Kom terug!' zei de inbreker.

De hond kwispelde met zijn staart, maar bewoog zich niet. Sikes maakte een lus en riep hem opnieuw.

De hond naderde, week terug, wachtte nog even, draaide zich dan om en rende zo snel hij kon weg.

De man floot weer en weer en ging op de grond zitten, in de verwachting dat het dier wel terug zou komen. Maar het kwam niet opdagen en ten slotte vervolgde hij zijn tocht.

De schemering begon reeds te vallen toen mijnheer Brownlow voor zijn eigen huis uit een huurrijtuig stapte en aanklopte. Nadat de deur geopend was, stapte een grote, stoere man uit het rijtuig, terwijl een ander van de bok naar beneden kwam. Op een teken van mijnheer Brownlow hielpen zij een derde man uit het rijtuig, namen deze tussen zich in en brachten hem haastig het huis binnen. Deze derde was Monks. Op gelijke wijze gingen ze de trap op, en mijnheer Brownlow, die voorging, opende de deur van een achterkamer. Bij de deur van dit vertrek bleef Monks, die met duidelijke tegenzin gekomen was, staan. De twee anderen keken de oude heer aan, alsof ze instructies verwachtten.

'Hij kent het alternatief,' zei mijnheer Brownlow. 'Als hij ook maar één vinger beweegt, sleep hem dan de straat op, roep de politie en klaag hem in mijn naam aan als misdadiger.'

'Hoe waagt u het dat van mij te zeggen?' vroeg Monks.

'Hoe waag je het me dat te vragen, jongeman,' antwoordde mijnheer Brownlow, die hem met vaste blik aankeek. 'Zou je werkelijk gek genoeg zijn om dit huis te verlaten? Laat hem los. Ziezo, jongeman. Je bent vrij om te gaan. Maar ik bezweer je, bij alles wat mij lief en heilig is, dat ik je op het ogenblik dat je de straat betreedt zal laten arresteren op beschuldiging van diefstal en fraude.'

'Op wiens bevel ben ik op straat weggevoerd en door deze honden hier gebracht?' vroeg Monks, naar de mannen naast hem kijkend.

'Op mijn bevel,' antwoordde mijnheer Brownlow. 'Deze personen worden door mij betaald. Als je je wil beklagen wegens vrijheidsberoving – maar je vond het toch raadzamer je kalm te houden onderweg – zoek dan bescherming bij de wet.'

Monk was duidelijk van zijn stuk gebracht en aarzelde.

'Je moet vlug beslissen,' sprak mijnheer Brownlow beheerst. 'Als je wil dat ik mijn beschuldigingen langs officiële weg uitspreek, dan ken je de weg. Zo niet, als je dus een beroep wil doen op mijn vergevingsgezindheid en de genade van hen die je diep verwond hebt, ga dan in die stoel zitten.'

'Is er...' vroeg Monks met haperende stem, 'is er... geen middenweg?'

'Nee.'

Monks keek de oude heer aan, maar toen hij op diens gezicht niets dan een vastbesloten strengheid zag, liep hij de kamer in, haalde zijn schouders op en ging zitten.

'Doe de deur aan de buitenkant op slot,' zei mijnheer Brownlow tegen zijn helpers, 'en kom wanneer ik bel.'

De mannen gehoorzaamden en het tweetal werd alleen gelaten.

'Dat is een mooie behandeling, mijnheer,' zei Monks. 'En nog wel van mijn vaders oudste vriend.'

'Juist omdát ik je vaders oudste vriend was, jongeman,' reageerde mijnheer Brownlow. 'Omdat alle hoop en wensen van mijn jonge en gelukkige jaren met hem verbonden zijn, en met dat lieve wezentje, zijn enige zuster, die in haar jeugd reeds tot God werd geroepen en mij als een eenzaam man achterliet. Omdat hij, samen met mij, aan haar sterfbed geknield heeft op de morgen, die haar – maar de hemel besliste anders – tot mijn vrouw gemaakt zou hebben. Omdat mijn gewond hart zich van dat ogenblik af, ondanks al zijn beproevingen en misstappen, aan hem gehecht heeft tot hij stierf. Omdat oude herinneringen mijn geest vervullen en zelfs het zien van jou gedachten aan hem oproept. Om al die dingen ben ik genegen je nu met zachtheid te behandelen – ja, Edward Leeford, zelfs nu – en bloos slechts om je eigen onwaardigheid die naam te dragen.'

'Wat heeft de naam ermee te maken?' vroeg de ander. 'Wat betekent een naam voor mij?'

'Niets,' antwoordde mijnheer Brownlow, 'voor jou niets. Maar het was de hare, en al is het ook zo lang geleden, die naam doet een oud man als ik het geluk en de opwinding die ik eens voelde opnieuw ervaren, ook al wordt hij uitgesproken door een vreemde. Ik ben blij, dat je een andere hebt aangenomen – erg blij!'

'Dat is allemaal mooi en aardig,' zei Monks (om hem maar bij zijn aangenomen naam te blijven noemen), 'maar wat wilt u nu van me?'

'Je hebt een broer,' zei mijnheer Brownlow, 'en toen ik op straat zijn naam in je oor fluisterde, was dat op zich al voldoende om je hevig geschrokken mee te doen gaan.'

'Ik heb geen broer,' wierp Monks tegen. 'U weet dat ik enig kind was.'

'Luister dan naar wat ik weet en jij wellicht niet,' zei mijnheer Brownlow. 'Het zal je interesseren. Ik weet dat jij het enige en onnatuurlijkste resultaat was van een ellendig huwelijk, waartoe je ongelukkige vader, toen hij nog slechts een jongen was, door familietrots gedwongen werd. Maar ik weet ook welk een ellende, welk een tergende kwelling, welk een folterende pijn die ongelukkige verbintenis met zich bracht. Ik weet hoe onverschilligheid plaats maakte voor afkeer, afkeer voor haat en haat voor weerzin, tot je vader en moeder ten slotte de keten die hen bond verbraken en ver van elkaar een nieuw leven begonnen. Ze probeerden de resterende schakels van die ketting in een nieuwe omgeving te verbergen, achter de vrolijkste blikken waartoe ze in staat waren. Je moeder slaagde erin; ze vergat spoedig. Maar het verziekte en verteerde je vaders hart jaren achtereen.'

'Nou, ze waren dus van elkaar,' zei Monks. 'En?'

'Toen ze zo een tijd gescheiden geleefd hadden,' hernam mijnheer Brownlow, 'en je moeder, zich geheel overgevend aan de frivoliteiten van het vasteland, haar echtgenoot, die tien jaar jonger was, volkomen vergeten had, maakte haar man, die thuis achter was gebleven met verwoeste vooruitzichten, nieuwe vrienden. Die omstandigheid is je althans in ieder geval bekend.'

'Niet waar,' zei Monks, terwijl hij de blik afwendde en met zijn voet op de grond stampte, als vastbesloten alles te ontkennen.

'Je gedrag, niet minder dan je levenswijze, geven mij de verzekering, dat je het nooit bent vergeten en er altijd met bitterheid aan hebt teruggedacht,' ging mijnheer Brownlow voort. 'Ik spreek nu van dertien jaar geleden, toen jij pas twaalf of dertien was en je vader nog maar eenendertig. Moet ik teruggaan naar gebeurtenissen, die een schaduw werpen op de herinnering aan je vader, of wil je mij de waarheid vertellen?'

'Ik heb niets te vertellen,' hernam Monks.

'Welnu dan. Deze vrienden,' zei mijnheer Brownlow, 'waren een marineofficier, gepensioneerd uit actieve dienst, wiens vrouw overleden was, en zijn beide dochters. De ene was een lieftallig wezentje van negentien en de andere nog slechts een kind van drie of vier. Ze woonden in dezelfde streek als waar je vader zich gevestigd had. Kennismaking, intimiteit en vriendschap volgden elkaar snel op. Je vader was begaafd als weinig anderen. Naarmate de oude officier hem beter leerde kennen, begon hij van hem te houden. Ik wenste dat het daarbij gebleven was. Maar zijn dochter deed hetzelfde.'

De oude heer zweeg. Monks beet zich op de lippen en staarde onafgebroken naar de vloer. Toen mijnheer Brownlow dit zag, ging hij verder: 'Aan het einde van het jaar had hij zich plechtig met die dochter verbonden; als de eerste vurige en hartstochtelijke liefde van een onschuldig meisje. Na enige tijd stierf een rijk familielid en liet je vader een aanzienlijk bedrag na. Het was absoluut noodzakelijk dat hij onmiddellijk naar Rome ging, waar deze man was overleden en zijn zaken in de grootste wanorde had achtergelaten. Daar werd hij door een dodelijke ziekte overvallen. Zodra dit nieuws Parijs bereikte, vertrok ook jouw moeder naar Rome, en ze nam jou met zich mee. Hij stierf de dag na haar aankomst en liet geen testament na – geen testament – zodat al zijn bezittingen haar en jou toevielen.'

Monks hield zijn adem in en luisterde met intense gretigheid, hoewel hij de spreker niet aankeek. Toen de oude heer even zweeg, nam hij een andere houding aan, met het air van iemand die een grote opluchting heeft ervaren, en wiste zijn gezicht en handen af.

'Voor hij naar het buitenland vertrok, kwam hij naar Londen en bracht mij een bezoek,' zei mijnheer Brownlow langzaam, terwijl hij de ander strak aankeek.

'Daar heb ik nooit iets van gehoord,' stiet Monks uit op een toon die bedoeld was ongelovig te klinken, doch waaruit eerder onaangename verrassing klonk.

'Hij liet, met nog wat andere dingen, een door hemzelf geschilderd portret van het arme meisje, dat hij op zijn haasti-ge reis niet mee kon nemen, bij mij achter. Hij was door zorg tot haast een schim vermagerd en sprak op een wilde, afwezi-ge manier over schande en ondergang waarvan hijzelf de oor-zaak was; hij vertrouwde mij zijn plan toe al zijn bezittingen in geld om te zetten om dan, na op zijn vrouw en jou een gedeel-te van dit nieuw verworven geld te hebben vastgezet, het land te ontvluchten – en ik kon maar al te goed raden dat hij niet alleen zou vluchten. Zelfs voor mij, zijn oude vriend, hield hij de bijzonderheden verborgen. Hij beloofde me echter te schrijven en me dan alles te onthullen en me daarna nog een-maal te zullen komen bezoeken. Helaas! Dat was de laatste keer dat hij me bezocht. Ik kreeg geen brief en ik heb hem nooit weer gezien.

'Toen alles voorbij was ging ik naar het toneel van zijn – ik zal

202

de term gebruiken die de wereld daar ook vrij voor bezigt – schuldige liefde, vastbesloten dat, indien mijn vrees bewaarheid werd, het dwalende kind van althans één toegenegen hart en een tehuis te verzekeren. Maar de familie had een week tevoren de streek verlaten. Waarom of waarheen wist niemand.'

Monks scheen vrijer adem te halen en keek met een triomfantelijk lachje op.

'Toen jouw broer,' zei mijnheer Brownlow, zijn stoel dichter bij trekkend, 'een zwak, in lompen gehuld en verwaarloosd kind, mijn levenspad kruiste, geleid door een sterkere hand dan het blote toeval, en door mij gered werd van een leven van eerloosheid en zonde...'

'Wat?' riep Monks.

'Door mij,' beaamde mijnheer Brownlow. 'Ik zei toch dat mijn verhaal je zou interesseren. Ik merk dat die sluwe handlanger van je mijn naam voor je verborgen heeft gehouden, hoewel hij niet kon weten dat die voor jou iets zou betekenen. Toen je broer dan door mij gered was en in mijn huis te bed lag, herstellend van een ziekte, werd ik met verbazing vervuld door zijn sterke gelijkenis met het portret, waar ik het over had. Zelfs toen ik hem voor het eerst zag, vuil en ellendig, lag er op zijn gezicht een uitdrukking, die mij trof als een glimp van een oude vriend, heel even in een droom te aanschouwen. Ik behoef je niet te vertellen dat hij werd weggelokt, voor ik zijn geschiedenis kende...'

'Waarom niet?' vroeg Monks haastig.

'Omdat je dat maar al te goed weet.'

'U... u... kunt niets tegen me bewijzen,' stamelde Monks. 'Ik tart u het te proberen.'

'We zullen zien,' hernam de oude heer, met een onderzoekende blik. 'Ik raakte de jongen kwijt en mijn pogingen om hem terug te vinden hadden geen succes. Aangezien je moeder dood was, wist ik dat alleen jij het mysterie kon ontsluieren, zo dit al mogelijk was, en omdat je, toen ik het laatst iets over je hoorde, op je plantage in West-Indië was – waarheen je na de dood van je moeder de wijk genomen had om aan de gevolgen van je slechte levenswandel hier te ontsnappen – reisde ik er ook heen. Maanden daarvoor was je echter alweer vertrokken, en men veronderstelde dat je in Londen was. Ik ging terug. Je agenten zeiden dat je nog even onvoorspelbaar kwam en ging als altijd, en dat je je nog steeds ophield in dezelfde ongure gelegenheden, en nog steeds dezelfde verdorven vrienden had als toen je nog een moeilijk te hanteren knaap was. Dag en nacht liep ik straat na straat door, maar tot twee uur geleden was al mijn moeite vruchteloos, en geen enkele keer zag ik je.'

'En nu u me wel ziet,' zei Monks, die overmoedig opstond, 'wat nu?' Fraude en diefstal zijn grote woorden – en voor u worden ze slechts gerechtvaardigd door een gelijkenis die u meent te moeten opmerken tussen een jong kereltje en het kladwerk van een overledene. Broer! U weet niet eens of er een kind geboren is uit de verhouding van dat sentimentele stel; dat weet u niet eens.'

'Ik wist het niet,' reageerde mijnheer Brownlow, eveneens opstaand, 'maar in de laatste veertien dagen ben ik overal achter gekomen. Je hebt een broer en je kent hem. Er was een testament dat je moeder vernietigde, en bij haar dood liet ze jou het geheim en het geld na. Het bevatte een clausule betreffende een kind, dat het waarschijnlijke resultaat zou zijn van zijn droevige verbintenis. Dat kind werd geboren en jij ontmoette het toevallig. Je vermoedens werden het eerst gewekt door de gelijkenis met zijn vader. Je begaf je naar de plaats waar hij geboren was. Er bestonden bewijzen van zijn geboorte en afkomst. Die bewijzen zijn door jou vernietigd. Je eigen woorden tegen je medeplichtige Fagin waren: "En zo ligt het enige bewijs van de identiteit van de jongen op de bodem van de rivier!" Onwaardige zoon, lafaard, – jij, die 's nachts in de donkere holen vergadert met dieven en moordenaars – jij, wiens complotten en listen verantwoordelijk zijn voor de gewelddadige dood van iemand, die meer waard was dan miljoenen van jouw soort – jij, die van je wieg af gal en bitterheid geweest bent voor het hart van je eigen vader – jij, Edward Leeford, durf je me nog steeds te tarten?'

'Nee, nee, nee!' antwoordde de lafaard, overweldigd door deze opeengestapelde beschuldigingen.

'Elk woord,' riep de oude heer, 'dat tussen jou en die schurk Fagin gesproken is, is mij bekend! Schaduwen hebben je gefluister opgevangen en het aan mij overgebracht. De aanblik van het vervolgde kind heeft de zondige bekeerd en moed geschonken, en bijna alle andere kenmerken van de deugd. Er is een moord begaan, waar jij moreel, misschien zelfs daadwerkelijk, verantwoordelijk voor bent.'

'Nee, nee,' wierp Monks ertussen. 'Daar weet ik niets van. Ik dacht dat het een gewone ruzie was.'

'Het was een gevolg van de gedeeltelijke onthulling van jouw geheim,' antwoordde mijnheer Brownlow. 'Wil je me nu de rest vertellen?'

'Ja.'

'Wil je je handtekening zetten onder een verklaring met de ware feiten en die in het bijzijn van getuigen voorlezen?'

'Ook dat beloof ik.'

'Je moet nog meer doen,' zei mijnheer Brownlow. 'Je moet schadevergoeding betalen aan een onschuldig kind, want dat is hij, hoewel het resultaat van een schuldige liefde. Je bent de bepalingen in het testament niet vergeten. Voer ze uit, voor zover ze je broer betreffen, dan kun je gaan waar je wil.'

Terwijl Monks de kamer op en neer liep, met duistere en kwaadaardige blik over dit voorstel nadenkend, verscheurd door vrees aan de ene en haat aan de andere kant, werd de deur ontsloten en kwam dokter Losberne hevig opgewonden het vertrek binnen. 'De man zal gegrepen worden!' riep hij uit. 'Hij zal vanavond gegrepen worden!'

'De moordenaar?' vroeg mijnheer Brownlow.

'Ja, ja,' antwoordde de ander. 'Men heeft zijn hond zien rondhangen in de buurt van een van zijn oude schuilplaatsen, en er schijnt weinig twijfel over te bestaan dat zijn meester daar al is of er zich onder dekking van de duisternis heen zal begeven. Overal rondom houden spionnen de wacht. Hij kan niet ontsnappen. De regering zal vanavond een beloning van honderd pond uitloven.'

'Ik doe er vijftig bij,' zei mijnheer Brownlow, 'en dat zal ik met mijn eigen lippen ter plaatse bekend maken, als ik er nog kan komen. Waar is mijnheer Maylie?'

'Harry? Zodra hij wist dat deze man veilig in het rijtuig zat is hij snel naar de plaats gegaan waar hij dit gehoord heeft,' antwoordde de dokter. 'Daarna is hij te paard gestegen om zich bij de eerste groep te voegen, ergens in een van de voorsteden.'

'Fagin?' zei mijnheer Brownlow. 'Hoe zit het met hem?'

'Naar wat ik laatst gehoord heb, was hij nog niet gearresteerd, maar dat komt wel of misschien hebben ze hem nu al. In ieder geval kan hij niet weg.'

'Heb je een besluit genomen?' vroeg mijnheer Brownlow zacht aan Monks.

'Ja,' antwoordde deze. 'U... u... geeft mij niet aan?'

'Nee. Blijf hier tot ik terugkom. Het is je enige hoop om in vrijheid te blijven.' Samen met dokter Losberne verliet hij de kamer en de deur werd afgesloten.

'Wat hebt u gedaan?' vroeg de dokter fluisterend.

'Al wat ik kon doen. Ik heb hem geen kans gelaten. Roep voor overmorgenavond zeven uur de vergadering bijeen. Maar mijn bloed kookt om dat arme vermoorde meisje te wreken. Welke kant zijn ze uitgegaan?'

'Rij linea recta naar het politiebureau, dan zult u nog wel op tijd zijn,' antwoordde dokter Losberne. 'Ik blijf hier.'

De twee heren namen haastig afscheid in koortsachtige opwinding.

20

Vlak aan de Theems, in de buurt van Southwark, waar de gebouwen op de oever en de schepen op de rivier het vuilst zijn, ligt de smerigste en vreemdste wijk van Londen. Overal in de nauwe steegjes ziet men weerzinwekkende tonelen en ruikt men afstotende geuren, en men wordt verdoofd door het geratel van zware wagens die grote stapels koopwaar uit enorme pakhuizen halen. De meer afgelegen en minder bezochte straatjes vertonen alle kenmerken van troosteloosheid en verwaarlozing; wankele gevels hellen over het plaveisel, en half afgebroken muren schijnen op het punt te staan in te storten.

In die buurt ligt Jacob's Island, omringd door een modderige sloot, twee meter diep en zes meter breed wanneer het vloed is, en die bekend staat als Folly Ditch. Het is een kreek van de Theems en kan via verschillende houten bruggen overgestoken worden. Bij hoogtij halen de bewoners aan beide zijden uit hun achterdeuren en -ramen water op in emmers en potten. De huizen zelf hebben vreemde, houten veranda's met gaten, waardoor men het slijmerige water beneden ziet. Alle weerzinwekkende tekenen van vuil, verrotting en afval treft men langs de oevers van Folly Ditch aan.

Op Jacob's Island zelf zijn de pakhuizen leeg en dakloos; de huizen hebben geen eigenaar; ze worden opengebroken en betreden door hen, die er moed toe hebben. Zij, die hun toevlucht zoeken op Jacob's Island moeten wel sterke behoefte hebben aan een geheime woonplaats en ze moeten wel heel vertwijfeld zijn.

In een bovenkamer van een van deze huizen – een vrij groot, alleenstaand gebouw, in alle opzichten vervallen, maar bij ramen en deuren in sterke staat van verdediging gebracht – waarvan de achterzijde aan de sloot lag, waren twee mannen bijeen. Ze keken elkaar keer op keer verslagen aan en zaten zo geruime tijd in diepe stilte te samen. Een van hen was Toby

Crackit; de tweede was Tom Chitling.

'Ik wou,' zei Toby tegen mijnheer Chitling, 'dat je een andere schuilplaats uitgezocht had toen de twee oude te warm werden, en niet hier gekomen was. Wanneer hebben ze Fagin gegrepen?'

'Vanmiddag om twee uur. Charley en ik zijn door de schoorsteen van het washok ontkomen en Bolter kroop met zijn hoofd naar beneden in het lege watervat, maar zijn benen zijn zo lang, dat ze boven de rand uitstaken, zodat ze hem ook grepen.'

'En de Gladde?'

'Ook gepakt.'

'En Bet?'

'Arme Bet! Ze is naar het lijk gaan kijken,' antwoordde Chitling, die hoe langer hoe somberder keek. 'En toen werd ze volslagen gek. Ze gilde en sloeg, en dus hebben ze haar een dwangbuis aangedaan en naar het ziekenhuis gebracht – en daar is ze nou.'

'En wat is er met de jonge Charley Bates gebeurd?'

'Die is in de buurt rond blijven hangen en zou niet voor donker hier komen, maar hij zal er nou wel gauw zijn. Hij kan nergens anders heen, want de lui van De Kreupelen zijn nu allemaal in de bak en de gelagkamer zit vol politie.'

'Het is een ramp!' zei Toby, op zijn lippen bijtend. 'Als ze kunnen bewijzen dat Fagin medeplichtig is, dan hangt hij binnen zes dagen, bij God!'

'Je had de mensen moeten horen brullen,' zei Chitling. 'Ze probeerden Fagin mee te trekken. Je had moeten zien hoe hij zich aan de agenten vastgreep, alsof 't zijn beste vrienden waren. Ik zie 't nog voor me. Ze sleepten hem mee, en de mensen sprongen op en grijnsden kwaadaardig. Ik zie nog het bloed op zijn haar en baard, en ik hoor nog de kreten van de vrouwen, die dreigden hem het hart uit z'n lichaam te scheuren.'

De van afschuw vervulde getuige van dit toneel drukte de handen tegen zijn oren, stond op en liep opgewonden heen en weer. Terwijl hij zo doende was hoorden ze een tikkend geluid op de trap, en even later sprong de hond van Sikes door een open raam de kamer binnen.

'Wat heeft dat te betekenen?' zei Toby. 'Sikes komt toch zeker niet hier naar toe? Ik... ik hoop van niet.'

'Als hij hier naar toe kwam, dan zou hij met zijn hond gekomen zijn. Hij... hij zal zich toch niet van kant gemaakt hebben? Wat denk jij?' vroeg Chitling.

Toby schudde zijn hoofd.

De hond kroop onder een stoel, rolde zich op en ging slapen.
Daar het intussen donker geworden was, werd het luik gesloten, een kaars aangestoken en op tafel gezet. De vreselijke
gebeurtenissen van de afgelopen twee dagen hadden op de
twee mannen een diepe indruk gemaakt. Ze trokken hun stoelen dicht bijeen en schrokken op bij ieder geluid, even stil en
door vrees bevangen, alsof de stoffelijke resten van de vermoorde vrouw in de aangrenzende kamer lagen.

Ze hadden zo een tijdlang gezeten, toen ze eensklaps een
gejaagd kloppen hoorden op de deur beneden. De hond was
ogenblikkelijk op zijn hoede en rende jankend naar de deur.
Weer klonk het geklop. Crackit keek uit het raam en bevend
over al zijn leden trok hij zijn hoofd weer naar binnen. Hij
hoefde niet te vertellen wie er buiten stond; zijn gezicht was
bleek genoeg.

'We moeten hem binnenlaten,' zei hij en nam de kaars op.

'Is er niets aan te doen?' vroeg de ander met schorre stem.

'Nee, hij móét binnenkomen.'

Crackit ging naar beneden en kwam terug, gevolgd door een
man, die de onderste helft van zijn gezicht achter een zakdoek
verborgen hield. Langzaam trok hij die weg. Een bleek
gezicht, holle ogen, ingevallen wangen, een baard van drie
dagen, een viezige huid; een schim van wat Sikes eens was
geweest.

Hij legde zijn hand op een stoel die in het midden van de
kamer stond, maar toen hij erop wilde gaan zitten huiverde
hij, wierp een blik over zijn schouder, trok de stoel tegen de
muur aan – zo dicht als maar mogelijk was – en zakte er toen
op neer.

Er was nog geen woord gezegd. Zwijgend keek hij van de een
naar de ander. Keek iemand hem steels aan, dan wendde hij
zijn ogen onmiddellijk af. Toen zijn holle stem de stilte verbrak, schrokken de beide anderen op.

'Hoe is die hond hier gekomen?' vroeg hij.

'Alleen. Drie uur geleden.'

'In de krant van vanavond staat dat Fagin gegrepen is. Is dat
waar?'

'Dat is waar.'

Weer zwegen ze.

'Vervloekt, jullie,' zei Sikes, met zijn hand over zijn voorhoofd strijkend. 'Hebben jullie me niks te zeggen?'

Ze bewogen zich onrustig, maar geen van beiden sprak.

'Jij beheert dit huis,' zei Sikes tegen Crackit. 'Kan ik me hier verbergen totdat de jacht voorbij is?'

'Je mag hier blijven, als je denkt dat het veilig is,' antwoordde de aangesprokene, na enige aarzeling.

Sikes richtte zijn ogen op de muur achter zich en vroeg: 'Is... is het lichaam... is het begraven?'

Ze schudden hun hoofd.

'Waarom niet?' viel hij uit, met een zelfde schuwe blik achterom. 'Waarom laten ze zulke ellendige dingen boven de grond? Wie klopt daar?'

Terwijl Crackit de kamer verliet, gaf hij met een beweging van zijn hand te kennen dat er niets te vrezen viel. Even later kwam hij terug met Charley Bates achter zich aan. Zodra deze laatste Sikes zag deinsde hij terug.

'Toby,' zei de jongen, 'waarom heb je me dat beneden niet verteld?'

Er had zoiets verschrikkelijks gelegen in de manier waarop de twee anderen voor hem teruggeschrokken waren, dat de ongelukkige bereid was zelfs deze jongen vriendelijk voor zich te stemmen. Hij maakte een beweging alsof hij hem de hand wilde reiken.

'Laat me naar een andere kamer gaan,' zei de jongen, nog verder achteruitwijkend.

'Charley!' zei Sikes. 'Ken je... ken je me niet?'

'Kom niet dichter bij me,' antwoordde de jongen, zich terugtrekkend en met afgrijzen naar de moordenaar kijkend. 'Jij monster!'

Sikes stond stil. Zij keken elkaar aan, maar het was Sikes die zijn ogen langzaam neersloeg.

'Jullie zijn getuigen,' riep de jongen, terwijl hij zijn vuist schudde en al pratend steeds opgewondener raakte. 'Ik ben niet bang voor hem – als ze hem hier achterna komen, dan geef ik hem aan; dat doe ik! Hij mag me vermoorden als hij wil, maar nu ik hier ben, geef ik hem aan. Moord! Help! Moord!'

De jongen liet deze kreten vergezeld gaan van heftige gebaren, en opeens wierp hij zich inderdaad zonder enige hulp op de sterke man, die door de hevigheid van de aanval en het plotselinge van de verrassing zwaar ten val kwam.

De twee toeschouwers schenen met verlamdheid geslagen. Ze kwamen niet tussenbeide en de jongen en de man rolden samen over de grond, terwijl de eerste geen ogenblik ophield luidkeels om hulp te roepen. De strijd was echter te ongelijk om lang te duren. Sikes had Charley onder gekregen en een knie op diens keel gezet, toen Crackit hem met verschrikte blik terugtrok en naar het raam wees. Beneden glommen lichtjes en klonken stemmen, en op de dichtstbijzijnde houten brug hoorde men haastige voetstappen. Feller werd het licht, luider het kabaal, en toen werd er hard op de deur gebonsd, waarna een schor geroes opsteeg van vele boze stemmen.

'Help!' gilde de jongen, met een stem die door de lucht snerpte. 'Hij is hier! Trap de deur in!'

Zware slagen daalden neer op de deur en de luiken van de benedenvensters. Een hoera steeg uit de menigte op.

'Maak de deur open van een of ander plekje waar ik dat gillende duivelskind kan opsluiten,' riep Sikes, die de jongen nu even gemakkelijk met zich meesleepte alsof hij een lege zak was. 'Die deur. Vlug.' Hij slingerde de jongen naar binnen en draaide de sleutel om. 'Is de buitendeur goed gesloten?'

'Er zit een dubbel slot op en een ketting,' antwoordde Crackit, nog steeds volkomen verbijsterd.

'En de vensters ook?'

'Ja.'

'De duivel hale jullie!' schreeuwde de wanhopige schurk, het raam openschuivend en de menigte beneden uitdagend. 'Doe maar wat jullie willen. Ik ontkom toch!'

Van alle gruwelijke geluiden die ooit een menselijk oor bereikten, kan er geen angstaanjagender zijn geweest dan het geschreeuw dat uit de woedende menigte opsteeg. Sommigen schreeuwden naar hen die er het dichtst bij stonden, dat ze het huis in brand moesten steken. Anderen gilden de agenten toe hem dood te schieten. Een man te paard, vlak onder het raam, riep met een stem die boven alles uitklonk: 'Twintig gienjes voor hem, die een ladder brengt!' De stemmen van de omstanders namen de kreet over en honderden anderen herhaalden de roep. Sommigen riepen nu om ladders, anderen om voorhamers, weer anderen renden met toortsen heen en weer, alsof ze de gevraagde voorwerpen zochten, en sommigen drongen met de vervoering van krankzinnigen naar voren; maar allen namen deel aan een luid en woedend gebrul.

'Vloed!' riep de moordenaar uit, terwijl hij in de kamer terugwankelde en al die gezichten buitensloot. 'Het was vloed, toen ik hier aankwam. Geef me een lang touw. Ze staan allemaal aan de voorkant. Misschien kan ik me in de Folly Ditch laten vallen en hem op die manier smeren. Geef me een touw!'

Crackit wees naar de plaats waar dergelijke artikelen bewaard werden. De moordenaar selecteerde gejaagd het langste en sterkste touw en rende ermee naar de bovenste verdieping. Hij wrong een plank, die hij met zich meegenomen had, zo stevig tegen de zolderdeur, dat het een heel moeilijk karwei zou zijn om die weer open te krijgen, en over de dakpannen voortkruipend, keek hij over de dakrand naar beneden.

Het was eb, en de sloot één grote modderpoel.

De menigte had hem het dak op zien gaan, en sommigen liepen om het huis heen. Men was even stil geworden en sloeg zijn bewegingen gade, zonder te weten wat hij van plan was. Maar nauwelijks had men zijn bedoeling begrepen, of er werd een triomfantelijk gehuil aangeheven, waarbij al het geschreeuw tot dan toe fluisteren geleek. Het scheen of de stad haar hele bevolking uitgezonden had om hem te vervloeken. De huizen aan de overkant van het water waren nu ook door de menigte bezet; in elk raam verschenen rijen gezichten en op elk dak dromden groepjes mensen. Elke brug boog door onder het gewicht, dat erop rustte.

'Nou hebben ze hem!' riep een man op de dichtstbijzijnde brug. 'Hoera!'

'Ik loof vijftig pond uit,' riep een oude heer uit dezelfde richting, 'voor hem, die de moordenaar levend grijpt!'

Sikes was in elkaar gekropen, bedrukt door de woestheid van de menigte en de onmogelijkheid van een ontsnapping; maar nu sprong hij weer op, vastbesloten een laatste poging te doen om zijn leven te redden door zich in de sloot te laten vallen en, op gevaar af in de modder te stikken, te proberen in de duisternis en de verwarring te ontkomen. Opgewekt tot nieuwe kracht en energie en gedreven door lawaai binnen in het huis, waaruit hij opmaakte dat men een toegang had weten te forceren, knoopte hij een eind van het touw stevig om een schoorsteen en maakte van het andere einde een lus. Door middel van dit touw kon hij zich tot op korte afstand boven de grond laten zakken, en hij had zijn mes in zijn hand om het door te snijden en zich dan te laten vallen.

Net op het ogenblik dat hij de lus over zijn hoofd liet zakken met de bedoeling hem onder zijn oksels vast te maken – op dat ogenblik echter – keek de moordenaar op het dak achter zich, hief zijn handen boven zijn hoofd en slaakte een gil van angst. 'Die ogen weer,' schreeuwde hij met een helse stem.

Alsof hij door de bliksem getroffen was, zo verloor hij zijn evenwicht en tuimelde over de dakrand. De lus lag nog steeds om zijn hals. Door zijn gewicht werd het touw zo strak gespannen als een boogpees. Er volgde een plotselinge ruk, een afschuwelijke samentrekking van de ledematen, en de moordenaar zwaaide levenloos tegen de muur, het geopende mes in zijn verstijvende vingers geklemd.

Een hond, die zich tot op dat ogenblik verborgen gehouden had, liep met een akelige gehuil langs de dakrand heen en weer, dook toen in elkaar, en sprong naar de schouders van de dode. Maar hij miste zijn doel en stortte in de sloot, en in zijn val draaide hij een hele slag om, waarbij zijn kop tegen een steen sloeg en zijn schedel werd verbrijzeld.

21

Twee dagen na deze gebeurtenissen bevond Oliver zich, om drie uur 's middags, in een koets die snel naar zijn geboorte- plaats reed. Mevrouw Maylie, Rose, mevrouw Bedwin en de goede dokter vergezelden hem, en mijnheer Brownlow volgde in een postkoets, in gezelschap van iemand anders, wiens naam nog niet genoemd was.

Oliver verkeerde in een toestand van opwinding en onzeker- heid, die hem bijna het spreken belette. Hij en de beide dames waren door mijnheer Brownlow zeer voorzichtig op de hoogte gesteld van de aard van de bekentenissen, die men Monks ontfutseld had, en hoewel ze wisten dat het doel van hun reis de voltooiing beoogde van het werk dat was begonnen, was de hele geschiedenis toch nog zo in geheimzinnigheid gehuld, dat ze allen in grote spanning verkeerden.

Mijnheer Brownlow had, met dokter Losbernes hulp, nauw- keurig alle kanalen waardoor zij inlichtingen zouden kunnen krijgen omtrent de verschrikkelijke gebeurtenissen die zo kort geleden hadden plaatsgevonden, afgesloten. En zo reisden ze zwijgend verder, ieder verdiept in overpeinzingen, terwijl nie- mand geneigd was om zijn of haar gedachten te uiten.

Maar ook al bleef Oliver zwijgzaam gedurende deze reis, een golf van emoties en herinneringen overspoelde hem, toen ze de weg insloegen waarover hij eens als een arme dakloze zwer- ver te voet was voortgesukkeld, zonder een vriend om hem te helpen. 'Kijk daar, daar!' riep hij, Roses hand grijpend en uit het raampje wijzend. 'Dat is het hek waar ik overheen geklom- men ben; daar staan de heggen waar ik achter wegkroop, uit angst dat ze me inhaalden en me zouden dwingen terug te gaan! Ginds loopt het pad door de velden naar het oude huis, waar ik woonde toen ik nog klein was! O, Dick, Dick, m'n lie- ve oude vriend; ik wou dat ik je nu even kon zien!'

'Je zult hem spoedig zien,' reageerde Rose, terwijl ze teder zijn gevouwen handen in de hare nam. 'Je zult hem vertellen hoe gelukkig je bent en hoe rijk je bent geworden, maar dat niets opweegt tegen het geluk dat het voor je betekent terug te komen om ook hem gelukkig te maken.'

'Ja, ja,' zei Oliver, 'en we zullen... we zullen hem daar vandaan halen en hem kleren geven en hem laten leren, en hem naar een rustig plekje buiten sturen, waar hij weer sterk en gezond zal worden, nietwaar?'

Rose knikte ja, want de jongen glimlachte door tranen van zulk geluk heen, dat ze geen woord uit kon brengen.

'Toen ik wegliep, zei hij "God zegene je!"' riep de jongen, in een uitbarsting van gevoelens. 'En nu zal ik "God zegene jóú!" zeggen en hem tonen hoeveel ik van hem hou!'

Toen ze de stad naderden en vervolgens eindelijk door de nauwe straten reden, werd het een moeilijke zaak om de jongen kalm te houden. Daar was de werkplaats van Sowerberry, de doodkistenmaker, kleiner en minder indrukwekkend dan in zijn herinnering; daar was het armenhuis, met zijn troosteloze vensters fronsend op straat neerkijkend; daar stond nog altijd dezelfde portier bij het hek en toen Oliver hem zag kromp hij onwillekeurig in elkaar, maar dan lachte hij om zichzelf omdat hij zo dwaas deed; alles was nog precies zo, alsof hij er gisteren pas was weggegaan en zijn leven van de laatste tijd slechts een droom was geweest.

Maar het was zuivere, oprechte, vreugdevolle waarheid. Ze reden recht naar de deur van het voornaamste hotel (in Olivers herinnering een groot paleis, maar op de een of andere manier toch lang niet meer zo indrukwekkend als vroeger). Mijnheer Grimwig was er reeds om hen te ontvangen toen ze uit het rijtuig stapten; hij was een en al glimlach en vriendelijkheid en bood geen enkele keer aan zijn hoofd op te eten. Het diner was klaar en de slaapkamers gereed en alles was als door een toverhand geregeld.

Niettegenstaande vielen, toen de opwinding van het eerste halfuur voorbij was, dezelfde stilte en spanning weer over het gezelschap als tijdens hun reis. Mijnheer Brownlow at niet met hen mee, maar bleef in een andere kamer. De twee andere heren liepen in en uit en spraken apart. Eén keer werd mevrouw Maylie weggeroepen, en nadat ze bijna een uur was weggebleven kwam ze terug met ogen die gezwollen waren van het huilen. Deze omstandigheden maakten Rose en Oliver uiterst zenuwachtig. Ze zaten zwijgend bij elkaar, of spraken fluisterend.

Eindelijk, toen het negen uur was geworden en ze al begonnen te denken dat ze die dag niets meer te horen zouden krijgen, betraden dokter Losberne en mijnheer Grimwig de kamer, gevolgd door mijnheer Brownlow en een vreemde, wiens verschijnen Oliver bijna een kreet van verrassing deed slaken, want ze vertelden hem dat het zijn broer was, en het was dezelfde man die hij in het marktstadje getroffen had en die hij samen met Fagin door het venster van zijn kamertje had zien loeren. Monks wierp de jongen een blik vol haat toe, waarna hij bij de deur ging zitten. Mijnheer Brownlow, die een aantal papieren in zijn hand hield, liep naar hem toe.

'Dit is een pijnlijke zaak,' zei hij, 'maar deze verklaringen, die in Londen ondertekend zijn in aanwezigheid van een groot aantal heren, moeten hier in hoofdtrekken herhaald worden. We moeten ze uit jouw eigen mond horen voor we afscheid nemen, en je weet wel waarom.'

'Ga door,' zei de aangesprokene, zijn gezicht afwendend. 'Ik geloof dat ik zo langzamerhand genoeg gedaan heb. Hou me hier niet langer vast dan nodig is.'

'Dit kind,' zei mijnheer Brownlow, terwijl hij Oliver naar zich toetrok en een hand op zijn hoofd legde, 'is je halfbroer; de onwettige zoon van jouw vader, mijn lieve vriend Edward Leeford, en de arme Agnes Fleming, die overleed bij zijn geboorte.'

'Ja,' zei Monks, de bevende jongen, wiens hart men had kunnen horen kloppen, kwaadaardig aankijkend. 'Dat is hun bastaardkind.'

'De uitdrukking die je gebruikt,' zei mijnheer Brownlow streng, 'houdt een verwijt in aan hen die reeds lang ontvlucht zijn aan de kritiek van deze wereld. Geen enkele levende ziel wordt erdoor beschaamd, behalve jij, die het woord gebruikt. Laat het daarbij. Werd hij in deze stad geboren?'

'In het armenhuis van deze stad,' was het knorrige antwoord. 'Zijn vader werd ziek in Rome en mijn moeder, zijn vrouw, van wie hij reeds lang gescheiden leefde, ging vanuit Parijs naar hem toe en nam mij met zich mee. Hij heeft nooit geweten dat we er waren, want hij was buiten bewustzijn en de volgende dag overleed hij. Onder de papieren in zijn schrijftafel bevonden er zich twee, die gedateerd waren op de dag dat hij ziek was geworden. Ze waren in een envelop gedaan, te samen met enkele regels aan u' - hij richtte zich hierbij tot mijnheer Brownlow - 'en op de envelop stond de mededeling dat ze niet verzonden mochten worden voor hij gestorven was. Het ene papier was een brief aan dat meisje, Agnes; het andere een testament.'

'Wat weet je van die brief?' vroeg mijnheer Brownlow.

'De brief? Een boetvaardige bekentenis, hij had het meisje iets wijsgemaakt over een geheimzinnig mysterie waardoor hij haar voorlopig niet kon trouwen, en ze had hem geduldig vertrouwd, tot het met het vertrouwen te ver ging en ze verloor wat niemand haar ooit terug kon geven. Op dat tijdstip was ze nog slechts enkele maanden van haar bevalling af. Hij onthulde haar alles wat hij van plan was geweest te doen om, als hij in leven was gebleven, haar schande te verbergen. En hij smeekte haar om, indien hij stierf, zijn nagedachtenis niet te vervloeken. Hij herinnerde haar aan de dag waarop hij haar een klein medaillon gegeven had en een ring met haar voornaam erin gegraveerd en een open plaats voor de naam, die hij, naar hij gehoopt had, haar eens zou kunnen aanbieden. Hij verzocht haar dat medaillon op haar hart te blijven dragen - en zo ging het door, onsamenhangend en onbezonnen, alsof hij gek geworden was. Ik geloof dat dat inderdaad het geval was.'

'Het testament?' zei mijnheer Brownlow, terwijl Oliver huilde.

Monks zweeg.

'Het testament,' zei mijnheer Brownlow, die voor hem het woord nam, 'was in dezelfde geest geschreven als de brief. Hij sprak van de ellende die zijn vrouw over hem had gebracht; van de opstandige aard, kwaadaardigheid en zonden van jou, zijn enige zoon, die erop geoefend was om hem te haten, en hij liet jou en je moeder elk een jaargeld van achthonderd pond na. Het hoofdbestanddeel van zijn vermogen verdeelde hij in twee gelijke delen – een voor Agnes Fleming, het andere voor zijn kind, als dat levend ter wereld kwam en meerderjarig zou worden. Werd het een meisje, dan zou zij het geld onvoorwaardelijk erven, maar was het een jongen, dan zou het geld hem alleen ten deel vallen indien hij, voor hij meerderjarig werd, zijn naam niet had bezoedeld met een daad van eerloosheid, gemeenheid, lafheid of onrechtvaardigheid. Hij schreef dit, zo onthulde hij, om te tonen hoeveel vertrouwen hij in de moeder stelde en hoezeer hij ervan overtuigd was dat het kind haar zacht hart en edel karakter zou erven. Als hij in deze verwachting teleurgesteld werd, dan zou al het geld naar jou gaan, want dan, en niet eerder, dus wanneer beide kinderen gelijk waren, zou hij het eerstgeboorterecht erkennen, dat jij op zijn bezit kon doen laten gelden, maar niet op zijn hart, aangezien je hem al sinds je allervroegste jeugd met afkeer vervuld had.'

'Mijn moeder,' zei Monks op luidere toon, 'deed wat elke vrouw gedaan zou hebben. Ze verbrandde het testament. De brief bereikte nooit zijn bestemming maar werd, met andere bewijsstukken, door mijn moeder bewaard voor geval ze nog eens te pas zouden kunnen komen. De vader van het meisje kreeg de waarheid te horen van mijn moeder, met alle overdrijvingen die haar hevige haat haar ingaf. Gebukt onder schaamte en eerloosheid vluchtte hij met zijn kinderen naar een afgelegen streek in Wales, terwijl hij bovendien zijn naam veranderde, opdat zijn vrienden nooit iets over de geschiedenis te horen zouden krijgen. Maar het meisje had in het geheim het huis verlaten. Hij zocht naar haar in elke stad en elk dorp in de omtrek, maar keerde onverrichterzake naar huis terug, in de overtuiging dat ze zelfmoord gepleegd had om haar en zijn schande te verbergen; en op die avond brak zijn oude hart en werd hij dood in bed aangetroffen.'

Er viel een korte stilte, tot mijnheer Brownlow de draad van het verhaal weer opnam.

'Jaren daarna,' zei hij, 'kwam de moeder van deze man – Edward Leeford – bij me. Toen hij nog maar achttien was, had hij haar in de steek gelaten; hij had al haar juwelen en geld gestolen, gespeeld, zijn geld weggesmeten, valsheid in geschrifte gepleegd, en was vervolgens gevlucht naar Londen, waar hij twee jaar lang omging met de laagste misdadigers. Zij ging langzaam te gronde aan een ongeneeslijke ziekte, en wilde hem graag bij zich hebben voor zij stierf. Er werden inlichtingen ingewonnen en onderzoekingen ingesteld, die eindelijk succes hadden, en zo ging hij met haar terug naar Frankrijk.'

'Daar overleed ze,' zei Monks, 'en op haar sterfbed vermaakte ze me al deze geheimen, te samen met een dodelijke haat jegens alle personen die erbij betrokken waren – hoewel ik die haat al sinds jaren koesterde. Ze kon maar niet geloven dat het meisje zich van kant had gemaakt, met het kind erbij, en leed onder de indruk dat er een jongen geboren was die nog leefde. Ik zwoer haar, dat ik hem, als ik hem ooit tegenkwam, zou achtervolgen met de bitterste haat, en zou spugen op dat beledigende testament door het kind tot aan de voet van de galg te slepen. Ze had gelijk. Na lange tijd kruiste hij mijn pad. Ik begon goed, en als er geen kletsende slet tussen gekomen was, dan zou ik mijn werk voltooid hebben zoals ik het begonnen was.'

Terwijl de schurk zijn armen stevig voor de borst vouwde en machteloos vloekte, wendde mijnheer Brownlow zich tot de ontzette toehoorders en legde hun uit dat Fagin, die Monks' medeplichtige geweest was, een grote som geld had ontvangen om Oliver in zijn netten gevangen te houden. Mocht Oliver ontsnappen, dan zou dit geld gedeeltelijk teruggegeven moeten worden. Een ruzie naar aanleiding hiervan leidde tot het bezoek aan het landhuisje, teneinde zijn identiteit vast te stellen.

'Het medaillon en de ring?' vroeg mijnheer Brownlow, zich weer tot Monks wendend.

'Ik heb ze gekocht van de man en de vrouw, over wie ik u al vertelde, die ze van de oude verpleegster gestolen hadden, die ze op haar beurt weer van het lijk had weggenomen,' antwoordde Monks. 'U weet wat ermee gebeurd is.'

Mijnheer Brownlow knikte kort tegen mijnheer Grimwig, die snel verdween en al spoedig terugkwam, terwijl hij mevrouw Bumble voor zich uit duwde en haar onwillige echtgenoot achter zich aan trok.

'Bedriegen mijn ogen me,' riep mijnheer Bumble met slecht gespeelde geestdrift, 'of is dat de kleine Oliver? O, O-li-vier, als je eens wist welk een verdriet ik om jou uitgestaan heb...'

'Hou je mond, idioot,' mompelde mevrouw Bumble.

'Kun je je niet voorstellen wat ik voel,' reageerde de Vader van het armenhuis, 'ik die hem in naam van de gemeente opgevoed heb, nu ik hem daar zo tussen die deftige dames en heren zie zitten?'

'Kent u die persoon?' vroeg mijnheer Brownlow, naar Monks wijzend.

'Nee,' antwoordde mevrouw Bumble botweg.

'U misschien ook niet?' vroeg mijnheer Brownlow aan haar echtgenoot.

'Ik heb hem van m'n leven nooit gezien,' zei mijnheer Bumble.

'En hem zeker ook nooit iets verkocht, hè?'

'Nee,' antwoordde mevrouw Bumble.

'En u hebt zeker ook nooit een gouden medaillon en ring in uw bezit gehad?' vroeg mijnheer Brownlow verder.

'Zeker niet,' antwoordde de Moeder brutaal. 'Waarom zijn we hier gebracht om op zulke onzinnige vragen antwoord te geven?'

Weer knikte mijnheer Brownlow Grimwig toe en opnieuw hinkte deze heer weg. Dit keer kwam hij terug met twee stramme oude vrouwtjes, die trilden en schudden onder het lopen.

'De nacht dat de oude Sally doodging deed u de deur dicht,' zei de voorste, terwijl ze haar verschrompelde hand hief, 'maar het geluid kon u niet buitensluiten, en de kieren kon u niet stoppen.'

'Nee, nee,' beaamde de tweede, murmelend met tandeloze kaken. 'Nee, nee, nee.'

'We hoorden hoe Sally u probeerde te vertellen wat ze gedaan had en we zagen dat u een papiertje uit haar hand haalde, en de volgende dag hebben we u naar de bank van lening zien gaan,' zei de eerste.

'Ja,' voegde de tweede eraan toe, 'en het waren een medaillon en een gouden ring. Dat hebben we ontdekt, en we zagen hoe ze aan u gegeven werden. We waren erbij. O, we waren erbij!'

'En we weten nog meer,' hernam de eerste, 'want Sally heeft ons lang geleden verteld dat de jonge moeder, toen ze voelde dat ze ziek was, op weg ging om nabij het graf van de vader van het kind te sterven. Ze voelde dat ze de ziekte niet zou overleven.'

'Wilt u de lommerdhouder zelf ook nog zien?' vroeg mijnheer Grimwig, met een beweging naar de deur.

'Nee,' antwoordde mevrouw Bumble. 'Als hij' – ze wees naar Monks – 'laf genoeg geweest is om te bekennen, en ik zie dat dat inderdaad het geval is, en als jullie die oude heksen hebben uitgehoord, dan heb ik niets meer te zeggen. Ik heb die dingen inderdaad verkocht en ze zijn nu ergens waar jullie ze nooit meer zullen vinden. En wat zou dat?'

'Niets,' antwoordde mijnheer Brownlow, 'behalve dan, dat het onze taak is ervoor te zorgen dat u geen van beiden ooit nog in een vertrouwenspositie geplaatst wordt. U kunt gaan.'

'Ik hoop,' zei mijnheer Bumble, droevig om zich heen ziend,

terwijl mijnheer Grimwig met de twee oude vrouwen verdween, 'dat deze ongelukkige kleine omstandigheid mij niet m'n gemeentebetrekking zal kosten?'

'Dat is wél het geval,' antwoordde mijnheer Brownlow. 'Bereidt u zich er maar vast op voor.'

'Het is allemaal de schuld van mevrouw Bumble. Zij wilde het per se,' hield mijnheer Bumble aan, nadat hij er zich van had overtuigd, dat zijn gade de kamer verlaten had.

'Dat is geen verontschuldiging,' reageerde mijnheer Brownlow. 'U was erbij tegenwoordig toen de kleinoden vernietigd werden en in de ogen van de wet rust op u zelfs de meeste schuld, want de wet veronderstelt dat uw vrouw handelt op uw aanwijzingen.'

'Als de wet dat veronderstelt,' zei mijnheer Bumble, terwijl hij zijn hoed opgewonden met beide handen omknelde, 'dan is de wet een idioot. Als de wet dat denkt, dan is de wet een vrijgezel. En het ergste dat ik de wet kan toewensen is, dat de wet op een dag wijzer wordt door ondervinding – door ondervinding.' Mijnheer Bumble zette zijn hoofddeksel op en volgde zijn echtgenote.

'Jongedame,' zei mijnheer Brownlow, zich tot Rose wendend, 'geef me je hand. Beef niet, je hoeft niet te vrezen voor de enkele woorden, die we nog te zeggen hebben.'

'Als ze betrekking hebben op mij,' zei Rose, 'laat me ze dan alstublieft een andere keer horen. Ik heb nu lichamelijk, noch geestelijk de kracht ertoe.'

'Nee,' antwoordde de oude heer, terwijl hij haar arm door de zijne trok. 'Ik weet zeker, dat je sterker bent dan je zelf wel denkt. Kent u deze jongedame, mijnheer?'

'Ja,' antwoordde Monks.

'Ik heb u nog nooit eerder gezien,' zei Rose zwakjes.

'Ik heb u vaak gezien,' bromde Monks.

'De vader van de ongelukkige Agnes had twee dochters,' zei mijnheer Brownlow. 'Wat was het lot van het tweede kind?'

'Toen de vader stierf,' antwoordde Monks, 'in een onbekende plaats in Wales onder een valse naam, zonder een boek, brief of ander stuk papier, dat de geringste aanwijzing kon verschaffen wie zijn vrienden of bloedverwanten waren, is het kind opgenomen door een paar arme dorpelingen, die het als hun eigen kind grootbrachten.'

'Ga door,' zei mijnheer Brownlow, terwijl hij mevrouw Maylie een teken gaf om naderbij te komen. 'Ga door!'

'U kon de plaats waar deze mensen heen getrokken waren niet vinden,' zei Monks, 'maar mijn moeder vond die, en het kind ook.'

'En ze nam het met zich mee, nietwaar?'

'Nee. De mensen waren arm en begonnen spijt te krijgen van hun menslievendheid; maar mijn moeder liet het kind bij hen, gaf hun een klein bedrag aan geld en beloofde meer, maar ze was niet van plan om dat te sturen. Ze vertrouwde echter niet helemaal op de ontevredenheid en de armoede van deze mensen om het kind voldoende ongelukkig te maken. Daarom vertelde ze hun het verhaal van haar zusters schande met de veranderingen die haar het best toeschenen. Ze verzocht hun het kind goed in de gaten te houden, want het kwam uit een slecht nest; en ze vertelde dat het meisje buitenechtelijk geboren was en op een kwade dag beslist het verkeerde pad op zou gaan. De omstandigheden werkten mee en die mensen slikten het, en zo leidde het kind daar een bestaan, dat ellendig genoeg was om zelfs ons bevrediging te schenken, tot een weduwe, die in Chester woonde, het meisje toevallig zag, medelijden kreeg en het meenam naar haar eigen huis. Ondanks al onze pogingen bleef ze daar en was er gelukkig. Een jaar of twee, drie geleden verloor ik haar uit het oog, en een paar maanden terug zag ik haar pas weer.'

'Zie je haar nu?'

'Ja. Aan uw arm.'

'Maar toch ben je mijn nichtje,' riep mevrouw Maylie uit, terwijl ze het meisje in haar armen sloot. 'Toch ben je mijn liefste kind. Ik zou haar voor alle schatten ter wereld niet meer willen missen!'

'De enige vriendin die ik ooit gehad heb,' riep Rose, zich aan haar vastklemmend. 'De goedhartigste, beste aller vriendinnen. Mijn hart berst. Ik kan dit alles niet verdragen.'

'Je hebt meer verdragen, en bent steeds het liefste wezentje geweest, dat ooit geluk deed afstralen op allen die zij kende,' zei mevrouw Maylie teder. 'Kom, lief kind, en bedenk wie er staat te popelen om je in zijn armen te nemen! Kijk, lieve!'

'Geen tante,' riep Oliver, terwijl hij zijn armen om haar hals sloeg, 'ik zal haar nooit tante noemen – maar zusje, mijn eigen lief zusje, van wie ik het allereerste ogenblik dat ik haar kende, reeds zoveel hield! Rose, lieve, lieve Rose!'

Laten we de tranen, die vloeiden, en de gestamelde woorden, die tijdens de lange en innige omhelzing van de beide weeskinderen gewisseld werden, als iets heiligs ontzien. Een vader, een zuster en een moeder werden in één ogenblik gewonnen, en verloren. Vreugde vermengde zich met verdriet. Alle anderen verlieten het vertrek en ze waren lange, lange tijd alleen.

Een zachte klop op de deur verkondigde ten slotte, dat er iemand buiten stond. Oliver deed open, glipte snel naar buiten en stond zijn plaats af aan Harry Maylie.

'Lieve Rose, ik weet alles,' zei deze, naast het meisje plaats nemend. 'Kun je raden dat ik gekomen ben om je aan een belofte te herinneren? Je hebt me toestemming gegeven binnen een jaar op elk gewenst ogenblik over het onderwerp van ons laatste gesprek te beginnen.'

'Inderdaad,' zei Rose.

'Ik zou alles wat ik aan fortuin of aanzien in de wereld bezat aan je voeten leggen, en als je nog steeds bij je oorspronkelijke beslissing bleef, zou ik door woord noch door daad ooit weer proberen je van die beslissing af te brengen.'

'Dezelfde redenen, die mij toen mijn besluit deden nemen, gelden ook nu nog,' sprak Rose vastberaden. 'De onthullingen van vanavond veranderen niets aan onze verhouding, zoals die was.'

'Je verhardt je tegen me, Rose,' drong haar minnaar aan.

'O, Harry,' zei het jonge meisje, in tranen uitbarstend, 'ik wilde dat het mogelijk was, dan kon ik mezelf deze smart besparen.'

'Waarom doe je jezelf die smart dan aan?' vroeg Harry, terwijl hij haar hand omklemde. 'Bedenk toch, Rose, wat je vanavond hebt gehoord.'

'En wat heb ik gehoord?' riep Rose. 'Dat een gevoel van diepe schande mijn vader zo benauwde, dat hij alle mensen ontvluchtte. We hebben genoeg gezegd, Harry.'

'Nog niet,' zei de jongeman, en hield haar tegen toen ze wilde opstaan. 'Mijn hoop, mijn verlangens, mijn vooruitzichten – al mijn gedachten behalve mijn liefde voor jou – hebben een verandering ondergaan. Ik bied je niet langer een vooraanstaande positie in het bruisende leven aan, geen bestaan in een wereld van boosheid en laster, maar een huis – een hart en een huis – ja, liefste Rose, dat zijn de enige dingen die ik je kan aanbieden.'

'Wat bedoel je?' stamelde ze.

'Ik bedoel alleen dit – toen ik je de laatste keer zag, heb ik je verlaten met het vaste voornemen om alle denkbeeldige hinderpalen tussen jou en mij uit de weg te ruimen; ik besloot om, indien mijn wereld niet de jouwe kon zijn, jouw wereld tot de mijne te maken. Dat heb ik gedaan. Alle invloedrijke en machtige relaties, die mij vroeger welwillend toelachten, beschouwen me nu met kille blik, maar in een van Engelands mooiste graafschappen, naast een oude dorpskerk – de mijne, Rose, de mijne! – staat een vriendelijk huisje, waar je mij trotser op kunt maken dan op alle verwachtingen waarvan ik vrijwillig afstand gedaan heb – duizendmaal trotser.

Die kerk en dat huisje zijn nu mijn plaats in het leven, en die leg ik hier aan je voeten!'

'Het vergt heel wat geduld met het avondeten op een verloofd paar te moeten wachten,' zei mijnheer Grimwig, ontwakend en zijn zakdoek van zijn hoofd trekkend.

Om de waarheid te zeggen, had het avondeten al onverantwoordelijk lang staan wachten. Mevrouw Maylie, noch Harry, noch Rose (die nu allen tegelijk binnenkwamen) kon één woord ter verontschuldiging aanvoeren.

'Ik heb ernstig overwogen om vanavond mijn hoofd op te eten,' zei mijnheer Grimwig, 'want ik begon te vrezen dat ik niets anders zou krijgen. Als u mij toestaat, zal ik nu zo vrij zijn de aanstaande bruid te begroeten.'

Mijnheer Grimwig bracht dit plan onmiddellijk ten uitvoer. Het meisje bloosde, en daar het voorbeeld aanstekelijk werkte, werd het gevolgd door de dokter en mijnheer Brownlow. Er zijn mensen die beweren dat Harry Maylie er oorspronkelijk in een donkere zijkamer mee begonnen was, maar zij die het kunnen weten, beschouwen dit als louter laster – aangezien hij jong was en bovendien een geestelijke.

'Oliver, mijn kind,' zei mevrouw Maylie, 'waar ben je geweest, en waarom kijk je zo bedroefd? Moeten er nu op dit ogenblik tranen langs je wangen vloeien? Wat is er gebeurd?'

Dit is een wereld vol teleurstellingen; vaak van de verwachtingen die ons het dierbaarst zijn en die ons karakter de hoogste eer aandoen.

Arme Dick was dood!

22

De rechtszaal was van de vloer tot de zoldering gevuld met gezichten. Van de beklaagdenbank tot in de kleinste hoekjes van de galerij waren aller ogen gericht op één man – Fagin. Hij scheen omringd door een firmament van heldere en glinsterende ogen.

Daar stond hij dan in het volle licht, één hand op het houten plankje voor hem, de andere aan zijn oor, en zijn hoofd vooruitgestoken, om duidelijker elk woord te kunnen verstaan van de president van de rechtbank, die zijn samenvatting oplas voor de jury. Zo nu en dan blikte hij scherp naar de juryleden, om te zien welke invloed enkele zeer geringe verzachtende omstandigheden op hen hadden. Maar hij bewoog zich niet. Sinds de rechtszitting begon, had hij zijn houding amper gewijzigd. En nadat de rechter zweeg, bleef hij nog steeds zo roerloos staan, alsof hij scherp luisterde.

Een licht geroes in de zaal riep hem weer tot zichzelf, en hij zag dat de juryleden begonnen waren om over hun uitspraak te beraadslagen. Toen zijn ogen langs de galerij gingen, zag hij hoe de mensen zich uitrekten om zijn gezicht te kunnen zien. Er waren er echter ook die niet op hem letten en alleen aandacht schenen te hebben voor de jury. Maar op geen enkel gezicht kon hij ook maar de geringste sympathie lezen voor hemzelf. Het enige dat hij bespeurde was een allesoverheersend verlangen hem veroordeeld te zien.

Hij nam triest de juryleden op, toen ze één voor één naar buiten gingen, als om te zien naar welke zijde zij overhelden, doch het was nutteloos. De cipier tikte hem op de schouder en wees hem een stoel aan. Werktuiglijk ging hij zitten. Hij keek opnieuw naar boven, naar de galerij. Sommige mensen zaten te eten en een jongeman maakte in een notitieboekje een schets van zijn gezicht. Hij vroeg zich af of de gelijkenis goed was, en toen de artiest de punt van zijn potlood brak, keek hij als een gewone objectieve toeschouwer toe hoe de man er met zijn mes een nieuwe aan sleep. Zo ging het ook toen hij zijn ogen op de rechter richtte, en hij begon zich bezig te houden met de snit van diens kleding. Hetgeen niet wilde zeggen dat zijn geest ook maar één ogenblik vrij was van het drukkende besef dat zich vlak voor zijn voeten een graf opende; maar hij kon zijn gedachten er niet op concentreren. Zo kwam het dat, terwijl hij over zijn hele lichaam beefde en de hete vlammen hem uitsloegen bij de gedachte dat hij spoedig ging sterven, hij de ijzeren stangen voor hem begon te tellen, en hij vroeg zich af hoe het kwam dat een van de punten afgebroken was. Dan dacht hij aan alle verschrikkingen van de galg en het schavot – zette die gedachten opzij, toen hij een man de vloer met water zag besprenkelen om wat koelte in de zaal te brengen – en dacht daarna weer verder.

Eindelijk werd er om stilte geroepen en allen keken ademloos naar de deur. De jury keerde terug. Hij kon van de gezichten niets aflezen; ze hadden wat dat betreft wel van steen kunnen zijn. Volkomen stilte volgde – geen geritsel – geen ademtocht. Schuldig!

In het gebouw weergalmde een enorme schreeuw, en nog een, en weer een, en toen volgde een luid gedreun, dat sterker werd en op kwaadaardig gedonder begon te lijken. Dit was het vreugdebetoon van de mensen buiten, die het nieuws dat hij op maandag zou sterven, begroetten.

Het geluid verstierf en men vroeg hem of hij nog iets te zeggen had waardoor de doodstraf niet op hem kon worden toegepast. Hij had zijn luisterende houding weer aangenomen, maar de vraag moest tweemaal herhaald worden voor hij haar scheen te horen en toen mompelde hij alleen maar, dat hij een oud man was – een oud man – waarna zijn stem in een gefluister wegstierf.

De rechter zette de zwarte kap op. Zijn toespraak was plechtig en indrukwekkend; het vonnis verschrikkelijk om te horen. De gevangene stond daar als uit marmer gehouwen. Zijn knokige gezicht stak nog steeds naar voren, de ogen staarden nog altijd vooruit, toen de cipier een hand op zijn arm legde en hem beduidde mee te gaan. Hij keek een ogenblik verwezen om zich heen en gehoorzaamde.

Ze leidden hem door een ruimte met een stenen vloer onder de rechtszaal, waar enige gevangenen op hun beurt wachtten, en toen hij voorbij kwam weken ze achteruit teneinde de mensen buiten, die zich voor het hek verdrongen, in de gelegenheid te stellen hem beter te zien. Ze bestookten hem met scheldnamen, en krijsten en sisten. Hij schudde zijn vuist naar hen en zijn begeleiders trokken hem haastig mee door een sombere gang naar het binnenste van de gevangenis. Hier werd hij gefouilleerd, opdat hij niet in het bezit zou blijven van middelen om de wet voor te zijn. Daarna brachten ze hem naar een van de dodencellen en lieten hem daar achter – alleen.

Hij ging zitten op een stenen bank, die zowel zitplaats als bed was, en met zijn bloeddoorlopen ogen naar de grond starend probeerde hij zijn gedachten te ordenen. Na een tijdje begon hij zich te herinneren wat de rechter had gezegd, hoewel het hem was voorgekomen, dat hij er geen woord van had verstaan. Te worden opgehangen aan de hals, tot de dood volgde – dat was het slot geweest.

Toen het erg donker werd, begon hij te denken aan alle mannen die hij had gekend die op het schavot waren gestorven, sommigen door zijn toedoen. Enkelen van hen had hij zien sterven – en hij had er grappen om gemaakt, omdat ze stierven met een gebed op hun lippen. Met welk een ratelend geluid vloog het valluik open; en hoe plotseling veranderden ze van krachtige mannen in bungelende hoopjes kleren! Misschien hadden sommigen wel in deze zelfde cel gezeten – op deze zelfde bank. Het was erg donker; waarom brachten ze geen licht? Tientallen mannen moesten hier hun laatste uren hebben doorgebracht. Licht, licht!

Eindelijk, toen zijn handen tot bloedens toe verwond waren door het beuken tegen de zware deur, verschenen er twee mannen – de een met een kaars die hij in een ijzeren kandelaar aan de muur zette, de ander met een matras waarop hij de nacht zou doorbrengen; want de gevangene mocht niet meer alleen gelaten worden. Daarop volgde een donkere, lugubere nacht, en het geluid van beierende kerkklokken bracht vertwijfeling. Elke metalen galm was geladen met dat ene holle geluid – dood!

De dag was nauwelijks aangebroken of hij was alweer voorbij, en weer viel de nacht – zo lang en tegelijk zo kort. Eerbiedwaardige lieden van zijn eigen geloof kwamen bij hem om met hem te bidden, maar hij verdreef ze met vloeken.

Zaterdagnacht. Hij had nog maar één nacht te leven. En terwijl hij daarover nadacht, brak de dag aan – zondag. En pas op de avond van deze laatste, verschrikkelijke dag begon hij zich volkomen bewust te worden van de hulpeloze, wanhopige toestand waarin zijn verdorven ziel verkeerde. Zwaar ademend en met gloeiende huid liep hij in een razende aanval van vrees en gramschap zijn cel op en neer. Zijn rode haar slierde langs zijn bloedeloos gezicht; zijn baard was in klitten verward en zijn ogen glansden met een koortsachtig licht. Hij werd zo kwaadaardig onder de kwellingen van zijn slechte geweten, dat het voor één bewaker te gevaarlijk werd in zijn nabijheid te blijven, en daarom hielden ze nu voor alle zekerheid allebei de wacht.

Nadat de nacht was gevallen werd het plein voor de gevangenis ontruimd, en dwars over de straat waren al een paar hekken opgesteld om het opdringen van de menigte, die men verwachtte, tegen te gaan, toen mijnheer Brownlow en Oliver bij de poort verschenen, met schriftelijke toestemming om de gevangene te bezoeken.

'Gaat de jongeheer ook mee, mijnheer?' vroeg de man, die hen zou vergezellen. 'Het is niet direct een schouwspel voor kinderen, mijnheer.'

'Inderdaad niet, m'n vriend,' beaamde mijnheer Brownlow, 'maar wat ik met deze man te bespreken heb staat in nauw verband met de jongen; en daar het kind hem op het hoogtepunt van zijn succes en slechtheid heeft gezien, geloof ik, dat het goed is – zelfs ten koste van enige pijn en angst – dat hij hem ook nu aanschouwt.'

Deze woorden werden terzijde gewisseld, opdat Oliver ze niet zou horen. De man nam Oliver met enige nieuwsgierigheid op en leidde hen daarna door donkere, bochtige gangen naar de cellen. Uiteindelijk beduidde hij hen hem een cel in te volgen. Aldus deden ze.

De veroordeelde misdadiger zat op zijn bed, heen en weer schommelend en met een gezicht dat meer op de snuit van een gestrikt dier leek, dan op een menselijk gelaat. Hij hield zich in gedachten klaarblijkelijk bezig met zijn vroeger leven, want hij bleef allerlei voor zich heen mompelen zonder zich bewust te zijn van de aanwezigheid van anderen.

'Goeie jongen, Charley – goed gedaan,' mompelde hij, 'Oliver ook – een hele heer nou, een hele, breng die jongen naar bed!

Horen jullie me? Hij is in… in wezen de oorzaak van dit alles. Het is het geld wel waard om hem zo op te voeden.'

'Fagin,' zei de cipier.

'Dat ben ik!' riep de oude, terwijl hij onmiddellijk verstrakte in de luisterende houding, die hij ook tijdens de rechtszitting aangenomen had. 'Een oud man, edelachtbare; een heel, heel oud man!'

'Hier is iemand, die je wil spreken,' zei de cipier. 'Fagin, Fagin! Ben je daar?'

'Niet lang meer,' antwoordde de jood, opkijkend met een gezicht dat geen enkele andere menselijke uitdrukking vertoonde dan woede en ontzetting. 'Sla ze allemaal dood! Welk recht hebben ze om me af te maken?'

Terwijl hij dit zei, kreeg hij plotseling Oliver en mijnheer Brownlow in de gaten, en kroop weg tot in het verste hoekje van zijn bank.

'Kalm maar,' zei de cipier. 'Nou, mijnheer, vertel hem wat u te vertellen hebt.'

'Je hebt enkele papieren,' zei mijnheer Brownlow, naderbij tredend, 'die je door een zekere Monks gegeven zijn om te bewaren.'

'Allemaal leugens,' antwoordde de jood. 'Ik heb er geeneen, geeneen.'

'In godsnaam,' sprak mijnheer Brownlow plechtig. 'Zeg dat niet, nu je met één voet in het graf staat, maar vertel me waar ze zijn. Sikes is dood; Monks heeft bekend. Waar zijn de papieren?'

'Oliver,' riep Fagin, de jongen wenkend. 'Hier, kom eens hier! Laat me het in je oor fluisteren.'

'Ik ben niet bang,' zei Oliver zachtjes, terwijl hij mijnheer Brownlows hand losliet.

'De papieren,' zei Fagin, die Oliver naar zich toe trok, 'zitten in een linnen zak in een gat, een klein eindje boven de schoorsteen van de voorkamer op de bovenste etage. Ik wil met je praten, m'n beste; ik wil met je praten.'

'Ja, ja,' antwoordde Oliver. 'Laat me een vertroostend gebed opzeggen. Kom! Dan zullen we samen praten tot de morgen aanbreekt.'

'Naar buiten, naar buiten,' schreeuwde de oude, terwijl hij de jongen voor zich uit duwde in de richting van de deur. 'Als je zo met me doorloopt, kun je me er wel uitkrijgen. Kom nou!'

'O! God, vergeef deze ellendige,' riep de jongen, in tranen uitbarstend.

'Juist, dat is goed,' zei de jood. 'Dat zal ons helpen. Eerst deze deur. Schiet op!'

'U kunt nu beter gaan, mijnheer,' zei de cipier tegen mijnheer Brownlow. De deur van de cel ging open en de twee bewakers kwamen terug.

'Loop door, loop door,' riep de jood. 'Vlugger!'

De mannen grepen hem vast en verlosten Oliver uit zijn klauwende handen. Een ogenblik worstelde hij met de kracht der wanhoop, en slaakte kreet na kreet die in hun oren klonken, totdat ze de binnenplaats bereikten.

Het duurde nog een tijd voor ze de gevangenis verlieten. Oliver voelde zich zo zwak, dat het minstens een uur duurde voor hij weer genoeg kracht bezat om te kunnen lopen.

Buiten zagen ze dat het al dag begon te worden. Er had zich al een grote menigte verzameld; voor de ramen zaten groepjes mensen; de wachtenden duwden, ruzieden, en maakten grappen. Alles getuigde van leven en opgewektheid, behalve één groep donkere, sombere voorwerpen, die te midden van dit alles oprees – het zwarte schavot, de dwarsbalk, het touw; kortom, de hele afzichtelijke apparatuur van de dood.

De lotgevallen van hen die in dit verhaal optraden, zijn bijna ten einde. Het weinige dat nog te vertellen overblijft, kan met enkele eenvoudige woorden gezegd worden.

Voor er drie maanden verlopen waren, trouwden Rose Fleming en Harry Maylie in de dorpskerk, die van dat ogenblik af het arbeidsterrein van de jonge geestelijke zou zijn; op dezelfde dag namen zij hun nieuw en gelukkig huis in gebruik.

Mevrouw Maylie ging bij haar zoon en schoondochter inwonen, om gedurende de rustige dagen die haar nog restten te genieten van het geluk van hen die men gedurende een welbesteed leven gedurig omringd heeft met de warmste genegenheid.

Na een volledig en nauwkeurig onderzoek bleek dat als het geld dat Monks nog bezat, gelijk verdeeld werd tussen hem en Oliver, zij er ieder iets meer dan drieduizend pond per jaar van konden trekken. Krachtens het testament van zijn vader had Oliver eigenlijk recht op alles, maar mijnheer Brownlow, die de oudste zoon niet de gelegenheid wilde ontnemen zijn vroegere ondeugden vaarwel te zeggen en een eerlijke levensloop te beginnen, had deze wijze van verdeling voorgesteld en Oliver had hierin toegestemd.

Monks bleef zijn aangenomen naam dragen en vertrok met zijn erfdeel naar een afgelegen gebied van de Nieuwe Wereld. Daar verkwistte hij zijn geld spoedig en verviel weer in zijn oude zonden. Nadat hij tot een lange straf veroordeeld was als gevolg van een nieuwe daad van geweld, stierf hij in de gevangenis. De resterende leden van Fagins bende werden getroffen door hetzelfde lot.

Mijnheer Brownlow adopteerde Oliver als zijn zoon. Hij en zijn oude huishoudster verhuisden met de jongen naar een huis dat nog geen twee kilometer verwijderd was van de pastorie waar zijn lieve vrienden woonden; hiermee deed hij de enige wens die in Olivers warm en oprecht hart overgebleven was, in vervulling gaan. Hij bracht zodoende een kleine gemeenschap bij elkaar, die de toestand van volmaakt geluk zo dicht benaderde, als dat in deze altijd wisselende wereld maar denkbaar is.

Spoedig na het huwelijk van het jonge paar keerde de goede dokter terug naar Chertsey, waar hij twee, drie maanden lang zichzelf probeerde te doen geloven, dat hij niet langer tegen de lucht van Chertsey bestand was. Nadat hij eindelijk tot de slotsom kwam dat het stadje voor hem echt niet meer was wat het vroeger was geweest, deed hij zijn praktijk over aan een assistent, betrok een huisje even buiten het dorp waar zijn jonge vriend het herderlijk ambt vervulde en werd onmiddellijk beter. Hij vatte een warme vriendschap op voor mijnheer Grimwig, die door deze excentrieke heer werd beantwoord. En zo komt het, dat hij dokter Losberne vaak bezoekt.

Mijnheer en mevrouw Bumble die uit hun ambt ontslagen werden, vervielen langzamerhand tot grote armoede en ellende en ten slotte werden ze als armlastigen opgenomen in hetzelfde armenhuis, waar ze vroeger over anderen de baas hadden gespeeld. Men heeft mijnheer Bumble horen zeggen, dat hij in zijn vernedering niet eens genoeg geestkracht meer bezat om er dankbaar voor te zijn dat hij van zijn vrouw gescheiden was.

Mijnheer Giles en Brittles vervullen nog steeds hun oude post in de pastorie, maar verdelen hun aandacht zo gelijkelijk over de bewoners daarvan en Oliver en mijnheer Brownlow en dokter Losberne, dat de dorpsbewoners er tot op de huidige dag nog steeds niet in geslaagd zijn te ontdekken tot welk huis ze eigenlijk behoren.

Jongeheer Charley Bates, met afschuw vervuld door de misdaad van Sikes, begon er lang en diep over na te denken of een eerlijk leven per slot van rekening toch niet het beste was. Toen hij dan tot de slotsom kwam dat dit inderdaad het geval was, keerde hij zijn verleden de rug toe. Een tijdlang streed hij hard en leed hij veel, maar ten slotte slaagde hij, nadat hij eerst manusje van alles was geweest op een boerderij en later bij een vrachtrijder. Hij is nu de vrolijkste vetweider in heel Northamptonshire.

Hoe de heer Brownlow voortging om iedere dag de geest van zijn aangenomen zoon te verrijken met kennis, en zich, naarmate diens ontwikkeling zich voltrok, steeds meer aan zijn kind ging hechten –hoe hij in hem voortdurend nieuwe trekjes ontdekte van zijn oude vriend, trekjes die in zijn eigen hart weer oude herinneringen wakker riepen, weliswaar weemoedig, maar toch ook zoet en geruststellend – hoe de beide wezen, door tegenslag op de proef gesteld, de lessen van het lot om anderen dankbaar te zijn ter harte namen en leefden in wederzijdse liefde en vurige dank aan Hem, die hen had beschermd en bewaard – dat zijn allemaal dingen die niet verteld behoeven te worden. Ik heb reeds gezegd dat zij schier volmaakt gelukkig waren.

In het altaar van het oude dorpskerkje is een witmarmeren gedenkplaat gemetseld, waarop slechts één naam staat: AGNES. Achter die gedenkplaat bevindt zich geen doodkist, en moge het nog vele, vele jaren duren eer er een andere naam in gebeiteld wordt! Maar, zo de geesten der doden weleens naar de aarde terugkomen om die plaatsen te bezoeken die geheiligd zijn door de liefde – de liefde tot in de dood – van hen die zij tijdens hun aardse leven hebben gekend, dan geloof ik dat Agnes' schim somtijds rond deze heilige plaats zweeft. Dit geloof ik, ook al bevindt zich die plaats in een kerk, en ook al was zijzelf een zwakke en dolende ziel.

Lees ook van A.W. Bruna Uitgevers B.V.

Wim Ewals

Sisi
Opgejaagd door het noodlot

Genève, 10 september 1898. Na een bezoek aan haar vriendin, barones de Rothschild, wordt keizerin Elisabeth van Oostenrijk door de jonge anarchist Luigi Luchèni van het leven beroofd. Al vrij snel na haar dood wordt zij door de media tot een mythe verheven, terwijl haar internationale faam vele jaren later een hoogtepunt bereikt door de romantische films met Romy Schneider in de hoofdrol.

Maar wie was Sisi in werkelijkheid? Honderd jaar na dato blijven de mysteries rondom haar tragische leven en gewelddadige dood voortbestaan. Wim Ewals, docent aan de Utrechtse Hogeschool voor de Kunsten, schetst in dit boek het indringende beeld van een fascinerende vrouw: zelfbewust, provocerend, gevoelig, soms obsessief en vaak niet begrepen.

Maar ook zien we hoe het leven van Elisabeth frappante gelijkenisen vertoont met dat van prinses Diana: beiden afkomstig uit een liberaal milieu, leden zij onder de stenge regels en beperkingen die hun door het hof werden opgelegd; beiden onderscheidden zij zich door hun schoonheid en hun haast obsessieve aandacht voor uiterlijk, figuur, dieet; beiden waren zij slachtoffers van de publieke gunst en vonden zij, ten slotte, op gewelddadige wijze en veel te jong, de dood.

Sisi, opgejaagd door het noodlot is een intrigerend verhaal over een van de meest opmerkelijke vrouwen uit de geschiedenis.

ISBN 90 229 8416 8

Lees ook van A.W. Bruna Uitgevers B.V.

Michael Walsh

Altijd Casablanca

Een mistige nacht in december 1941. Op het vliegveld van Casablanca staat Rick Blaine. Hij kijkt het vliegtuigje na waarin zich Ilsa Lund bevindt, de liefde van zijn leven. Samen met Victor Laszlo is zij op de vlucht voor de nazi's. Maar is de grootste liefdesgeschiedenis aller tijden hiermee ten einde? Zal Rick zijn Ilsa nooit meer in de ogen kijken? Zal Sam nooit meer voor hen beiden *As Time Goes By* spelen?

Een meeslepende roman over de grootste liefdesgeschiedenis aller tijden.

ISBN 90 229 8440 0

Lees ook van A.W. Bruna Uitgevers B.V.

Colleen McCullough

De Doornvogels

Dit is het aangrijpende, imposante verhaal van een eigenaardige familie: de Clearys. Het begint vroeg in deze eeuw, wanneer Paddy Cleary met zijn vrouw Fiona en hun zeven kinderen naar Drogheda , een groot Australisch landgoed, verhuist. Het eindigt meer dan vijftig jaar later, als de enig overblijvende van de derde generatie, de knappe actrice Justine O'Neill, over de wereld zwerft, ver weg van Drogheda, op zoek naar het 'echte leven' en de 'ware liefde'. Maar de werkelijke spil van dit boek is de ontembare Meggie, dochter van Paddy en Fiona Cleary, die niet van Drogheda wijkt en vasthoudt aan haar grote liefde: de knappe en ambitieuze priester Ralph de Bricassart, een verhouding die zelfs niet door een afstand van duizenden kilometers en door de dikke muren van het vaticaan verbroken kan worden. Colleen McCollough schreef een roman vol levende, warme mensen, vol gebeurtenissen die de lezer geen moment loslaten, met voortdurend op de achtergrond de aanwezigheid van het wijde Australische land, in al zijn woeste schoonheid en met al de zware eisen die het stelt aan zijn bevolking van landbouwers en schapentelers.

Van *De Doornvogels* werd een zeer succesvolle gelijknamige televisieserie gemaakt.

ISBN 90 229 8138 X

Lees ook van A.W. Bruna Uitgevers B.V.

Victor Hugo

Les Misérables

Victor Hugo schreef zijn monumentale epos in de vorm van een kroniek die iets meer dan een kwart eeuw Franse geschiedenis omvat. De roman was Hugo's felle aanklacht tegen de onmenselijke leefomstandigheden in het Frankrijk van die tijd, het eerste kwart van de negentiende eeuw.

Het aangrijpende verhaal van Jean Valjean begint met een gebeurtenis die hem zijn hele leven zal blijven achtervolgen: hij steelt een brood om zijn neefjes van de hongerdood te redden. Dit op zich onbeduidende incident komt hem echter op een zware gevangenisstraf te staan: hij wordt veroordeeld tot negentien jaar dwangarbeid...
Als hij na die ellendige jaren vrijgelaten wordt, wil niemand meer iets met hem te maken hebben. Desondanks weet Valjean zich aan zijn verleden te ontworstelen en ontwikkelt hij zich tot een grespecteerd burger.
Zijn criminel verleden blijft hem echter achtervolgen in de persoon van zijn aartsrivaal inspecteur Javert, die verbeten op hem blijft jagen vanwege al zijn niet vermeende misstappen. Hierdoor kunnen Valjean en zijn aangenomen dochter Cosette geen rust vinden en bewegen zij zich als paria's door de maatschappij die zich kenmerkt door onrust, oproer en sociale misstanden.

Deze in 1862 geschreven sociale roman heeft aanwijsbaar bijgedragen tot een verzachting van de onmenselijk Franse strafwetgeving.

ISBN 90 229 8417 6